ФРИДРИХ НЕЗНАНСКИЙ

ФРИДРИХ НЕЗНАНСКИЙ

ОПОЗДАТЬ НА КАЗНЬ

издательство
Москва 2003

УДК 821.161.1-312.4
ББК 84(2Рос=Рус)6-44
Н44

Серия основана в 1998 году

Серийное оформление А. А. Воробьева

Эта книга от начала до конца придумана автором. Конечно, в ней использованы некоторые подлинные материалы как из собственной практики автора, бывшего российского следователя и адвоката, так и из практики других российских юристов. Однако события, место действия и персонажи безусловно вымышлены. Совпадения имен и названий с именами и названиями реально существующих лиц и мест могут быть только случайными.

Все права защищены, ни одна из частей этой книги не может быть воспроизведена или использована в любой форме и любом виде без разрешения автора и издателя. За информацией следует обращаться в ООО «Издательство АСТ».

Подписано в печать с готовых диапозитивов 22.07.03.
Формат 84×108¹/₃₂. Бумага типографская. Печать высокая
с ФПФ. Гарнитура «Таймс». Усл. печ. л. 17,64.
Тираж 15 000 экз. Заказ 1692.
Общероссийский классификатор продукции ОК-005-93, том 2;
953000 — книги, брошюры
Гигиеническое заключение № 77.99.02.953.Д.008286.12.02 от 09.12.2002

ISBN 5-17-020205-9 (ООО «Издательство АСТ»)
ISBN 5-7390-1268-6 (ООО «Агентство «КРПА «Олимп»)

Глава 1

«Тополиный пух, жара, июнь...» — надрывалась магнитола в машине, припаркованной возле настежъ раскрытого окна отделения милиции номер сорок три, что на Петроградской стороне. Лейтенант Иващенко, несший сегодня первое самостоятельное дежурство, лениво размышлял: стоит ли сделать замечание меломану-водителю или лучше просто прикрыть окно. Впрочем, если закрыть, это не спасет. К тому же песня вполне соответствовала ситуации: ночная духота и комья тополиного пуха, обычного в самой середине лета, имелись налицо. Жара не спадала даже ночью, а пух летел большими хлопьями, напоминая сероватый снег, что вызывало ностальгические воспоминания о зиме. «Сугробы» этого пуха уже скопились по углам дежурки.

Нет, закрывать окно не хотелось. Слишком душно, слишком жарко, а кондиционеры в районных отделениях не предусмотрены. «Чай, мы не баре!» — как любил приговаривать майор Кабанов в ответ на жалобы своих подчиненных. Впрочем, такой же фразой он встречал даже просьбу о выдаче пачки писчей бумаги или банки типографской краски для снятия отпечатков пальцев...

5

Выходить из помещения, обходить здание и вступать в препирательства с водителем лейтенанту Иващенко также было лень.

Усилием воли заставив себя подавить раздражение, возникшее от музыки, лейтенант вернулся к важному делу. Кроссворды, а точнее, сканворды — крупные и красочные — сержант Иващенко уважал, и даже очень. Покупал все еженедельные газеты и тонкие аляповатые журналы, в которых было обещано это простенькое развлечение для ума. А также и отдельные сборники: «50 кроссвордов», «100 кроссвордов, сканвордов и чайнвордов», «Самые новые кроссворды» и прочую чепуху. Благо их щедро и в большом количестве предлагали в электричке, в которой лейтенант Иващенко трясся и томился ежеутренне минут сорок по дороге на службу. Там он и наловчился разгадывать нехитрые вопросы, сначала заглядывая через плечо других пассажиров, а потом уже и самостоятельно.

— Имя царицы из древнегерманского эпоса? Э-э-э... пятая «г», последняя «а», аж десять букв... да...

«Жара, июнь...» — напоследок взвизгнула автомагнитола за окном и заткнулась.

«Ну наконец-то!» — вздохнул Иващенко. И тут раздался стук в дверь.

— Занято, — пошутил Иващенко, но потом испугался, что это его непосредственный начальник — майор Кабанов — пришел проверить, как лейтенант справляется с первым ночным дежурством.

Майор Кабанов, надо сказать, таких шуток не понимал. Как-то раз на первое апреля сотрудники сорок третьего отделения решили начальство разыграть — вполне невинно — прислали ему пригласительный билет на встречу с известным питерским шоуменом (а по

6

совместительству — малоизвестным сексопатологом) доктором Щегловым.

Гром и молнии, которые обрушились на головы подчиненных, когда розыгрыш открылся, размах имели чудовищный — чуть до рукоприкладства не дошло. С тех пор сотрудники сорок третьего отделения милиции шутить с начальником избегали.

В дверь снова постучали.

— Войдите! — сказал Иващенко, на всякий случай скинул пачку журналов и газет с кроссвордами в ящик стола и зачем-то приподнялся со стула.

В дежурку вошла, а точнее, вплыла дама. Вот именно, что не девушка, не женщина, не барышня даже — а дама.

Крупная блондинка лет тридцати в черном шелковом брючном костюме и с черной же газовой косынкой на голове вошла и застыла в дверях.

«Брунгильда», — сразу всплыло в памяти лейтенанта неугаданное слово из кроссворда.

«Надо бы записать, а то еще забуду», — с сожалением подумал он, вслух же произнес:

— Слушаю вас, проходите.

Дама прошла к столу дежурного и произнесла неожиданно высоким нервным голосом (от которого Иващенко даже вздрогнул):

— Здравствуйте! У меня случилось несчастье!

— Добрый день, — произнес Иващенко. — В чем дело?

— У меня пропал муж! Вы должны найти его, немедленно!

Под конец фразы голос ее сорвался почти на визг, и дама бурно разрыдалась.

Иващенко смутился-засуетился, схватил с подокон-

7

ника пластиковую бутылку, в которой отстаивалась вода для поливки цветов. Налил этой воды в стакан, подскочил к даме — щелкнул несуществующими каблуками и бряцнул несуществующими шпорами.

Но дама от воды отказалась. Она вынула из черной лакированной сумочки носовой платок, от которого сразу повеяло какими-то неземными духами. Дама крепко и смачно высморкалась и уставилась на лейтенанта круглыми немигающими глазами. Удивительно, но косметика на ее ухоженном лице не потекла от столь бурных рыданий.

«Хорошая косметика. Водостойкая, наверное, — подумал Иващенко. — Не то, что у моей Аньки, та как заревет — так вся в синих разводах, смотреть жутко, как вампирёныш».

На пришедшую даму смотреть было куда приятнее.

— Наша фамилия — Дублинские, — она сделала паузу, чтобы посмотреть на реакцию лейтенанта. Однако лицо Иващенко оставалось непроницаемым. Дама с некоторым даже недоумением хмыкнула и продолжила: — Вы понимаете, мой муж, Сергей Владимирович, прилетел вчера из Германии, сказал, что у него дела на пару часов, ушел из дома и не вернулся. Вы понимаете, такого никогда не было! Умоляю вас! Надо что-то срочно делать!

— Подождите, гражданочка! Давайте разберемся... — Иващенко достал из ящика несколько листов бумаги.

— Да что тут разбираться? Надо! Срочно! Розыск! Дама кричала.

«Дублинские», — подумал Иващенко. В кроссвордах ему эта фамилия не попадалась.

— Погодите. Когда, вы говорите, он ушел из дома?

— Вчера. В семнадцать ноль-ноль, — четко ответила мадам Дублинская. — То есть в пять.

— Ага, — неопределенно ответил лейтенант и сделал пометку.

Дублинская снова сорвалась на крик:

— Вы что, не понимаете?! Мы же время теряем! Надо всесоюзный розыск объявлять!

— Всероссийский, — машинально поправил ее Иващенко.

— Да хоть всенародный! Вы что, не понимаете?!

— Я-то понимаю, но и вы поймите — в розыск мы можем объявить человека, только если он не появлялся более трех суток. А по вашим словам, он только вчера из дома ушел.

— Вы что, с ума сошли? А если с ним что-то случится за эти трое суток?

— Очень может быть, что погуляет — и вернется, — попытался успокоить ее лейтенант. Но его фраза возымела обратное воздействие. Дама снова сорвалась на крик:

— Мой муж не гуляет! Как вы смеете?! Он солидный человек! Профессор! Мировая знаменитость! Он вчера с симпозиума прилетел! Я уже и в бюро несчастных случаев звонила, и по моргам. С ним точно что-то случилось. Он не может просто так пропасть!

— Ну-ну, все бывает, — продолжал твердить свое Иващенко. — Бывает, что и солидные люди загулять могут.

— Я вам говорю, не может он загулять! С ним что-то случилось!

— И вы меня поймите. Не имею я права раньше трехдневного срока в розыск объявлять, — упрямо сказал лейтенант. — Хоть режьте на куски — не имею.

— А зачем вы тогда тут сидите? Что вы можете сейчас сделать? Нельзя же совсем бездействовать. Человек пропал — вы понимаете?!

«Вот заладила, — подумал Иващенко. — Такая не отвяжется. Надо что-то придумать, а то ведь будет сидеть тут трое суток, дожидаться».

— Я могу сейчас у вас заявление принять, — пришла в голову Иващенко спасительная мысль. — Но ход делу мы сможем дать только по истечении трехдневного срока. Согласны?

Дама посмотрела в глаза лейтенанта милиции и, увидев только ледяную непреклонность, поняла, что препираться бессмысленно, и кивнула.

Иващенко протянул ей несколько листов бумаги.

— Пишите. И как можно подробнее опишите обстоятельства. Сесть можете вон за тот столик.

Иващенко показал в угол своего кабинета, где стоял второй письменный стол. По идее, за ним должен был сидеть еще один инспектор, но по причине хронической нехватки кадров стол был не занят.

«Я, Оксана Дублинская, заявляю о пропаже своего мужа — Сергея Дублинского», — старательно выводила дама.

— Адрес свой не забудьте и паспортные данные. Свои и мужа. Дату его рождения и прочее. И имейте в виду, если вдруг муж объявится, или позвонит, или кто из друзей скажет, что видел его, вы нам немедленно должны сообщить, чтобы мы зазря не старались.

— Постараетесь вы зазря! Как же... — бурчала под нос недовольная дама, но продолжала писать.

«Улица Большая Монетная, дом 1, — прочитал адрес Дублинских Иващенко. — Хороший дом, академический. Может, и правда какая-нибудь важная шишка этот загулявший профессор».

Когда дама ушла, он первым делом достал из ящика свой кроссворд и вписал так удачно вспомнившееся ему слово «Брунгильда». А минут через пять, погрузившись в решение кроссворда, и вовсе забыл о визите Дублинской...

На следующее утро лейтенант Иващенко отчитывался перед начальником отделения, майором Кабановым, о своем первом дежурстве:

— Ночь прошла без происшествий. Поступило два звонка. Мелкая кража и драка в коммунальной квартире. Составлены протоколы.

— Хорошо... Что еще? Совсем ничего?

Лейтенант замялся — стоит ли говорить о заявлении Оксаны? Он вспомнил о нем уже утром, фиксируя в журнале дежурств происшедшее за последние сутки. С одной стороны, он вроде бы не имел права заявление принимать, но с другой стороны — заявление-то он принял, умолчать не удастся, а ежели профессор Дублинский и через двое суток не появится, заявлению придется давать ход, профессорша просто так не отвяжется.

— Ну вот, дамочка приходила — муж у нее пропал, всего-то и сутки прошли. Загулял, наверное, профессор, но дамочка такая настойчивая, я бы даже сказал, настырная — заявление оставила. Я принял.

— Это ты зря, Иващенко! — покачал головой майор Кабанов. — Ну раз принял — значит, принял. Пусть лежит. Двое суток, пока делу ход не дадим... А что за профессор, кстати?

— Дублицкий, что ли... Или Дублинский, — наморщил лоб лейтенант.

— Кто-о?! — Глаза Кабанова округлились.

11

— Дуб... Дублинский... — заикаясь, проговорил лейтенант Иващенко, предчувствуя недоброе.

— Как Дублинский?!

Майор Кабанов даже в лице переменился.

— Дай-ка заявление!.. «Дублинский Сергей Владимирович, 1957 года рождения, Большая Монетная, 1». Точно он. Блин, только этого мне не хватало!

— А что такое, товарищ майор? — осторожно поинтересовался Иващенко.

— Слушай, Иващенко, ты хоть телевизор-то смотришь? Газеты читаешь? Или только эти свои: слово из трех букв «лежа», из четырех букв — «стоя»? Тьфу!

Взбудораженный майор, оставив лейтенанта в полном недоумении, умчался в свой кабинет, прихватив заявление.

Там он достал из стола синенькую папочку на тесемочках, пробежал глазами бумаги, выудил одну из них и принялся изучать.

«Ну вот, Дублинский, профессор. Зам. зав. каф. ТЯФ — черт знает что! — А, вот... Кафедра тяжелой ядерной физики. Точно, он же физик-ядерщик. Ну и влипли мы. Звонить надо. Срочно».

На бумаге, которую майор Кабанов вынул из синей папки, был отпечатан список из шести фамилий. Дублинский там стоял третьим — по алфавиту. Были там фамилии очень знаменитые — пожилая певица, чья слава пережила ее карьеру, знаменитый театральный режиссер, писатель-фантаст, известный всем с детства, а также парочка ученых. «Список негласного надзора» — как называл его сам Кабанов. Нет, не сделали эти известные лица ничего предосудительного, никто их ни в чем не обвинял, не подозревал и даже не собирался. А попали в этот списочек они лишь потому, что имели честь проживать в районе, где нес свою службу майор Кабанов. И хоть милиция призвана оберегать покой и имущество всех граждан без исключения, но, как говорится: «Все равны, а некоторые — равнее». Интересы лиц из «списка негласного надзора» милиция должна была оберегать в первую очередь.

Звонить на Литейный — в питерское ГУВД — не хотелось. Разговоры с начальством не входили в реестр удовольствий майора Кабанова, но вариантов не оставалось. Решив потянуть время, Кабанов заварил себе чай в большой, почти бульонной чашке и закурил «беломорину», смяв ее предварительно в двух местах. «А говорят, что на фабрике Урицкого с нового года «Беломор» перестают выпускать. Совсем ошалели. Что ж делается?» — подумалось майору. Он затянулся поглубже, глотнул дымящегося чаю, пододвинул к себе телефон и набрал номер ГУВД.

— Да... Да, сорок третье отделение... Майор Кабанов... У нас ЧП... Пропал профессор Дублинский. Физик, да. Тот самый. Жена вчера заявила. Так точно. Виноват, вчера новичок дежурил — не счел нужным сразу в известность поставить. Я — как узнал... Да. Хорошо. Будем ждать.

Майор брякнул трубкой о телефонный аппарат, вытер вспотевший лоб, счастливо, как-то по-детски рассмеялся. Достал из стола небольшую бутылочку дагестанского коньяку питерского розлива, щедро плеснул коньяк в чашку чая, выпил залпом, не поморщившись.

— Утешительные новости, — сказал он сам себе.

По телефону высокое начальство сообщило ему, что проблема с пропавшим секретным физиком столь важна и серьезна, что высокое начальство, в свою очередь, будет беспокоить стоящих еще выше и информировать (а точнее, спихивать) московских коллег, а точнее, Генпрокуратуру. Слишком уж важной персоной оказался этот профессор...

Московских коллег майор Кабанов не то чтобы не любил, а скорее недолюбливал, считал их сутягами и шкурниками. Особенно прокурорских работников. Но тот факт, что пропажей Дублинского придется заниматься не ему, майора очень радовал.

— Вот пусть сволочь столичная приедет и по городу побегает, — проговорил он вполголоса.

Кабанов распахнул окно, в которое тут же ворвался ветер, принося все новые и новые клочья пуха. Вместе с пухом он принес и песенку, так раздражавшую вчера лейтенанта Иващенко:

> Тополиный пух, жара, июнь,
> Ночи такие лунные...

Майор вызвал Иващенко:
— Иди-ка, лейтенант, разберись, что там за музыка грохочет. Штрафани ты его, что ли — за нарушение общественного покоя.

Глава 2

Кто-то размашисто и мерно бил Юрия Гордеева по голове тяжелым металлическим прутом. От каждого удара голова гудела, как большой чугунный колокол. А потом огромный полосатый шмель жужжал и шипел, надрываясь, и вдруг подлетел к самому уху, вжикнул напоследок, влетел в ухо, пошарил в голове — и через другое ухо вылетел.

Такой сон снился адвокату Гордееву на излете бе-

14

лой северной ночи. Он проснулся, потянулся, потряс головой. Шмеля в голове не обнаружилось, но легче от этого Гордееву не стало. Голова по-прежнему болела нестерпимо. Кровать, на которой пытался проснуться Гордеев, слегка покачивалась. Где-то над головой раздавался странный гул — видимо, именно он и навеял жужжание шмеля в последнем сновидении.

Первый луч ласкового раннего солнца бил прямо в глаз сквозь круглый иллюминатор. Открывать глаза полностью не хотелось. Только быстрый взгляд сквозь полусомкнутые тяжелые веки с попыткой произвести рекогносцировку местности, и тут же отказаться от этой бесполезной затеи... Соображать, где он находится, почему вместо окна в стене расположен иллюминатор и почему же так болит голова, Гордееву тоже не хотелось. Уснуть уже было невозможно, мешало мерное гудение где-то в вышине и пронзительный солнечный свет. Больше всего Юрию Гордееву сейчас хотелось умереть, не приходя в сознание.

Но и этого ему сделать не позволили.

— Ну че! Проснулся? Пора уже! Через час подплываем, — раздался пронзительный женский голос где-то совсем рядом.

Гордеев даже вздрогнул:

— Кто здесь?

Женщина хохотнула откуда-то из темноты, куда еще не попадал солнечный свет.

— Не, ну вы видели? Кто я, он спрашивает! Глаза разуй, дорогой!

Гордеев «разул глаза», хотя страшно не хотелось это делать, но пришлось выходить из сумеречного состояния и переживать похмелье наяву. То, что голова разламывается именно по причине похмелья, было вне всяких сомнений... Вряд ли адвоката Юрия Гордеева действительно били железным прутом по голове всю ночь. Значит, похмелье. Даже проявились смутные воспоминания — виски, джин, липкая «бехеровка», экзотическая настойка канабиса, потом еще самбука и что-то еще — горькое, изумрудно-зеленое, без названия, а ближе к финалу вечера запомнился еще отвратительный коктейль «черный русский» — одна треть водки, одна треть сухого вермута и одна треть рассола из-под черных маслин. От воспоминаний Гордеева затошнило. Вспомнилась ему и обладательница голоса — ну почти вспомнилась, — то ли Галька, то ли Валька или даже Майка. А находится он на теплоходе — дай бог название припомнить, впрочем, черт с ним! — и подплывают они сейчас к славному городу Санкт-Петербургу после трехнедельного морского круиза с заходами в различные порты северной и прочей Европы.

Гордеев поднял голову. Сфокусировав взгляд, ему удалось разглядеть сидящую в глубине комнаты рослую девушку с копной рыжих волос, мощными ногами и очками на маленьком носу. Кроме очков на ней, кажется, ничего и не было. «Боже мой, и откуда она взялась? — с ужасом подумал Гордеев. — Впрочем, по пьяни еще и не такое бывает. Оттянулся, называется. А ведь слово давал — никакого флирта во время отпуска! Впрочем, тут, кажется, никакого флирта и не было. Девушка, очевидно, определенной категории».

— Галька, будь человеком, дай воды! — простонал Гордеев.

— Я не Галька, я — Гайка! — ответила девушка и вдруг процитировала Антона Павловича Чехова: — «В пьянстве был не замечен, но по утрам жадно пил холодную воду».

— Классику знаешь? — с недоумением отреагировал Гордеев.

— А как же! — немного обиделась девица. — В универе учусь! Отличница, между прочим.

— И теперь, значит, летнюю практику проходишь... — пробурчал Гордеев, пока Гайка наливала воду в стакан.

Воду Гордеев и правда пил жадно. Глотал он теплую минеральную воду с болотистым запахом и с плотным ржавым осадком на дне бледно-голубой бутылки. Название вода носила слегка неприличное: «Полюстрово».

«Да уж, прелести заграничной жизни закончились! Добро пожаловать на родину. И вода тут — ржавое «Полюстрово», и девушек с университетским образованием зовут Гайками... А ведь не далее как позавчера я ходил по улицам уютного Копенгагена, на русалку смотрел. Эх...» — Только Гордеев хотел углубиться в приятное подведение итогов собственного бурного вояжа, как Гайка его перебила:

— Ну че, дорогой?! Расплачиваться-то не пора?

«Расплачиваться? Это она про деньги, что ли? Деньги — это такие разноцветные бумажки, точно... — Тупо и медленно текли мысли в голове Гордеева. — А вот остались ли у меня деньги после всех этих приключений? Интересная мысль...»

— Расплачиваться?... А... За что?.. — поинтересовался Гордеев, хотя уже сам начал догадываться, за что именно у него требовала денег рыжая Гайка.

— То есть как это «за что»! — рассердилась та. — За коплекс услуг!

— Ладно, ладно... — вздохнул Гордеев, хотя ни одной услуги из этого самого «комплекса» он, хоть убей, не помнил.

Ему все же пришлось принять вертикальное положение, надеть штаны и достать бумажник. Он был пуст. Совсем, абсолютно, безнадежно пуст. Нет, там оставались, конечно, какие-то бумажки и документы, на месте было и удостоверение Коллегии адвокатов, паспорт и даже загранпаспорт с шенгенской визой, но вот денег там как раз и не было.

«Да, хорошо заканчивается отпуск»,— тоскливо подумал Гордеев.

В отпуске, надо сказать, он не был уже три года. Как говорил сам Гордеев: «тридцать лет и три года», уверяя, что каждый год его нервной работы идет за десять. А работал он — служил, трудился, старался — на благо столичной юридической консультации номер десять, что находится в Москве, на Таганке.

«Нет у меня навыка отдыхать, заработался, разучился. Отрываюсь, будто на свободу вырвался и век воли не видал. Поэтому и Гайки всякие неизвестно откуда появляются...»

Поискав по другим карманам, а также заглянув в дорожную сумку, Гордеев денег так и не обнаружил. Ценностей особых типа золотых часов или перстней с каменьями у него отродясь не водилось. Расплачиваться с Гайкой было нечем, а она между тем со все возрастающей тревогой наблюдала за манипуляциями Гордеева. «А ведь у нее наверняка тут где-то есть и крыша», — с тоской подумал адвокат.

Ладно бы подъезжали они к Москве-столице — там бы Гордеев смог позвонить кому-нибудь из приятелей или сестрице Ваве. Повинился бы, покаялся, но денег бы перехватил. А тут Питер — город, конечно, Гордееву знакомый, но не близко. Друзей-приятелей, у которых можно было бы вот так запросто взять денег, чтобы и с Гайкой расплатиться, и до дома добраться, таких друзей у Гордеева в Питере не было. Ну некому ему было позвонить. Впрочем, ежели он собирался кому-то звонить, значит, оставался у Гордеева еще телефон...

«Да уж, спиртное плохо сказывается на мыслительном процессе — это точно», — в укор самому себе подумал Гордеев. Должен же у него где-то быть сотовый телефон. Вчера еще был. Милая и очень дорогая игрушка, каприз адвоката, который он смог себе позволить с последнего щедрого гонорара. Найдя телефон в кармане дорожной сумки, Гордеев достал его и спросил:

— Гайка, хочешь телефон?

Девушка сморщила свой и без того микроскопический нос, взглянула на серебристый аппарат, который ей протягивал Гордеев, и отказалась:

— На фига он мне, у меня свой имеется, «Нокиа». Вот!

И она вынула из сумки телефон, который, пожалуй, был даже покруче гордеевского.

— Неплохо живут студенты ЛГУ, однако! — воскликнул адвокат.

— Подарок, — неопределенно пробурчала Гайка. — Есть добрые люди на свете...

— Ты смотри, он новый, я его перед самым круизом взял. — Гордеев все не оставлял надежды отдать Гайке телефон. — Ну посмотри, он крутой, последняя модель, с наворотами всякими, хочешь — покажу. Он, между прочим, триста баксов стоил.

— Да на фига он мне! — без энтузиазма повторила Гайка, которой Гордеев старательно всучивал телефон. Гайка руку отвела, и тут телефон запиликал. На мотив: «Наша служба и опасна и трудна, и на первый взгляд как будто не видна...»

— Ой, ты че! Мент, что ли?! — испуганно воскликнула девушка.

— Нет, Гайка, я не мент. Я хуже... — сказал Гордеев и нажал на кнопку телефона. — Гордеев слушает!

— Юра! Ты где?!

Этот голос адвокат Гордеев узнал бы в любое время дня и ночи. Даже в состоянии клинического похмелья. Это был голос Лены Бирюковой.

— Лена, привет! Я сейчас... — он оглянулся, — плыву на белом пароходе, а ты где?

— Узнал? Юра! А я вот в Питере. И мне твоя помощь нужна... Очень. Где это ты плывешь?

— Вот совпадение-то! Я, Лена, как раз подплываю к Питеру, и где-то через час наш белый пароход причалит у гостиницы «Прибалтийская».

— Отлично! Я тебя встречу, там и поговорим. Пока!

Лена отключилась. Гордеев послушал короткие гудки, а потом сообразил: «Ленка в Питере. Я ей нужен. Вот оно. Есть. Есть, у кого денег перехватить». Юрий посмотрел на определитель и набрал высветившийся номер:

— Лена! Это снова Юра!

— Да?

— Лена, у меня к тебе просьба. Большая просьба — пойми, мне обратиться тут не к кому. Выручай! Ты же сейчас все равно подъедешь. Скажи, у тебя деньги есть?

— Есть. А что?

— Да ты понимаешь, я тут на корабле... И деньги кончились. Неожиданно, — добавил он для убедительности.

— Что? Загулял наш поручик? — усмехнулась Лена.

— Загулял, — виновато ответил Гордеев.

— Сколько нужно, чтобы вызволить ваше высокоблагородие?

— Ну долларов сто...

Тут раздался голос Гайки:

— Между прочим, сначала надо у меня спросить. Мы вчера на сто пятьдесят договаривались!

— Лена, нужно двести, — послушно повторил в трубку Гордеев.

— Хорошо, господин адвокат! Привезу я вам требуемый выкуп. Только потом обязуешься помогать мне денно и нощно. Договорились?

— Лена! Какой разговор! Когда я тебе отказывал! Да что случилось-то? Объясни толком.

— Приеду — расскажу. Извини, Гордеев, мне торопиться надо, — отрубила Лена, и Юрий снова услышал в трубке короткие гудки.

Ах, Лена, Лена... Были бы у Гордеева хоть какие знакомцы в Петербурге, не стал бы он просить денег у Лены Бирюковой — ни в жизнь. Слишком странные отношения связывали их последние несколько лет. Когда-то Юрий буквально спас ее от суда и следствия, и роман их развивался бурно и спонтанно. Было время, когда Лена чуть не женила его на себе. Благо и работали она тогда под одной крышей — все в той же юридической консультации номер десять. Но потом Лену переманил Костя Меркулов в Генпрокуратуру, где когда-то служил и Гордеев, но из которой он ушел и переквалифицировался в адвокаты. Роман их к тому времени почти иссяк, но стоило им встретиться — случайно или по делу, — как отношения возобновлялись с прежней силой. Также бурно и спонтанно. Вот только женить Гордеева на себе Лена, кажется, передумала. Ну и слава богу!

И работает сейчас Лена младшим следователем в Генпрокуратуре, распутывает дела, по большей части мелкие и несерьезные, но к собственной карьере относится ответственно, дело свое любит и знает. Давненько уже она не обращалась к Гордееву с просьбой о помощи. Что-то и впрямь случилось неординарное. И почему же Лену откомандировали в Питер?

Глава 3

Эти четверо тронулись в путь под утро. Утро у них наступало не раньше двух часов пополудни, когда обычные граждане уже успевали пообедать.

Впереди шла толстая белобрысая деваха в ярко-желтой футболке с надписью: «Я ненавижу тебя, Билли Гейтс!»

Следом за ней упруго шагал брюнет с шальными карими, слегка раскосыми глазами.

За брюнетом безмятежно брел рыхлый парнишка в ковбойской рубахе. Несмотря на жару, его волосы были щедро набриолинены и блестели на солнце.

Замыкал процессию растрепанный светловолосый заморыш в красных ботинках, непрерывно вопрошавший: «Куда вы меня тащите, злые люди?» Ему никто не отвечал. Впрочем, никто его никуда и не тащил, он шел сам.

— В самом деле, Камушка, куда ты нас ведешь? — наконец спросил брюнет.

— На дискотеку «Песчаный карьер», — ответила деваха. — А не кажется ли вам, старший строевой сержант Крис, что Лаки уже успел дунуть?

— Очень может быть, генерал Камушка, — кивнул

22

брюнет. — Прапорщик Лаки, что вы скажете в свое оправдание?

— Кто курил? Я курил? — ласково спросил парнишка в ковбойской рубахе. — Ну самый децл, если только. Выхожу из дома — мужики сидят. «Хочешь дунуть?» — говорят. Конечно, отвечаю, хочу, а у вас откуда? «Оттуда!» Зашли за гаражи, забили косяк, нормальные такие парни оказались, один даже рокабилли в «Мани-Хани» по субботам играет... Где-то у меня визитка его была, он меня приглашал бесплатно на их сейшн прийти... Черт, где же? Неужели посеял?

— Лаки всегда везет! — хлопнул его по плечу Крис. — Травы покурил на халяву и еще на концерт сходишь. А у меня вот вчера Динка ботинок сперла. Когда на своей подружке меня подловила. Захлопнула дверь, я дело кончил, выхожу в коридор — а ботинка и нет.

— Зачем тебе сейчас ботинки, Крис? Сейчас бы сандалии в самый раз, — сказал Лаки, который как раз в сандалиях и был.

— Дурик, там под стелькой нычка была. Двести баксов, за последнюю халтуру мне заплатили. Хотел гашиш купить — хрен мне теперь в грызло, а не гашиш.

— Шиш тебе, а не гашиш, — подал голос заморыш в красных ботинках.

— А вам, салага, права голоса никто не давал! — рявкнула Камушка. — В темпе, бойцы.

Все четверо жили на станции метро «Улица Дыбенко», но познакомились почему-то через Интернет. Каждый из них был как-то связан с этой единой сетью, опутывающей весь мир. Кто был системным администратором, кто пытался программировать или писать на компьютерную тему в разные непритязательные журнальчики «обо всем». Помимо любви к компьютерам эту компанию объединяло пристрастие к наркотикам естественного происхождения — «травке и грибочкам», как ласково называл их Крис. Он был самый старший и опытный наркоман, но у Камушки зато был громкий голос, и она всегда чуяла, где можно добыть травы и когда менты пойдут винтить народ.

Шли они по проспекту, что вел от дома Камушки в сторону леса. Солнце припекало, и на душе у каждого было легко и спокойно, только Камушка слегка икала — ее мучило перманентное похмелье. Проспект неожиданно закончился и уперся в стройплощадку. Размлевшие от жары строители лежали под дощатым навесом и пили кефир из картонных коробочек.

— Встали — постояли! — распорядилась Камушка. — Расклад такой. Грибы поспели. Хорошие грибы, правильные. Мне об этом Сиамский сказал, а уж он-то врать мне не будет. Так что, бойцы, идем мы на дело правое. Собранное делим по справедливости. Мне четверть, Сиамскому четверть, четверть Крису, четверть Лаки с Сорхедом на двоих.

— Это почему нам четверть на двоих? Разве это честно?— тут же встрепенулся заморыш в красных ботинках.

— А будешь возникать, вообще ничего не получишь! — ущучила его Камушка. — Мал еще возникать. Строевой сержант Крис, разберитесь.

— Это мы мигом, — ответил Крис, по-кошачьи приближаясь к своей жертве. — Ну что, рядовой, будем хамить высшему руководству?

— Ну нечестно ведь! Почему Сиамскому четверть, он ведь даже с нами не пошел?

— Сиамский нам место показал, — ласково объяснил Крис. — А тебя, детка, вообще никто с собой не звал. Нечего тебе, детка, за старшими хвостом ходить. Еще научишься плохому.

— А мы его научим! — хлопнула себя по ляжкам Камушка. Звук получился гулкий — с ближайшей искореженной березы сорвались и полетели в сторону города две вороны.

— Вороны Одина знак нам подают! Хороший будет урожай на мухоморы! — обрадовался Лаки. — Чего вы с ним спорите, не хочет — пусть не идет. Давай, генерал, командуй.

— Вот так бы сразу, — важно кивнула Камушка. — За мной, бойцы. Идти нам долго — за деревню Кудрово и дальше, к песчаному карьеру. Сиамский туда ходил на днях, говорит, там этого псилоцибина — ну просто завались. В темпе, бойцы. За мной.

За стройкой раскинулся лес не лес, парк не парк, а если быть точнее — заросшая свалка. Среди чахлых кривых деревьев валялись останки автомобилей, холодильников, пылесосов, бутылки из-под пива и лимонадов разного рода покрывали землю сплошным слоем. Картина была урбанистическая и безрадостная.

— Смотрите под ноги, тут могут быть змеи, — предупредила Камушка. — Зря ты, Лаки, в сандаликах пошел на дело.

— Ну я же не знал, — беспечно пожал плечами Лаки. — К тому же, если я буду смотреть под ноги, я на змею не наступлю.

— Способный какой парень растет! — похлопал его по плечу Крис. — Дай-ка отхлебнуть.

— Отставить пьянство в отсеках! На перекур остановимся — там и бухнем! — бросила через плечо Камушка. — Если вы нажретесь у меня раньше времени, никому грибов не дам.

— Ладно, ладно. Не будем пить, — примирительно сказал Крис. — А слышали, что Энди тоже в Питер едет на пээмжэ?

— Да ты что? Это просто тенденция какая-то! — покрутил головой Лаки. — Сначала Рукин переехал, потом Нечаева, теперь вот Энди еще. Чего им в Москве не сидится? Я бы, если жил в Москве, ни за что бы в Питер не поехал. Там и культура, и деньги, и журналистам платят больше.

— Вот и езжал бы в свою Москву, журналист ты наш. А мы тут останемся, — оборвала его Камушка. — Мне вот это переселение народов тоже подозрительным кажется. Наши в Москву валят, москали сюда едут. В воздухе пахнет провокацией.

— Это антисемитские происки! — оживился Сорхед.

— Ах, оставьте эти ваши глупости, рядовой, — махнул рукой Крис. — Я вот что думаю. Москву скоро арабы будут бомбить. Это дело ясное. Москвичам об этом по-тихому сказали, вот они и валят. А чтобы не создавать паники, на место каждого москвича сажают питерца.

— Точно-точно. Все началось с президента! — радостно подхватил Лаки.

Маленький отряд миновал свалку, перешел железнодорожное полотно и вышел к деревне. По главной улице без дела шлялись хмельные местные жители. Собаки умильно заглядывали в глаза каждому прохожему — не найдется ли чего пожевать? Если пожевать ничего не находилось, они злобно лаяли вслед жадине.

— Прямо как бомжи! — заметил Крис. — У нас на Дыбенко дед один сидит, деньги просит. Нагло так просит, за ноги хватает. А если не дашь денег — он тебя такими матюгами обложит, каких у нас в армии никто даже не слышал. Жуткий дед. Я вчера не поленился, поговорил с ним по-мужски. Теперь потише будет. А нет, так я его с ноги уделаю. Делов-то.

— Городские, чего приперлись? — окликнул их нелепый вихрастый мужичок, сидевший на скамеечке возле магазина.

— Митрич, здорово! — обрадовался Лаки.— А мы вот в лес идем, воздухом дышать.

— Это вы правильно. Воздух нынче бесплатный. А мне эта сука в долг водку не отпускает. Сказал — верну, как деньги будут. Плесните, что ли, чего у вас там есть?

— Начинается, — вздохнул Сорхед, — каждого алкоголика поить — нам ничего не останется.

— Отставить, рядовой! Вольно! — рявкнула на него Камушка. — Лаки, выдели бойцу дозу. Стакан-то есть?

— Спасибо, ребятки! — просветлел лицом Митрич, извлекая из-за пазухи помятый пластиковый стаканчик. — Вот это по-христиански, по-божески, то есть. Присаживайтесь, что ли, у меня и закуска тут есть...

Из-за пазухи была извлечена сушеная рыбка, пучок лука и горбушка черного хлеба.

— Не побрезгуем! — потянулся к луку Крис.

Выпили, посидели немного.

— Встали, пошли, — скомандовала Камушка, — до карьера нам как лучше дойти?

— А вот, левее чуть возьми, там тропка будет такая. Зачем вам этот карьер? Всех чего-то на этот карьер будто черт какой тащит.

— Что-о? — взвизгнула Камушка. — Руки в ноги. То есть ноги в руки, шагом марш, бойцы. А то придем к шапочному разбору.

Бойцы повиновались. Они шли и шли по лесу, и казалось, что вожделенный карьер все никак не начнется. Закончилась водка, припасенная Лаки.

— У кого что есть еще выпить? — спросил Крис. — Ты, Сорхед, больному человеку Митричу сто грамм паршивых пожалел, а сам-то что можешь нам предложить?

— У меня только кока-кола... — растерялся тот.

— На кокаинчик пересел? — подначила его Камушка. — Богемный образ жизни? Скурвился совсем?

— Какой кокаинчик, что вы, я так...

— А то я не знаю, как ты в журнал «Современная мысль» попал. Все знают — уломал тебя Дима Бычко и согласился ты, и теперь работаешь на него. Ты только не переживай — один раз — не Логоваз, — подмигнула Камушка.

— Какой Бычко, вы что? Где я, а где Франция? Он в Москве — а я тут. И не пишу я в «Современную мысль», я теперь сисадминю в «СКЛ».

— Стало быть, обманул тебя этот жирный боров. Ну ничего, малыш, тогда расслабься и получи удовольствие, — усмехнулась Камушка.

— Кстати, мать, а как у тебя самой дела с этим, с чеченцем-то? — спросил Лаки.

— Отставить разговорчики! — помрачнела Камушка. — До цели недалеко. Вперед, бойцы, нас ждет шикарный урожай.

Заброшенный песчаный карьер зарос по краям крепкими молодыми сосенками и выглядел вполне гостеприимно.

— Так. Крис — налево, Лаки — направо, Сорхед — куда-нибудь подальше, а я вас ждать здесь буду. Если кто чувствует, что потерялся, — не геройствовать. Мобилу к уху — и звоним мне. Кто первый находит грибы, мобилу опять же к уху — и оповещаем остальных. Все поняли?

— Так точно! — потянулся Крис. — У меня там, правда, оплата скоро кончается... Ну ладно, я-то и не заблужусь, но как бы Сорхеда выручать не пришлось.

— Оставьте меня! — нервно отдернулся тот. — Я сейчас такое найду, что вам и не снилось!

— Грыбочык! — поддразнил его Лаки.

— Не расслабляться! — гаркнула Камушка. — Инструкции получены? Действуйте.

Крис и Лаки, посмеиваясь, разошлись в разные стороны, заключая по дороге пари, кто из них первым найдет месторождение поганок. Сорхед решил, что он сейчас тайком от всех вернется в город, отключит мобильник и посмотрит порнографические картинки, которые накачал вчера ночью. А эти пусть поищут его, поволнуются. Впредь будут почтительнее. Да что они вообще себе позволяют? Он будущее светило технического прогресса, а они — кучка жалких наркоманов, не способных самостоятельно ни одной простенькой программы без багов написать.

Он брел и брел, думая, что скоро выйдет к деревне, а там и до стройплощадки рукой подать. Но по своей извечной рассеянности Сорхед пошел в сторону, противоположную той, откуда они пришли. Лес все не кончался, жара не спадала. Хотелось есть и пить, тут кока-кола и пригодилась! «А эти пусть сдохнут от жажды!» — мстительно подумал он.

Лес вокруг был одинаковый — сосны и березы, полянки и тропинки. Где-то далеко-далеко послышалось нежное «Ау-у!» — очевидно, Камушка прочистила свои могучие легкие и теперь собирает отряд. На боку завибрировал мобильник. Определился номер Криса.

«Ну конечно, только Крису я и нужен», — вздохнул Сорхед. Крис ему всегда нравился — подтянутый, спортивный, настоящий мачо. Девушек менял каждую неделю. Недавно отрастил себе сутенерские усики, и это было уже слишком.

Сорхеду вдруг очень захотелось увидеть его, прямо сейчас, рассказать о принципиально новом способе кодирования, над которым он тайком работает. «Но там же эта Камушка. И Лаки».

Запахло дымком откуда-то слева. «Значит, неподалеку жилье!» — сообразил Сорхед и пошел на запах. Посреди поляны, на которую он выбрался, дымилось свежее кострище. «Вот, блин, обманулся! — тоскливо сплюнул Сорхед. — Нет тут никого живого».

Никого живого там и в самом деле не было. Зато в кострище, в самом его центре, лежал обгорелый человеческий труп.

— Ма-а-а! — сорвался на визг, потом захрипел Сорхед. Трясущимися руками сорвал с пояса мобильный, набрал номер, не попадая по кнопкам. — Крис, алло! Ты слышишь меня? Я... Я заблудился, да! Тут тело, тут костер, труп в нем, иди скорее сюда, ко мне, я не знаю где, нет! Ты можешь определить? Тут костер, в нем труп. Не жрал я грибы! Нет. Крис, только скорее, пожалуйста! Костер, а рядом я. Никуда от него не уходить? Страшно же! Ну ладно, буду ждать. Только ты поскорее, а?

От голода, усталости и духоты, а также от полученного нервного потрясения Сорхед упал в обморок. Так его и нашел Крис и остальные — обгорелый труп в костре, а рядом — бесчувственное тело Сорхеда.

Последнее дело, которым занималась Лена, имело громкое и солидное неофициальное название — «Дело героинщика-рецидивиста Деревянко». Но вообще-то не было в нем ничего солидного, так, мелочовка, проходное дело. Проведено добротно, закончено в срок, но не более того. Нечем особенно гордиться, любая практикантка справится. Никаких погонь, перестрелок, перекрестных допросов. Скрупулезная кабинетная работа. Но все же Лена гордилась этим делом.

Вор-рецидивист Деревянко оказался не угрюмым отморозком-медвежатником, а худым испуганным парнишкой чуть старше двадцати. Промышлял он тем, что срывал у прохожих с поясов мобильные телефоны и немедленно скрывался с места преступления. Бегал он быстро, страх быть схваченным только подгонял, к тому же человек, с пояса которого так запросто можно сорвать мобильный телефон, обычно идет по улице, задумавшись о чем-нибудь своем, и не способен сразу осознать, что произошло. Пока он очухается, пока сообразит, в какую сторону убежал вор, того уже и след простыл. Тем и жил Деревянко, худо-бедно, но жил. Но однажды ему не повезло. Вообще-то, если точнее, ему не везло уже дважды. Первый раз, когда он, на заре своей злосчастной юности, пытался угнать автомобиль, в автомобиле оказался хороший сторож — боксер Рекс, задержавший преступника до возвращения хозяина. После досрочного (за примерное поведение) освобождения из мест заключения Деревянко приноровился вырывать сумочки из рук женщин, идущих на рынок. Сначала все шло хорошо, он уже было подумал, что нашел свое дело, но однажды охрана рынка отвлеклась

— Надо его с ноги уделать! Верное средство, — сказал Крис. — Ну-ка, я его сейчас...

— А жмур-то, смотри, вправду есть, — к кострищу подошла Камушка. — Валить отсюда надо, вот что я вам скажу.

— Милицию надо вызывать, — ответил Крис, пытаясь легкими оплеухами привести Сорхеда в чувство. — Сейчас звони 02 и сигнализируй.

— Мы с ума еще не сошли — с ментами связываться, — сказал Лаки. — Давай разберемся с этим придурком — и домой. Грибов не нашли, в говно какое-то вляпались. Лучше бы я дома оставался — сегодня по телику «Семнадцать мгновений весны» повторяют.

— Ты сколько раз эти «Семнадцать мгновений весны» смотрел? — одернул его Крис. — Непременно в милицию надо звонить. Вы совсем, что ли? На зону хотите? Митрич видел, что мы сюда идем. Камушка, молодец, у него еще и дорогу спросила.

— Я же не знала, что тут жмур этот.

— Не знала. Но теперь, если кто его пойдет опрашивать, он без утайки скажет, что шли мы к песчаному карьеру, и какое у тебя алиби? Мало ли, кого мы тут встретили и убили?

— Крис, да ты чего? Кого мы убили? — опешил Лаки.

— Никого мы не убили. В милицию звоните, быстро.

Камушка пожала плечами и достала из кармана мобильный.

— Алло, милиция? Тут такое дело. Обгорелый труп человека. Метро Дыбенко, лес, сразу за песчаным карьером. Тут недалеко. Ирина Камова. Тут недалеко. От песчаного карьера — немного правее. Кострище свежее.

— Ну что, поверил начальник? — спросил Лаки.

— Так поверил, что тебе и не снилось. Сейчас приедет — опрашивать нас будет. Никаких чтобы разговоров про грибы. Мы пошли в лес, чтобы водки выпить. От всех водкой пахнет, все достоверно. Один вот уже нажрался, сознание потерял.

В этот момент Сорхед открыл глаза, увидел склонившегося над ним Криса, примеривающегося для очередного удара, и сказал:

— Милый...

— Ну, за милого! — ухнул Крис и припечатал беднягу хорошим ударом в челюсть. — Готов клиент.

— Сатанисты это, — пробормотал Сорхед, не открывая глаз, — жертвы они тут приносят.

— Хоть бы сатанисты тебя прибрали! — с чувством сказала Камушка.

Помолчали.

Через некоторое время к полянке подъехал милицейский газик...

— Грибочки, говорите, промышляли? — ласково спросил один из милиционеров. — Вас мы тоже с собой возьмем. Для дачи показаний, ну и так, вообще. А где у нас клиент?

— Вон, в костре, — насупился Крис. — Обижаете, начальничек, мы тут выпивали только.

— Поговори у меня, татарская морда, — беззлобно ухмыльнулся мент.

— Да уж какая есть, — обиженно нахмурился Крис.

— А знаешь, что за такие разговорчики с твоей мордой сейчас будет? — внезапно посерьезнел мент.

— Бейте, я привычный, — ничуть не испугался Крис.

— Ладно, парень, — пошел на попятную мент. — А под деревом у вас кто? Тоже мертвый?

— Живой он. Напился только очень и | подала голос Камушка.

— Отлично. Тело — на опознание, сви допросить, а этого — в вытрезвитель, — об к своим коллегам. — Удачный выезд. «С мгновений весны» потом посмотрим.

Глава 4

Константин Дмитриевич Меркулов ни от скрывал своего отношения к хорошему коньяк ренных дозах. «Выпьешь рюмку, закусишь лимо и чувствуешь, как очищается твоя душа, прояс мозг, кровь начинает бежать по венам быстрее, нашем возрасте так необходимо!» — говаривал он

— В нашем возрасте, Леночка, только коньяк с собен напомнить об ушедшем задоре юности!

— Да что вы, Константин Дмитриевич, вам л бедняться! — кокетливо улыбнулась Лена Бирю

Был пасмурный, хмурый день. Казалось, что пойдет дождь, могло даже почудиться, что он шел, но нет — это просто шины проезжающи шуршали за окном.

— Я слышал, ты хорошо справилась с п делом, — одобрительно кивнул Меркулов.

Лена делано смущенно опустила глаза.

— Ну-ка расскажи, — попросил Меркул Последнее дело! Зловещее название. Бол дит для какого-нибудь детективного рома днее дело Холмса», «Последнее дело Пуар по просьбе читателей — «Самое последнее са». «Самое последнее-распоследнее дело

от поборов с кавказцев и сработала четко — Деревянко опять попал на скамью подсудимых. И снова был выпущен досрочно — за примерное поведение, по какой-то там амнистии.

Выйдя из тюрьмы во второй раз досрочно, Деревянко устроился экспедитором в одну из небольших фирм, производивших замороженные овощи. Где его нашел дилер, зачем с ним связался — неведомо. Дилеры чуют, из кого можно вытрясти деньги. Но экспедиторские зарплаты не рассчитаны на то, чтобы их тратили на приобретение наркотиков. И тогда Деревянко вспомнил о своем боевом прошлом. Начал по вечерам прохаживаться по спальным районам и отбирать у граждан телефоны. И все у него шло без сучка и задоринки, до тех пор пока он не наткнулся на Лизу Урманцеву, кандидатку в мастера спорта по легкой атлетике среди юниоров. Лиза возвращалась домой с тренировки, упруго шагая по Волгоградскому проспекту к своему дому. Она не шла — парила в облаках, фантазировала, представляла, как побеждает на Олимпиаде, как ее награждают золотой медалью и предлагают остаться на ПМЖ в Америке. Настроение было мечтательное и задумчивое. Как вдруг из-за ларька выскочил Деревянко с перекошенной рожей, с силой сорвал у нее с пояса новенький мобильник и бросился наутек — дворами. Лиза помотала головой, вынырнула из океана сладких грез о грядущих победах и побежала вслед за ним. Догнала она его около помойки и долго, самозабвенно била ногами. Потом поймала милицейскую машину и велела везти себя в участок. В участке у Деревянко обнаружили еще один мобильник, находящийся в розыске, и цифровой плеер. Цифровой плеер достался начальнику смены — у него дочка подрастала, а мобильники, после тягостных раздумий, были возвращены законным владельцам. К отделению уже стекались корреспонденты спортивных и молодежных изданий, желавшие проинтервьюировать и поприветствовать юную бегунью, собственноручно задержавшую вора-рецидивиста. («И собственноножно запинавшую его», — добавил ехидный журналист «Спорт-экспресса» Александр Кузьминов.)

На суде Деревянко ничего не отрицал. Сознался в содеянном, сказал, что деньги ему были нужны на героин. Мать его заплакала, отец сурово сдвинул брови. Девушка (Лена с удивлением обнаружила, что даже у таких бывают девушки) с ненавистью глядела на «спортсменку-комсомолку» Урманцеву.

Спортсменка Лиза, двухметровая крепкая деваха, давала показания спокойно, уверенно. Сказала, что остаться без телефона было бы для нее существенной потерей. Обвиняемый, худой, лопоухий, обритый наголо, стоял за решеткой и даже не пытался бить на жалость — его и без того было жалко. Нелепый мальчишка с нелепой судьбой, он почему-то вызывал в памяти страницы школьного учебника истории. Именно так, по мнению Лены, выглядели бомбисты начала века. Она поймала себя на непонятной, странной, крамольной даже мысли — хотелось подойти к обвиняемому, погладить его по голове, как нашкодившего сорванца, а эту самодовольную белозубую кобылу — одернуть.

«Стоп, мадемуазель Бирюкова! — подумала Лена укоризненно. — Рожать тебе надо. Причем срочно! Ты уже первого попавшегося уголовника готова усыновить! Куда это годится? Вот и не верь байкам, которые так любят рассказывать в каждой бухгалтерии, про природу женщины, про ее предназначение и про то, что приходит время, и организм, вне зависимости от твоего желания, стремится к размножению. Неужели я такая?» — Лена с отвращением вспомнила бухгалтерш, гонявших чаи в душном кабинете, заставленном некрасивыми цветами в детских ведерках и пакетиках из-под молока.

Впрочем, притормозить юную бегунью все же пришлось. Лизу попросили не зарываться и уточнить, на какие доходы она приобрела телефон. Телефон оказался подарком любимого тренера, следовательно, никаких своих денег она в него не вложила. Парня избавили от лишнего года заключения, пострадавшей не дали вволю покрасоваться перед подружками, пришедшими на слушание дела. Дела рецидивиста-героинщика Деревянко.

— Да это просто девушка с веслом! — усмехнулся Меркулов, — Вот бы ее на службу взять. Сразу бы всех мелких жуликов распугала, одним своим бравым видом.

— Она бы и нас распугала, — покачала головой Лена. — Бегает девушка, конечно, хорошо, дерется тоже — у подсудимого все лицо было в кровоподтеках, но вот соображения у нее нет никакого. Мозг слабый, вялый, неактивный.

— Ладно, ладно. Не всем же быть такими умницами и красавицами, как ты, — неуклюже, что свойственно всем однолюбам, произнес Меркулов.

Лена снова в притворном смущении опустила глаза.

— Вы меня захвалите, Константин Дмитриевич.

— Сотрудников надо иногда хвалить! А время от времени — поощрять. Ну что, где планируешь отдохнуть?

— Хотелось бы в Прагу. Посмотреть на знаменитый город, попить пива, по старинным улочкам погулять. Город красивый, знакомая ездила, рассказывала, захлебываясь, будто бы это музей под открытым небом.

— А что ты скажешь о таком городе-музее, как Санкт-Петербург?

— А что о нем сказать? — без энтузиазма пожала плечами Лена. — Когда музейный сторож становится директором музея и по привычке таскает с черного хода экспонаты, пригодные для растопки печки, — это уже не музей, а склад артефактов. Да и была я там сто раз...

— Не хочешь на этот склад прогуляться? — хитро прищурился Меркулов.

— Да нет, не особенно, если честно. Я же еще не сошла с ума. Вот моя школьная подруга уехала туда жить, пишет восторженные письма, рассказывает, как у нее то воду отключают, то газовая колонка ломается, то соседний дом упал, то сухогруз затонул. Романтика! Не по мне такая романтика. Я комфорт люблю. Мне бы в Европу...

— Ну, с комфортом придется временно подождать, — заметил Меркулов, посерьезнев. — Есть у меня для тебя дело. Как раз в Питере.

— Константин Дмитриевич! — взмолилась Лена.

— Я за него, — невозмутимо ответил Меркулов.

— Константин Дмитриевич, разве я честно не заслужила отдых? — Голос Лены звучал тонко и жалобно.

— Заслужила. Честно. Нечестные у нас в Генпрокуратуре долго и не задерживаются. Но хватит разговоров. А дело для тебя у нас вот какое. Пропал в Санкт-Петербурге один ученый с мировым именем. Он, конечно, скорее всего загулял, по своим аспиранткам пошел, но на всякий случай нам велено с этим разобраться.

— Сами-то они что же там, в питерской милиции, своего ученого найти не могут?

38

— Сами они тоже не сидят без дела, — строго сказал Константин Дмитриевич. — Но по статусу такими делами должна заниматься Генпрокуратура. Сергей Дублинский — очень известный в ученых кругах физик-ядерщик. Можно сказать, имеющий стратегическое значение для безопасности страны. Поэтому решено послать туда своего человека. То есть, Лена, тебя. Раз ты говоришь, что у тебя там подружка, — тем более. Будет повод с подружкой повидаться. Проследишь, чтобы этого ученого из притона, где он прохлаждается, отвели под белы руки домой, к безутешной супруге, поглядишь на разводные мосты, погуляешь по набережным белой ночью — красота. Кстати, если возникнут трудности, обращайся лично к начальнику угро Виктору Петровичу Гоголеву, скажи, что прибыла по моему личному приказу. Он поможет в решении любых вопросов.

Меркулов задумчиво почесал бровь. Ему вдруг самому отчетливо захотелось все бросить и уехать в Питер. Посмотреть на разводные мосты, погулять по набережным, как когда-то давно, в молодости. На Константина Дмитриевича нахлынули воспоминания. Как они с будущей женой, тогда еще студенткой медицинского института, вырвались на выходные в Ленинград, как катались на речном трамвайчике, как целовались под мостами, рядом с мостами, на мостах... А что? И он, заместитель Генерального прокурора, имеет право на законный отдых, на ностальгические воспоминания. Не все же в душном кабинете пылиться...

Меркулов решительно тряхнул головой, отгоняя воспоминания. Не сейчас.

— Дело вкратце таково. Прибегает в отделение жена пропавшего ученого и пишет заявление. Заявление пишет через сутки после его исчезновения.

— Положено заявлять на третьи сутки... — заметила Лена.

— Положено, — согласился Меркулов. — Но женщина была так безутешна! Она уверяла, что с ее супругом наверняка что-то случилось. Как говорят, плакала. Словом, приняли у нее заявление. А когда узнали, кто пропал, немедленно оповестили нас. А мы уже стали контролировать процесс дальше. Понятно?

— Да, — кивнула Лена.

— Добро... Так что, младший следователь Бирюкова, поедешь туда, оглядишься, и сообщишь нам что да как. Словом, садись в самолет — и через два часа ты на месте. Это приказ.

Глава 5

Солнце вставало над Финским заливом. Белая ночь, блеснув последними серебристыми сумерками, уступала место новому жаркому дню. Раннее солнце парило уже вовсю. Питер — не лучшее место для жаркого лета. И небольшая каюта на втором ярусе теплохода компании «Викинг Лайн» — не лучшее место для переживания утреннего похмелья.

Металлическая коробка нагревалась с каждой секундой. Душно. Липкий пот струился по спине, вызывая противный зуд. На слегка покачивающейся корабельной койке ничком лежал Юрий Гордеев, еле сдерживая рвотные позывы.

В глубине каюты притаилась девушка по имени Гайка, она непрестанно вяло нудела:

— Ну ты че? Деньги-то точно будут? Обещал ведь. Тебя ж никто за язык не тянул. Сказал бы, что денег нет, — я бы с финиками осталась. Они, как пьяные дети, — не обидят. И при деньгах всегда. Не то что наши. Ну ты че?! Не молчи!

Гордеев не помнил ни про «фиников» (так в Питере называют финнов-туристов), ни про вчерашнее. Больше всего на свете ему сейчас хотелось сойти на берег.

Иногда Гайка спохватывалась и спрашивала:

— А ты точно не мент? А то у тебя как труба заиграла — я думаю, все, капец, на мента нарвалась.

У Юрия не было сил отвечать ей. Сейчас он был способен только лежать ничком и ждать, когда теплоход подойдет к причалу. А там его встретит Лена Бирюкова. Спасительница. Гордеев думал о ней с нежностью.

Мягкий рывок, толчок, легкая отдача — теплоход причалил. Тут же раздался сокрушительный теплоходный гудок, от которого голова несчастного Гордеева чуть не лопнула, как перезрелый арбуз.

— Ох! — Гордеев с трудом слез с койки, подхватил свой багаж и пошел к выходу. Гайка, путаясь в узкой прозрачной юбке, поспевала за ним. Упустить боялась...

Гордеев сразу выхватил Лену взглядом из толпы встречающих. Да стоит заметить, что не так уж много было встречающих «Викинг Лайн» в это раннее летнее утро. Стайка девиц — явных коллег Гайки по бизнесу. Конечно, это ведь Питер, город интердевочек и «фиников», пьяных как дети. Кстати, финны, которые стояли рядом с Гордеевым на палубе в ожидании подачи трапа, довольно гыкали, разглядывая портовых барышень. Они предвкушали пару-тройку дней полного оттяга, которые предстояли им здесь.

Конечно, Лена резко отличалась от них. Стройная, даже можно сказать хрупкая, блондинка с короткой, почти мальчишеской прической и с очень умным, очень цепким, очень женским взглядом из-под тяжелых очков. Гордеев невольно залюбовался Леной. И тут же обратил внимание, что и пьяные финны направляют свои взгляды и тянут шеи именно в сторону Лены. Юрий почувствовал, как у него чешутся руки, чтобы свернуть эти шеи, развернуть их на сто восемьдесят градусов.

«Спокойно, Гордеев, что за мальчишество, что за собственнические инстинкты, и вообще, Лена все же тебя встречает, а не финнов снимает». Прохладный утренний ветер на верхней палубе несколько развеял тяжкую головную боль адвоката. И спустился он по трапу вполне посвежевший, отягощала его состояние только девушка Гайка, вцепившаяся в него мертвой хваткой.

— Ну здравствуй, Лена!

— С прибытием, господин адвокат! Порезвился в заморских странах? — насмешливо глядя на его «спутницу», поинтересовалась Лена.

— Почему это в заморских? Я был в очень даже приморских...

— Погулял с заграничным шиком, расслабился, человеком себя почувствовал, да? Вот девочек каких шикарных снимаешь! — Лена хоть и подначивала Гордеева, но глаза ее глядели ласково, видно было, что рада она его видеть.

Гайка попыталась огрызнуться, ответить что-то Лене обидное, но Юрий крепко сжал ее локоток, и та сдержалась.

Лена достала из сумки две зеленые бумажки — протянула их Гордееву:

— На товарищ! И ни в чем себе не отказывай, ежели еще что не успел.

— Премного благодарствую. — Юрия ситуация стала тяготить, все же Лена ему не жена. Выручила — спасибо, отдаст с лихвой, а дразнить его — это лишнее.

Гайка потянулась к деньгам, но Лена отвела ее руку и отдала деньги именно Гордееву, которому пришлось взять доллары у одной девушки и передать другой. Гайка после получения денег (сдачу она отдала тут же) исчезла моментально, как сон, как утренний туман. Портовые девицы и примкнувшие к ним финны тоже быстро растворились, умчались на встречу с утренним городом.

Лена и Гордеев остались одни.

— Ну рассказывай! — сказал адвокат.

— А где «спасибо»? Где «спасибо» за выручение из тяжкого плена? — Лена продолжала улыбаться.

— Так я из одного рабства и сразу в другое, мне ж теперь тебе отрабатывать придется. — Гордеев пошутил достаточно двусмысленно и жестко, но скребла его все же обида за Ленины подколы и покровительственный тон. Тон этакой всепрощающей мудрой мамочки.

— Ты, Юра, шути, да не заговаривайся. Но поработать действительно придется. Поехали в гостиницу — по дороге расскажу все.

— И где же твоя царская карета? Твой императорский джип?

— Юрочка, ты и впрямь за границей умом поплохел. Что ж я, в Питер на джипе поеду?!

Представить Лену без ее любимого «джипа-рэнглер» Гордееву было сложновато. С машиной Лена практически не расставалась, общественный транспорт, а тем более такси, презирала, не доверяя водителям, обвиняя их в хамстве и алчности.

— Ты что же, в северную столицу на поезде прикатила? Машиной было бы быстрее, — удивился Гордеев.

— Да и поездом было бы быстрее, а меня Меркулов заставил самолетом лететь — я все прокляла: два часа до Шереметьева, пробки эти чертовы! За полчаса до регистрации еле успела, час двадцать лету, а тут пробки еще хуже — Москве не чета, весь город перерыт — еще два часа от Пулкова тащилась. А дневной поезд четыре с половиной часа всего идет. Вот тебе и экономия времени.

— Ага, говорят, что, когда эти скоростные поезда только появились, люди пари заключали — кто быстрее доберется от Дворцовой площади до Красной, один поездом ехал, другой самолетом летел.

— Ну и кто выиграл?

— Уж не ты! Поездом на пятнадцать минут быстрее оказалось.

— Меркулов о поезде и слышать не захотел... — грустно кивнула Лена, — следователь Генпрокуратуры должен летать самолетами — и точка.

— В общем-то он прав. Надо марку держать, — поддержал своего бывшего начальника Гордеев.

— Да и к чему мне тут машина? Если надо, я заказываю транспорт на Лиговке. Я же следователь Генпрокуратуры, мне положено.

— Ну ясное дело...

Так, болтая о пустяках, Лена с Юрием дошли до машины, после секундного замешательства у дверей уселись вдвоем на заднее сиденье и неожиданно для себя поцеловались. Гордеев бы продолжил это приятное занятие (удивительное дело, Лена действовала на него словно лекарство — все похмелье как рукой сняло), но Лена отодвинулась немного, прикрыла его рот ладошкой и стала серьезной, очень такой серьезной.

— Так вот, рассказываю, следи внимательно — и не за моими коленками. Итак, пропал физик-ядерщик Сергей Владимирович Дублинский, 1958 года рождения, женат, детей нет, заместитель заведующего кафедрой в Санкт-Петербургском университете. И по совместительству — руководитель научно-исследовательского центра «Орбита», основное направление деятельности которого — разработка возможных вариантов утилизации ядерных отходов. Серьезный такой центр, прежде засекреченный, но сейчас выходящий на международный уровень. Смелые там эксперименты, как я поняла, проводятся.

— Ты и в центре успела побывать? — перешел к делу Гордеев.

— Погоди, об этом позже. Так вот, пропал Сергей Владимирович четвертого июля, то есть уже трое суток назад.

— В розыск объявили?

— Не перебивай, пожалуйста! Розыск объявили уже на следующий день, больно супруга была безутешна и настойчива, к тому же и персона Дублинского особого внимания требует. Продолжаю. Прилетел Сергей Владимирович утром домой после трехдневного симпозиума из славного города Кельна, добрался до дома из аэропорта, не пообедав, переоделся и убежал по неведомым делам, обещав возвратиться часа через два. С тех пор его и не видели.

— Ну по бабам побежал. Известное дело, — пожал плечами Гордеев. — Подарки там заграничные, всякое такое... Странно, конечно, что не пообедал.

— Тебе бы, Гордеев, все по бабам. Всех по себе меряешь, — проворчала Лена.

— А куда? Не на работу же он поехал.

— Тут другая ситуация, несколько сложнее, чем ты думаешь.

Машина проехала уже стрелку Васильевского острова, без приключений перебралась через Дворцовый мост, выехала на Невский и намертво застряла в вечной пробке у Казанского собора.

— Вот черт! — выругалась Лена. — Ну что за город, хоть велосипед напрокат бери!

— А куда мы, собственно говоря, едем? — поинтересовался Гордеев.

— В «Октябрьскую». Точнее, в ее филиал, но там рядом.

— Так, может, нам ножками прогуляться, кофе по дороге попить, на Невский поглазеть, я тут сто лет не был, — предложил Гордеев.

— Глазеть тут сейчас не на что — все в лесах. И прогуливаться некогда, но пешком и правда быстрее будет, да и кофе попить не мешало бы, я позавтракать не успела. Ладно, пошли.

Лена отпустила водителя, и они с Гордеевым вышли из машины.

Нашли уютную кофейню, меню которой предлагало к завтраку бесплатный номер свежего «Коммерсанта». Но от газеты Юрий с Леной отказались, отвлекаться было некогда, взяли кофе, салаты, круассаны, омлет, уселись за столик, и Лена продолжила:

— Знаешь, была у него любовница, это ты правильно угадал.

— А тут и угадывать нечего, — ответил Гордеев, ковыряя вилкой омлет. Утреннее похмелье все еще давало о себе знать.

— Да, он действительно поехал к ней. Но и от любовницы он по каким-то важным делам убежал.

— А вот это уже поинтереснее будет. Рассказывай, что удалось нарыть.

— Короче говоря, вчера я ходила в этот самый центр...

Глава 6

Научно-исследовательский центр «Орбита» располагался на Васильевском острове, не так уж далеко от университета. Отдельный солидный особняк, высокое каменное крыльцо и скучающий охранник. Однако при виде Лены охранник заметно оживился, документы проверил крайне тщательно, сделал даже несколько звонков для подтверждения Лениных полномочий — видимо, находился он тут не для проформы и дело свое знал.

Попав внутрь здания, Лена Бирюкова задумалась: никакого четкого плана перед посещением «Орбиты» она не составила, куда именно идти и с кем беседовать — заранее не решила. Однако сообразила, что Дублинский этим центром руководил, а значит, по статусу ему полагалась секретарша. «Вот с нее-то и начнем,— решила Лена. — Хорошая секретарша про своего начальника должна знать все. По крайней мере, больше, чем бухгалтер или заведующий кадрами».

Секретарша Любочка совсем недавно явилась на работу. Похоже было, что она только что переодевалась. Во всяком случае, на ней красовался вызывающе открытый светлый сарафан с еще не оторванными бирками, и Любочка старательно крутилась перед зеркалом. Лена Бирюкова стояла в дверях, ожидая, когда у секретарши закончится приступ самолюбования.

Люба ее заметила в зеркале и кивнула:

— Доброе утро.

Лена кивнула и тоже сделала попытку протянуть ей удостоверение, но от созерцания самой себя Любочка не отвлеклась, наоборот, попыталась и Лену вовлечь в этот увлекательный процесс:

— Ну как? Нравится?

— Ничего, по сезону... — машинально ответила Лена. — Только не слишком ли откровенный наряд для работы?

— Ой, ну что вы! — отмахнулась секретарша. — Для какой работы? Просто сейчас по дороге прикупила, вот не удержалась — померила, благо и «эс-вэ» на месте еще нет.

— Эс-вэ?

— Ну Сергей Владимировича, мы его за глаза «эс-вэ» зовем, ну или даже «купе».

Любочка глупо хихикнула, но заметив, что Лена ее веселье не поддерживает, обернулась к ней и, догадавшись поздороваться, спросила:

— А вы к нему пришли?

— Нет, пришла я к вам. И вот по какому делу...

Лена тоскливо пила подряд вторую чашку дрянного растворимого кофе. Любочка, сначала пришедшая в ужас от известия, что шеф пропал, всплакнув и поохав, сейчас снова оживленно щебетала не переставая. Мысль ее скакала от обсуждения погоды до любования своими новыми босоножками: то она бралась обсуждать с Леной планы на отпуск, то жаловалась на начальство, которое этот самый отпуск не дает. Отчаявшись уже выудить из ее болтовни хоть что-то полезное, Лена решила, что пора самой задавать вопросы:

— Люба, а вот расскажите, какие отношения у Сергея Владимировича были с сотрудниками? Легко ли было с ним работать? Может, конфликты какие возникали в последнее время? Никто на место Дублинского претендовать не мог? Заместители какие-нибудь?

Лена приняла такую вольную форму беседы с Любочкой, потому что понимала: официальный тон, тем более официальный допрос, тут не помогут, пусть болтушка распустит свой язычок, чувствуя интерес и доверие. Надо дать ей посплетничать в нужном русле — вот что сейчас необходимо. Расчет оказался верным.

— Ой, что вы! — щебетала Любочка. — Начальник он замечательный, вот отпуска только мне не дает, говорит, что я еще одиннадцать месяцев не отработала — рано мне в отпуск, а так — добрый очень, уважительный, после работы не задерживал никогда, за ошибки не ругал и раньше времени домой отпускал, если, правда, было нужно.

— А как к нему относятся в институте?

— Ну что вы! У нас тут его все любят. Он вообще-то и не начальник — в смысле не командир. Он наукой занимается — для него ничего важнее нет и не было.

— Никогда не поверю, что завистников у него нет. Неужели на директорское место никто не претендовал?

— А вот, представьте, не завидуют. И кто на его место претендовать будет! Деньги тут невеликие, а хлопот много. Правда, вот с хозяйственником он нашим последнее время часто спорил, тот чуть ли не через день к нему на прием ходил... А вообще коллектив у нас хороший, дружный. Вот девушки из бухгалтерии всегда меня зовут чай пить.

Лена сначала слушала этот словесный поток, не перебивая, но вдруг уцепилась за фигуру «хозяйственника», решила переспросить — о ком речь.

— Ну Бурцев, заместитель его по хозяйственной части. Завхоз проще говоря. Он недавно к нам пришел. Сергей Владимирович последнее время им недоволен, говорит, что тот не в свое дело лезет.

Лена пометила фамилию завхоза у себя в блокноте.

— А что насчет амурных дел? Случались ли у Дублинского романы с подчиненными?

— Ой, только не в центре, — замахала руками Любочка. — Тут он монстр и Франкенштейн, ничего, кроме своего осмия, не видит и не слышит.

— А что такое осмий?

— Ну это такой... элемент в общем, радиоактивный, изотоп, у нас под него целая лаборатория отведена. Очень важное стратегическое сырье, осмий-187, используется для антирадарных покрытий, в военной технике, в медицине, в онкологии.

Любочка старательно произнесла все это как заученный текст, но казалось, что сами слова ей незнакомы — будто на иностранном языке. Лене Бирюковой неожиданно стало смешно.

— О, Любовь Ивановна, такая осведомленность! Вы тоже по научной части обучались?

Секретарша иронии не поняла и зарделась:

— Да не надо меня так официально — Любочка и все, меня и Дублинский так зовет. А насчет осведомленности я тут просто как раз Бурцеву перепечатывала докладную записку насчет осмия, вот и запомнила. А Дублинский, как эту записку прочел, скомкал и выкинул, сказал, что Бурцев торгаш.

— Хорошо, Любочка, так что все-таки насчет романов у Сергея Владимировича?

Любочка замялась, но сдерживаться, видимо, ее никто никогда не приучал. Лена слушала внимательно, похвала насчет Любочкиной осведомленности была приятна, а похвастаться тем, что она действительно в курсе всех дел своего шефа и важнее Любочки никого в центре «Орбита» нет и не было, очень хотелось.

Любочка наклонилась к Лене поближе и заговорщицким тоном прошептала:

— В университете у него есть одна... Аспирантка. — И зачем-то подмигнула Лене.

— Вот как! Любочка, а вам это откуда известно?

— Ну во-первых, я и сама у Сергея Владимировича училась, два года на эту физику потратила, а потом на заочный ушла и сюда вот пристроилась... Ну и заочный потом бросила — зачем мне?

Заметив Ленин насмешливый взгляд, Люба сбилась:

— Нет, вы не подумайте ничего такого. У меня с ним ничего нет и не было. У него и тогда уже Ирина была.

— Это которая аспирантка?

— Да. Просто мы с ней приятельствовали немного, вот она и попросила тогда за меня, чтобы «эс-вэ» в центр взял.

— И сейчас приятельствуете? — спросила Лена.

Любочка вздохнула:

— Нет, поссорились. Я услышала, как она говорила, что я воздушная и глупая и ревновать ко мне — все равно что к пакетику чипсов. Я обиделась.

— А кому же она это говорила?

— Ну кому — «эс-вэ», конечно! Тут же все разговоры через мой номер. — Любочка указала на большой факсовый аппарат, стоявший у нее на столе.

— Подслушиваете? — подмигнула Лена.

— Нет, реферирую, — серьезно парировала секретарша. Видимо, значение этого слова ей также было неизвестно.

Записав фамилию и адрес аспирантки Ирины, Лена Бирюкова собралась уходить. На данный момент в «Орбите» ей было делать нечего. С Бурцевым они еще успеют поговорить, а сейчас надо проверить любовницу. Это пока версия номер один. Может, и правда, просто загулял профессор после заграничной командировки.

...— Ну и? Что нам поведала аспирантка? — спросил Гордеев, закуривая первую утреннюю сигарету и допивая остаток кисловатого остывшего кофе.

— А до аспирантки-любовницы по имени Ирина Галковская я еще не дошла. Потому что три дня назад около шести часов пополудни был обнаружен труп Дублинского...

— Как? И чего ты молчишь о самом важном? — встрепенулся Гордеев.

— Я стараюсь рассказывать по порядку, — отрезала Лена и тоже закурила. Потом она достала из объемной сумки папки с бумагами, передала их Юрию.

— Вот, посмотри. Там какая-то компания вышла за город — то ли водочки принять, то ли грибов поискать, ну и наткнулась на свежее кострище. Труп, обгоревший до неузнаваемости. Но так как Дублинский был уже объявлен в розыск, то все неопознанные трупы проверялись. Оксана — его жена — опознала.

— Как опознала? — спросил Гордеев, рассматривая фотографии и борясь с приступами тошноты. К счастью, ему наконец принесли большую бутылку все того же ржавого «Полюстрова», которую адвокат незамедлительно и выпил. Гордееву полегчало. — Погляди, труп обгорел до неузнаваемости.

— Ну по часам, обручальному кольцу и прочим предметам, — Лена показала фотографии найденных предметов.

— Это косвенные улики, — заметил Гордеев. — Необходима серьезная экспертиза.

— Ничего не поделаешь, пока чем богаты. Челюсти у него целые, никаких коронок, чтобы можно было идентифицировать. Так что остается одно — анализ ДНК.

— А результатов экспертизы, конечно, еще нет?

— Не смеши! Их и в Москве не меньше месяца ждать, и это в самом лучшем случае, а тут — так просто сонное царство, — махнула рукой Лена.

— Меркулов может посодействовать, чтобы экспертизу быстрее провели.

— Звонила я Константину Дмитриевичу. Но дело в том, что сама экпертиза на ДНК много времени занимает. Так что в любом случае скоро ее результатов ждать не приходится.

— Ясно... Кто-то кроме жены на опознании присутствовал?

— Да, еще коллеги. — Лена фыркнула, припомнив трагически-театральный обморок «воздушной» Любочки при опознании. Та при виде трупа прямо-таки сдулась, как пустой пакетик из-под чипсов.

— Так, все понятно, бумаги потом посмотрю. Ну давай теперь, говори, какая помощь от меня требуется?

Лена накрыла своей ладонью его руку:

— Помощь требуется любая и по максимуму твоих возможностей. А уж о твоих возможностях мне известно все.

— Льстишь ты мне, Ленок! — погрозил пальцем Гордеев. — Что ж, до конца моего отпуска еще четыре дня, в Москве мне делать нечего, так что с удовольствием помогу. Только вот конкретно сейчас мои возможности на нуле. Мне бы отоспаться часок-другой на койке, которая не качается. Штормит меня чего-то. А потом подробно поговорим, ладно?

И правда, после завтрака и крепкого кофе Гордеева совсем разморило, и они с Леной побрели в сторону гостиницы, по пути решив, что, пока Юрий отсыпается, Лена все же съездит к Галковской, которой она пока так и не дозвонилась. Мало ли что там проклюнется?

Глава 7

— Сережа, Сереженька, ну почему ты, почему? — заламывала руки Ирина Галковская. — Сейчас, подождите, я «новопассит» выпью — нервы.

Она ушла на кухню, шелестя юбкой.

Вот уже около получаса Лена пыталась вывести разговор с Ириной Галковской, аспиранткой и, по совместительству, любовницей покойного Дублинского в нужное русло. Все было бесполезно. Та рыдала, кидалась к окну, истерически завывала, потом замолкала, прикуривала и тушила сигарету за сигаретой...

Лена терпеливо наблюдала за ней. Было видно, что Ирина по-настоящему любила Дублинского, ей не нужно было от него никаких материальных благ — иначе бы она как-нибудь исхитрилась и развела его с женой.

«Пусть выговорится, — думала Лена, наблюдая за Галковской. — У нее, наверное, и подруг нет, раз она готова рыдать на плече даже у совершенно постороннего человека, даже у работника прокуратуры».

Квартирка Галковской, уютная, но обставленная строго, без излишеств, находилась в одном из самых зеленых районов города — на Крестовском острове. Солнце врывалось в открытое оно, освещало толстый англо-русский словарь специальных терминов у изголовья кровати. На компьютере плавала заставка. Присмотревшись, Лена поняла, что это фотография, сделанная таким же солнечным летним днем где-то в центре города. С фотографии улыбались двое — мужчина и женщина. В женщине Лена тут же признала хозяйку дома — здесь она улыбалась и была так счастлива, что казалась куда моложе своих лет. Мужчина — это определенно Дублинский. А он был эффектен. Странно. Лена совсем не так себе представляла знаменитых ученых. У них должны быть всклокоченные седые волосы, очки со сломанной дужкой, непременно склеенные скотчем, глаза безумные, мятая рубашка и дешевые брюки, отвисшие на заду пузырем. О качестве и отвислости брюк судить было нельзя — на фотографии влюбленные были изображены только по пояс, Сергей же имел на ней вид представительный, элегантный. Трубка в зубах, ласковый прищур — ну-ка, дети, кто это? Товарищ Сталин. Брр... Лена помотала головой. В этом сумасшедшем доме она сама начинала тихо сходить с ума.

Ирина на кухне уронила тарелку. Выругалась совсем не в академических выражениях. Запахло паленым. Через несколько минут Галковская вернулась, везя за собой столик на колесиках, уставленный всевозможными восточными сладостями. В центре высился фарфоровый заварочный чайник, увитый фарфоровым плющом.

— Вы какой чай предпочитаете?

— Да мне как-то все равно, — пожала плечами Лена. Откровенно говоря, в такую погоду более уместным был бы стакан ледяной минеральной воды, но, может быть, у этих научных работников так принято — неторопливо беседовать за чашкой чая? Пускай. Пусть дает показания в привычной для нее обстановке.

— Надеюсь, не зеленый? — уточнила Ирина.

— Да все равно, — повторила Лена. — Зеленый так зеленый.

— Не нужно так говорить. — Лицо Ирины Галковской просветлело, очевидно, она любила поговорить о сортах и свойствах чая. — Питие зеленого чая — это особый ритуал. Просто так, из граненого стакана в подстаканнике, украденном в поезде, он не только не принесет пользы, но даже может и навредить.

— Да что вы говорите! — раздраженно ответила Лена. Жалости к любовнице убитого уже не было. Вот сейчас они будут сидеть и обсуждать чайные ритуалы! Этого еще не хватало.

— Ах да, простите, о чем это я... — сникла Галковская. — Ну так вот. Что ж, все знали о наших с Сережей отношениях. Глупо отпираться. Вы не находите? Глупо. Аспирантка и профессор — такой избитый сюжет. Впору снимать мелодраму. Вы любите мелодрамы? Я — терпеть не могу.

— Все знали о ваших отношениях, — напомнила Лена.

— Да. Поверить не могу, что нет Сереженьки... — Галковская разливала чай. — Не может такого быть. Не может. Сердце мое заледенело, но продолжает биться. Почему оно не остановилось в то самое мгновение, когда его убили? А?

— Почему вы так уверены, что его убили? — подняла брови Лена. — Следствие пока не располагает достаточными данными для того, чтобы это утверждать.

— Да ну, бросьте... Человека находят в лесу, сожженного. Он же не мог сам полезть на костер, он же не Жанна д'Арк...

— Кстати, Жанна д'Арк тоже не сама на костер взошла, — машинально заметила Лена.

— Тем более, — упрямо мотнула головой Галковская. — И потом, зачем бы вам тогда приезжать из Москвы и меня допрашивать? Если бы это был несчастный случай, или сердце не выдержало, вы бы обратились к медикам, а не к любовнице, верно? Но он был здоров, совершенно здоров и полон новых идей. В тот день, когда он вернулся со своего симпозиума...

Лена насторожилась. Кажется, Ирине надоело болтать просто так и она наконец заговорила по делу.

— В тот роковой для него день. Черт, нет, избитая фраза. Просто — в тот день, когда он был здесь... Ах, это я во всем виновата! Моя вина! — вдруг воскликнула она. Глядя на Галковскую, Лена Бирюкова наконец поняла буквальный смысл выражения «слезы брызнули из глаз».

— Ирина, не надо... — как можно более твердо произнесла Лена.

— Да, да... — Галковская быстро успокоилась и, промокнув глаза бумажной салфеткой, повторила:

— Это я... Я во всем виновата.

Лена подалась вперед, машинально отодвигая чашку с чаем в сторону. Вот теперь-то, видимо, и начинается настоящий разговор.

— В чем именно заключается ваша вина?

— В тот день, когда... Ну, вы знаете... В тот день он позвонил мне из аэропорта и сказал: «Ирка, я прилетел! Жди меня с обедом!» У Сережи всегда был отличный аппетит. — Ирина всхлипнула, закурила сигарету, выпустила тонкую струйку дыма. Провела рукой по глазам. — Я так обрадовалась! Достала из шкафа новое платье, я под него весь месяц худела, такое воздушное, романтическое, совсем не для меня, а для какой-нибудь беззаботной девочки сшитое. Но я его все-таки купила специально для него. Оно такое розовое, открытое, с коротким рука...

— Он позвонил вам и сказал, что приедет. Когда? — снова перебила Галковскую Лена. Вести разговоры о фасонах платьев в ее планы не входило.

— Ах, да. Он не уточнял времени. Просто сказал — жди с обедом. Я поехала на рынок. У нас тут поблизости нет рынка, а Сережа не любит магазинное мясо. Приготовила все, стол сервировала. Вино мне один студент презентовал. Ну, знаете, как это бывает. Грузинский строгий папа сказал перед началом сессии: получишь хоть одну четверку — зарэжу! А парнишка никак даже на четверку не тянул. Ну вот сразу у него не заладилось с моим предметом, а он же у них не профилирующий. Поставила я ему пятерку, пожалела парня — вдруг отец и вправду зарежет, а мальчик не забыл, принес мне через неделю бутылку вина, поклонился, руку поцеловал. Такой галантный, симпатичный. Нос орлиный, глаза так и горят! Но не мне, конечно, о таких думать, — вздохнула она. — Молодые, они знаете ли, все как-то к молодым тянутся.

— Вы приготовили обед и ждали Дублинского, — терпеливо напомнила Лена.

— Да... Обед был шикарный. Сереженька вбежал ко мне на пятый этаж как мальчишка, поцеловал, подарил букет. Вон, видите, в углу стоит. Необыкновенные цветы. Видите эти штучки? Это такой специальный декоративный сорт капусты. Представляете? Букет с капустой!

— Он был весел и беззаботен, я правильно поняла?

— Да, совершенно беззаботен. Я так обрадовалась — думала, он останется у меня ночевать. Мы сидели, держались за руки. Он рассказывал мне о исследовательской лаборатории в Кёльне, в которой ему довелось побывать. Мы решили кое-что у них перенять.

— Вы что, за романтическим ужином разговариваете о работе? — опешила Лена.

— Это был романтический обед, — поправила Галковская. — А потом, если вы, например, обедаете со своим коллегой, который вам не только коллега, но и... Я говорю, допустим, вы с ним обедаете. Неужели вы станете обсуждать посторонние вопросы? Мы с Сережей были преданы одной и той же идее. Потому, наверное, он и полюбил меня. Ведь его жена тоже раньше защищалась на нашей кафедре. Но потом — дом, заботы, муж — всемирно известный ученый. Словом, она отошла от науки.

Лена посмотрела на Ирину и подумала, что та, в общем, верно рассуждает — не будет, она, например, с Гордеевым говорить за обедом, пускай и романтическим, о посторонних вещах. Даже некое чувство симпатии пробудилось в ней к этой растрепанной, нервной женщине. Стоп! Стоп, подруга!

— А вы в самом начале что-то сказали о своей вине, — напомнила она. — В чем все-таки эта вина заключается?

— Ах да, я как раз к этому веду, — сказала Галковская. — Понимаете, я так ждала его, так мечтала, что вот сейчас он освободится, приедет ко мне, и мы всю ночь... Словом, в этот день он будет только моим — и больше ничьим. Но он то и дело глядел на часы... Ему такие часы в Германии подарили — удивительные просто! И вдруг вскочил, как чертик на пружине. «Ну все, родная, мне пора». А его удерживать бесполезно. Ну я проводила его до порога. Закрыла дверь, села за стол, смела бокалы и тарелки на пол, достала бутылку водки. И, не поверите, обозлилась и говорю: «Лучше бы ты умер, чем снова к ней возвращаться!» Это я не помня себя сказала, понимаете? Но всякое произнесенное нами слово — это не просто так, знаете, да? Особенно когда с сердцем говоришь, это еще страшнее, все там, — Ирина показала наверх, на грязноватый, в желтых подтеках потолок, — там все слышат. И каждое наше желание взвешивают. Самое искреннее — выполняют. Так что опасайтесь желать кому-то плохого. Это может запросто сбыться.

Лена взяла с подноса козинак и проглотила, почти не жуя. Это было совершенно невозможно выносить! А она-то думала, что Галковская сейчас расскажет ей нечто существенное, что позволит хоть на полшага приблизиться к разгадке неожиданной и страшной смерти Дублинского.

— Ваша вина заключается только в этом? — наконец спросила она.

— Да, — скорбно кивнула Галковская. — И я готова дать показания в суде.

— Боюсь, в суде вам не поверят и отправят, чего доброго, на психиатрическое освидетельствование. Которое вы пройдете навряд ли, — устало сказала Лена.

— Да я готова хоть всю оставшуюся жизнь в тюрьме провести, лишь бы Сереженька был жив! — с воодушевлением воскликнула Галковская.

— Опасайтесь своих желаний, — напомнила Лена, — они могут исполниться.

— Да, да, я знаю, — истово закивала Ирина. — Я готова, правда.

Вдруг Лене в голову пришла шальная мысль. А не эта ли аспиранточка укокошила Дублинского? А что? От любовницы всего можно ожидать. Вот не понравилось ему платье, которое она надела, или, например, не заметил Дублинский ее новую прическу, а может, чего доброго, случайно обмолвился о какой-нибудь интрижке на том же симпозиуме. И все. Убила, отвезла в лес, сожгла труп. И теперь считает себя виновной в его смерти. Очень даже логично выглядит. От этих восторженных аспиранток всего можно ожидать.

— Я ради него на все готова, — продолжала развивать мысль Галковская. — Только бы он был жив... Но, к сожалению, моего Сережу уже не вернуть. Никогда.

Она уронила голову на руки и беззвучно зарыдала.

«Нет, — думала Лена, глядя на рыдающую Галковскую, которую она на этот раз успокаивать не стала. — Невозможно так притворяться. Хотя, если она сумасшедшая, всякое может быть. Нет актеров лучше, чем психически больные. Или наоборот — лучшие из актеров психически больны. Вот убила она Дублинского и тут же забыла об этом. Решила, что это ей приснилось. На всякий случай отказываться от этой версии пока не стоит. К тому же пока никаких версий нет вообще. Вот Галковская и будет у меня под номером один...»

Раздался резкий, как визг тормозов, звонок телефона. Ирина вздрогнула, вытерла газа кулачками и потянулась за телефонной трубкой. Лена давно не видела таких аппаратов — черных, массивных, с круглым диском. Еще не коллекционный, но уже исторический предмет.

— Да, Виктор Сергеевич... Завтра будет готово... Ну там же двадцать страниц технического текста! А у меня тут еще проблемы личного характера. Поняла, Виктор Сергеевич. Сегодня ночью постараюсь закончить, завтра утром будет у вас.

Она повесила трубку, села на свое место.

— Я подрабатываю переводами в одном специализированном журнале, — как бы оправдываясь, сказала Ирина. — Редактор звонит, ругается. Он всегда ругается. Но платит исправно.

Нет, это определенно была речь абсолютно нормального человека. Не может законченный псих заниматься серьезным переводом. Просто она от горя вне себя.

— Когда, вы говорите, Дублинский был у вас? — спросила Лена.

— Он приехал после пяти часов... — после недолгого раздумья ответила Галковская. — Ну да, не позже четверти шестого, я как раз сидела и смотрела на часы, считала минуты. Все из рук валилось.— Ирина указала пальцем на массивные старинные часы в углу комнаты. — Вот на них и смотрела. Это хозяйские. Я же снимаю квартиру, родные-то у меня в Киришах... Что случилось? Что вы на меня так смотрите?

Лена опустила глаза. Нет, нельзя так выдавать свои чувства, особенно по отношению к потенциальному подозреваемому.

— А кто может подтвердить, что покойный был у вас именно в это время? — поинтересовалась Лена.

— Подтвердить? — искренне удивилась Галковская. — Ну что вы! Я же мужчину в дом пригласила. Не для того ведь, чтобы кому-то его здесь предъявлять?

Резонно. Мужчин в дом приводят совсем не за этим. И все-таки, похоже, алиби у нее нет...

— Хотя постойте. Есть свидетельница! — чуть подумав, обрадовалась Ирина Галковская.

— Кто? — кисло спросила Лена, умопостроения которой рушились как карточный домик.

— Соседка моя. Тамара Александровна. Она же по совместительству — хозяйка этой квартиры.

— Что она может подтвердить?

— А что она подтвердит? Что из любопытства зашла ко мне за мукой, потому что в окно видела, как в наш подъезд входит элегантный мужчина с цветами.

— И что? Она постоянно у окна сидит?

— Почти. Ей больше делать нечего.

— Ну хорошо. Предположим, она увидела, что в подъезд вошел мужчина с букетом цветов. Что из этого?

— Ясно, что он пришел именно ко мне, — пожала

плечами Галковская, удивляясь недогадливости следователя.

— Почему «ясно, что к вам»? — насторожилась Лена.

— Дом маленький, благодаря Тамаре Александровне я все про всех знаю, — объяснила Галковская. — На первом этаже живет опустившаяся алкоголичка, на втором — многодетная мать, третий и четвертый — вне подозрений, там такие же точно бабки, многие жильцы к тому же в отпусках.

«В отпусках! — эхом отозвалось у Лены в голове. — Нормальные люди в отпусках сейчас. В Праге, возможно... А я парюсь в этом Питере, и сколько еще тут проведу — неизвестно».

— Хорошо, — сказала Лена, делая заметки в своем блокноте. — Вы не против, если я переговорю с этой Тамарой Александровной не в вашем присутствии?

— Буду только рада. Я терпеть не могу ее присутствия.

Раздался звонок в дверь, такой же резкий, как и звонок телефона. Ирина вновь вздрогнула. С нервами у нее определенно было не в порядке.

«Станешь тут нервной, когда тебя окружают подобные звуки», — подумала Лена.

— Это, возможно, и есть хозяйка. Она часто ко мне заходит, — сказала Галковская.

— Здравствуйте, Тамара Александровна! Заходите! — послышался из прихожей голос Ирины.

— Я вот муку-то у тебя занимала, так принесла вернуть. Живешь-то ты, бедненькая, одна, все сама, и за квартиру платить еще приходится. Я же понимаю. Можно от тебя позвонить, а то у меня что-то с телефоном стало, никак не дозвониться ни до кого.

— Проходите. Я пока покурю, — Ирина удалилась на кухню.

— Здравствуйте, девушка, — кивнула Лене Тамара Александровна и начала ее оценивающе разглядывать, — Подружка вы ее, да? Вы бы хоть ей сказали — все курит и курит, уже занавески от этого дыма серые насквозь. А когда она сюда въезжала только, мои ребята ремонт сделали, все новое, свежее повесили. Мои-то в Америку уехали, а квартиру тут оставили — мало ли, вдруг захочется вернуться. Я ее и сдаю. А эта совсем не следит за порядком. Вон, потолок в разводах! Еще осенью крыша протекала, а она все не соберется ремонт сделать!

От ничего не значащих подробностей жизни совершенно посторонних людей у Лены уже начала кружиться голова.

— А еще, знаете, она неустойчивая очень, — шепотом произнесла квартирная хозяйка. — Мужиков каких-то водит, знаете, на днях тут один такой приезжал, в костюме, с букетом. С букетом приехал, я думала — женихаться. Ан нет — видно, не судьба девке мужика себе приличного найти.

Ирина гневно загремела на кухне сковородками.

— Он не сможет женихаться, — четко сказала Лена. — Он убит. Его тело найдено в лесу.

— Ох ты ж..! — замахала руками старуха. Она уже, казалось, забыла о телефоне, ради которого напросилась в комнату.

— Я из Генпрокуратуры. — Лена продемонстрировала документы. — Готовы ли вы, Тамара Александровна, засвидетельствовать, что видели убитого в этой квартире в день его смерти, в шестом часу вечера?

— А готова! — стукнула сухой ладошкой по столи-

64

ку квартирная хозяйка. — Потому что видела его тут, сидели они с Ирочкой за столом. Вот тут вот как раз и сидели, на этом самом диване...

— Во всколько это было?

— А дело было-то аккурат после пяти. Я-то тесто поставила, а мучки, доску посыпать, не оставила, все выгребла, до ложечки. И решила к Ирочке зайти, мучки попросить, ну, знаете, по-соседски этак. И, знаете, по телевизору как раз «Место встречи изменить нельзя» началось, вторая серия. Ко мне внуки приехали, они телевизор смотрели, я тоже рядом присела. Внучатки у меня хорошие, умненькие, Катенька английский изучает, Алешенька карате занимается. В третий класс перешел. Они очень любят телевизор у меня смотреть, дома-то некогда. Принесла я им черешенки и тоже решила немножко с ними посмотреть. А когда началась рекламная пауза, я вспомнила, что внучки-то пирогов хотят, пошла к Ирочке. А там уже этот сидел, галстук даже распустил эдак... То есть явно по личному делу.

— Идите к нам в прокуратуру работать, — пошутила Лена, — у вас идеальный для этого склад мышления!

— Ох, да куда уж мне, — замахала руками та. — Я свое отработала. В поликлинике.

Когда за Тамарой Александровной закрылась дверь, Ирина вернулась в комнату, подлила себе еще чаю.

— Ну, сняты с меня обвинения или одного свидетеля недостаточно? — спросила она, пристально глядя в глаза Лены.

— Вас никто и не собирался обвинять, — ответила Лена.

— Да ладно вам... Я же видела, как вы на меня смотрите. Думаете, любовница, приревновала, всякое такое...

«А она не так проста, как кажется на первый взгляд», — подумала Лена.

— Понимаете, дело в том, что смерть Дублинского наступила около пяти часов дня. То есть как раз в то время, когда он пришел к вам с букетом.

— Значит, это не он! А он жив! — Ирина сложила руки на груди.

— Но тело, найденное в лесу, было идентифицировано как тело Сергея Дублинского, — задумчиво сказала Лена.

— Знаете, простите, но я должна побыть одна, — вдруг сказала Ирина. — Я ответила на все вопросы. Я готова, если потребуется, ответить на них еще раз. Но сейчас мне очень тяжело. Уходите. Захлопните за собой только дверь.

И Галковская повалилась на диван...

Глава 8

— Не думаю, что это дело рук Галковской... — задумчиво сказал Гордеев.

Лена кивнула:

— Я тоже так думаю.

— А компания, которая труп обнаружила, не причастна, думаешь?

Гордеев с Леной сидели в номере филиала гостиницы «Октябрьская». Комфортабельный двойной номер-полулюкс радовал свежим евроремонтом. Особенно удивительным на фоне общей городской разрухи и суетливой реконструкции, грозившей затянуться еще на добрый десяток лет. В номере присутствовал даже кондиционер с дистанционным управлением.

Юрий уже в который раз подивился Ленину́ чутью к комфорту. Филиал бил наповал сервис основной гостиницы «Октябрьской», здание которой было расположено напротив — на другой стороне площади Восстания — и являло собой вид упаднический, лишь слегка подретушированный с незапамятных советских времен. А в их полулюксе чувствовался международный класс. Холодильник-бар был забит миниатюрными алкогольными соблазнами, которых Юрию даже в заграничном круизе отведать не довелось. Впрочем, после вчерашнего эти соблазны мало его трогали. К тому же, Гордеев работал.

— Да нет, они на том карьере и двадцати минут не пробыли, — ответила Лена, — их видели, когда они туда шли. Не успели бы даже костер развести, не то что труп сжечь.

— Ну хорошо, — сказал Гордеев, пролистывая документы: протокол опознания, протокол с места обнаружения трупа, допросы свидетелей. — Слушай, вот тут сказано, что возле кострища свежие следы автомобильных шин типа «бриджстоун». У кого-нибудь из фигурантов подходящий протектор имеется? У мадам Дублинской есть машина?

— Имеется, «тойота», новенькая.

— Неплохо быть неработающей женой профессора. Она же дома сидит. К чему машина домохозяйке — на рынок мотаться за диетическим творогом, что ли?

Взгрустнув о своем джипе, оставленном в Москве, Лена возразила:

— Не скажи, Гордеев, машина — вещь в хозяйстве полезная, даже в домашнем.

Адвокат отоспался, отвел душу в комфортабельной белоснежной ванне, разительно отличавшейся от душа на теплоходе, и был готов к боевым подвигам. Осталось только решить, с чего же начать — рыть землю носом или бить копытом.

— Кстати, насчет земельки. Может, махнуть до этой самой «тойоты», да посмотреть на шины. На предмет идентификации и сравнения с оставленным у кострища следом, а, Ленок? — предложил Гордеев. — К тому же отпечаток протектора снимем.

— А что? Ты уже определился с подозреваемой? — поинтересовалась Лена.

— Ну подумай сама! Чем тебе не версия? Особенно учитывая наличие любовницы. Ревнивая жена узнает, что муж, вернувшись из загранкомандировки, немедленно подался к любовнице. Когда тот вернулся после любовных утех, она его душит и увозит на машине в лес, где и сжигает. А?

За окном их номера гудели поезда, уходящие с Московского вокзала. Переливались огнями Лиговский и Старо-Невский проспекты. На город опускался вечер. Но полоска заката на севере и не думала гаснуть. Шла последняя неделя коротких северных ночей.

— Сомнительно мне это, Гордеев, — отреагировала Лена.

— Сомнения можно развеять только фактами. Это первая заповедь следователя.

— А вторая? — насмешливо спросила Лена.

— Вторая... — задумался Гордеев. — Вторая к данному конкретному делу не относится. Давай-ка вспомним боевую молодость да отправимся на разведку. Вот только я сейчас Расиму позвоню, чтобы нам сразу анализ на соответствие сделать, а не ждать сутки да ночь.

— Что за Расим?

— Расим Магометович! Великий человек! Эксперт

от Бога и для людей. Мы когда-то давным-давно, еще с Александром Борисовичем Турецким, так в Питере попали, ежели бы не ибн Магомет, ни черта бы не распутали. Так бы и сидели тут — головы ломали!

— Да ладно! — Лена рассмеялась. — Сидели бы вы тут, неломаемые головушки! Звони своему Расиму, да поехали!

Старый двор на Петроградской стороне. Классический питерский двор-колодец с уходящими вверх рядами створчатых окон, сохнущим бельем и обшарпанными стенами домов... Тишина и благолепие. Ни тебе развороченных мусорных баков, ни следов от «выгула собак». Отсутствовали даже обязательные подростки с гитарой и граффити на стенах. Только высокие серебристые тополя забрасывали двор пухом. Тишь, гладь, божья благодать. Даже бабушки на скамеечке возле роскошной клумбы не сидели, не толпились, не сплетничали. Ну это, наверное, по причине позднего времени. Ночь, хоть и светлое небо.

— Кстати, а почему мы не возьмем пробу открыто, к чему все эти тайны? — в который раз поинтересовалась Лена.

— А зачем лишний раз светиться, сама подумай? — ответил Гордеев. — Дублинская у тебя пока даже не подозреваемая, так что лучше, если мы возьмем пробу скрытно.

Машина ждала в подворотне. Юрий хотел сначала ее отпустить, но Лена настояла, чтобы водитель их ждал, пусть лучше машина будет под рукой, а то в такой час ловить такси будет проблематично. Лена с Гордеевым, как завзятые преступники, подкрались к стояшей у парадного номер два новенькой синей «тойоте». Гордеев присел перед машиной на корточки, достал из кармана перочинный нож и маленький полиэтиленовый пакетик. Дотронувшись до колеса, он тут же отдернул руку — взорвалась оглушающим воем сигнализация. Юрий сделал прыжок в сторону Лены. Из окон начали выглядывать жильцы. Раздавались недовольные крики:

— Что там за хулиганье! Сейчас милицию позовем!

Хлопнула дверь парадной. Кто-то вышел во двор. Лена, тут же сориентировавшись, бросилась Гордееву на шею. Они застыли в длинном поцелуе. К синей «тойоте» подскочил мужик в тренировочных обвисших штанах и в кожаной безрукавке. Пнул машину ногой. Сигнализация умолкла.

— То-то! — со значением сказал мужик и ушел, не обратив на Лену с Гордеевым никакого внимания.

Как только за ним хлопнула дверь парадной, Лена оторвалась от Юрия. Засмеялась:

— Это не та машина...

— Как не та? «Тойота», серая...

— Какая серая, дальтоник! Ты к синей полез, вон та — возле стены стоит.

— Черт! Ночью все «тойоты» серы.

Гордееву не хотелось отпускать Лену, но та жестом ему указала — иди, мол, займись делом.

Расим Магомедович Амирасланов заваривал чай. Делал он это неторопливо, с наслаждением. Предвкушая скорое наслаждение ароматным напитком.

Процесс приготовления чая требовал серьезного подхода. Даже на работе Расим хранил припасы различных трав, призванных улучшить вкус любимого напитка. Именно на работе Расим проводил большую часть своей жизни, и поэтому лишить себя любимого напитка на долгие ежедневные восемь часов он не мог. Как говорил сам Расим Магомедович: «Две трети жизни — на работу, треть — на сон и оставшиеся сотые доли времени — на мелкие увлечения».

Чай заваривался в литровом чайнике из китайской красной глины. Медленно и со вкусом. Как всегда...

Но в этот раз чайная церемония была прервана неожиданным визитом гостей, решивших потревожить эксперта в его кабинете уже в первом часу ночи.

Впрочем, гостей этих Расим ждал, и чай заваривал в их ожидании. С Гордеевым они обнялись, а Лене Бирюковой эксперт галантно поцеловал руку.

— Ну что? Без дела не заходите? — с заметным акцентом спросил Расим.

— И не говори, — весело ответил Гордеев и достал бутылку коньяку.

— Армянский, ну надо же! — удивился Расим Магомедович. — «Двин»! Он еще существует?

— Как видишь! Как видишь, и мы еще существуем.

— А ты знаешь, что Черчилль пил именно «Двин»? Я его тоже считаю лучшим из армянских коньяков.

— Если перечислять все сорта армянского коньяка, который, по утверждениям тех же армян, пил Черчилль, то мы его с полным правом обязаны объявить отъявленным алкоголиком. Так что я не сильно верю всем этим россказням. Но мы его выпьем с удовольствием, тем более что нас ждут великие дела! — сказал Гордеев. — Давай-ка только сначала твоего знаменитого чаю, а потом уже поговорим.

— А нет, давай, что принес. Чай пусть несколько минут постоит, ему полезно. А пока о деле рассказывай.

— Вот, Расим, — Гордеев достал из кармана пакетик. — Это мы взяли с колеса машины. А вот заключение экспертизы с места обнаружения трупа. Вопрос: не была ли машина в том месте. Вот отпечаток протектора.

— Хм... — почесал затылок Расим. — Вообще-то, мне нужна проба с места, где нашли труп...

— В принципе, это решаемо. Если, конечно, возникнет надобность.

— Ладно, давай справку. Сначала попробуем обойтись...

Расим взял у Юрия пакетик с соскобом с колеса и углубился в работу. Лена подошла к нему и выложила справку о результатах экспертизы с места обнаружения трупа.

Через некоторое время Расим оторвался от своего занятия и сказал:

— Давайте чай пить.

Он достал кружки и рюмки для коньяка. Лена Бирюкова сначала от алкоголя отказывалась, но потом вспомнила, что она не в Москве, а в Питере, и к тому же — не за рулем. «Редкий случай, что бы не выпить в самом деле!» — она махнула на все рукой, ну и выпила вместе с мужчинами крохотную рюмку коньяку.

Потом долго пили ароматный чай, молчали. Только когда чайник опустел, Расим произнес:

— Те самые шины. И место знаю, где они катались.

Гордеев, чуть не поперхнувшись последним глотком, спросил:

— Ты что, волшебник, Расим? Мы про место ничего не говорили.

— Эх, Юра, я не волшебник, но я — эксперт! — со значением произнес Расим. — И город свой знаю. Нет больше таких мест. Это карьер за Дыбенко. Там достаточно характерный грунт.

Лена ойкнула, тоже удивленная такой проницательностью.

Расим Магометович продолжал:

— Я это место хорошо знаю. Даже подростков по подошвам находил, которые туда за псилоцибином шляются. На южной окраине такое одно место — уж больно почва там специфическая.

Гордеев стал очень серьезным — версия, конечно, версией. Но тут уже повод для задержания, раз мадам Дублинская действительно на своих колесах проехалась по такому месту, где почва столь специфична, что знаменитый эксперт с первого раза угадывает.

— Ты уверен?

— Мамой клясться не буду — ты знаешь, я мамой не клянусь. Но свое слово даю. И за него отвечаю.

— А как с заключением экспертизы?

— Будет... Только не сейчас. Завтра подготовлю, чтобы все по форме было. Я, ты знаешь, халтуры не люблю. Все должно быть как положено.

Лена молчала — ей не очень-то верилось в причастность Оксаны, но факты налицо. Придется арестовывать. Вот тебе и судьба жены профессора, домохозяйки, недавней аспирантки. Три дня назад муж пропал, а сегодня сама в Кресты попадет.

Гордеев и Лена, посидев еще немного, попрощались с экспертом и вышли на улицу. До гостиницы решили пройтись пешком. Благо — рукой подать. Лена молчала. Гордеев — тоже.

И тут с неба внезапно хлынул дождь. Не дождь даже, а ливень — сплошной стеной, такой, что и в трех шагах ничего не разглядеть. Лена с Юрой сначала ускорили шаг, потом побежали.

Добравшись до гостиницы, долго отряхивались и

фыркали. Промокли они до нитки. Уже в номере, переодевшись в гостиничные же махровые халаты, налили себе коньяку из мини-бара, уселись в кресла друг напротив друга и только тут начали обсуждать происшедшее.

— Ну что, Дублинскую задерживать будешь? — спросил Гордеев.

— Буду, хотя мне и не верится. Однако улики веские, придется ей в СИЗО посидеть, пока мы бегаем. Только надо забрать заключение экспертизы.

— Нет, Лена, — задумчиво произнес Гордеев, — все это ерунда. Не могла Дублинская убить, отнести труп в машину, увезти в лес, сжечь...

— Почему это?

— Потому что не могла. Представь себе женщину, которая тащит труп мужика? Нереально...

— Сообщник? — предположила Лена.

— Возможно.

— А что, если, после того как Дублинский побывал у любовницы, его встретила жена, увезда в лес, там убила... А?

— Очень уж все это сложно, — сказал Гордеев. — Нет, не верю я, что Дублинская имеет отношение к убийству.

— Тем не менее, улики... — заметила Лена.

— Слабые улики.

Лена сняла запотевшие очки, тщательно протерла их бумажной салфеткой и сказала очень серьезно:

— Я думаю, Юра, что это только начало. Не так уж тут все просто. Вот мне думается, что по времени что-то не то. От Галковской он ушел после пяти, а в шесть часов, по показаниям экспертов, он уже был мертв. Он за это время не успел бы даже туда добраться. Кто-то что-то путает.

Спать они в эту ночь не ложились. Проговорили до утра, выдвигали различные версии, много спорили.

Лена все же была уверена, что Оксана Дублинская к исчезновению супруга причастна. Гордеев в этом сильно сомневался. Однако против ареста Дублинской не возражал. Конечно, если будут серьезные основания.

В конце концов пришли к выводу, что в квартире Дублинской надо устроить обыск.

На следующий день Лена вместе с группой оперативников, получив ордер на обыск, отправилась на квартиру Дублинских. Долго искать не пришлось — в прихожей был найден завернутый в газету нож со следами крови, а на обуви Дублинской были найдены следы грунта, очень похожего на тот, из карьера, с места убийства. Кроме того, на обуви были обнаружены следы бензина.

— Да, — сказал эксперт, осмотрев обувь, — кто-то, видимо, пролил бензин на ноги.

— Приобщите это к числу вещественных доказательств, — распорядилась Лена.

Она внимательно наблюдала за Дублинской. Найденное во время обыска повергло ее в шок — она смотрела на нож с ужасом.

— Вам знаком этот предмет? — спросила Лена, указывая на нож со следами крови.

— Нет... — отвечала Дублинская.

— Как вы можете объяснить то, что он находится в вашей квартире?

— Не знаю... — ответила та, закрыла лицо и заплакала.

Лена попросила принести ей воды, Дублинская выпила и немного успокоилась.

— Как вы объясните эти факты? — продолжила Лена.

— Не знаю... — был ответ.

— Вы ездили на место сожжения? Вы присутствовали в лесу во время сожжения? — спросила Лена.

— Нет, — только и ответила Дублинская.

— Не пользовались вашим автомобилем? Или вы не присутствовали?

— Я ничего не знаю... Я там не была.

— Тогда как вы объясните тот факт, что на протекторах вашего автомобиля и на обуви найден этот грунт?

— Я не имею к этому никакого отношения. Выглядит нелепо, но я и в самом деле не знаю, как эта почва оказалась там, где вы ее нашли.

— Хорошо. Тогда расскажите, что было после возвращения вашего мужа из командировки.

— Я видела его после возвращения не более часа. Потом он уехал куда-то и не вернулся ночевать. Это немыслимо — ведь он обещал вернуться, а Сергей всегда выполнял свои обещания.

— Постарайтесь отвечать максимально точно, припомните мельчайшие подробности. Это может оказать вам неоценимую помощь. Итак, ваш муж в тот день вернулся с конференции...

— Да. Приехал, поцеловал меня, — Дублинская прилежно припоминала подробности. — Немного рассказал о поездке. Переоделся. И около пяти уехал — сказал, что вернется поздно. Веселый такой был, оживленный.

— Вам он сказал, куда поехал?

— Я не спрашивала, он не уточнял. Мы абсолютно доверяем друг другу. Доверяли...

Она снова забилась в рыданиях.

Лена подождала, пока она успокоится, затем решила перейти к главному:

— Оксана Витальевна, вы подозреваетесь в убийстве своего мужа, Сергея Владимировича Дублинского. На это указывают улики — на колесах вашего автомобиля обнаружена почва, аналогичная той, которая характерна для местности, где был найден обгорелый труп вашего супруга. Кроме того, в результате обыска, произведенного в вашей квартире, найден нож со следами крови, группы, соответствующей крови вашего мужа, а на вашей обуви найдены следы грунта, который похож на почву с места сожжения трупа, а также бензина, которым был облит труп перед сожжением. Экспертиза установит их идентичность, а пока я вынуждена избрать в качестве меры пресечения заключение вас под стражу.

Дублинская смотрела на нее непонимающими глазами.

— Меня?.. Вы хотите посадить меня в тюрьму?

— Да.

Когда Дублинскую увезли, Лена решила отправиться к гостинице пешком. А по дороге размышляла, правильно ли она поступила, отправив Дублинскую в Кресты. Она не могла однозначно ответить на этот вопрос...

— Нет... — сказал Гордеев, когда узнал о результатах обыска. — Не верю я в это.

— Веришь или не веришь, а вывод выглядит довольно однозначно. Когда найдены такие улики, арест — это единственное, что я могла сделать.

— В принципе, да. Может быть, ты поступила и правильно. Но имей ввиду, что виновность Дублинской под очень большим вопросом.

— Вот тогда и доказывай ее невиновность, — рассердилась Лена, — а то советовать каждый может.

— Хорошо, — пожал плечами Гордеев, — я буду защищать Дублинскую, а ты изволь выдвигать против нее обоснованные обвинения. Вот и посоревнуемся.

В конце концов пришли к выводу, что Гордеев выступит адвокатом Оксаны, чтобы иметь возможность присутствовать на допросах и не оставлять Лену одну. Конечно, если сама Дублинская не будет против.

Глава 9

Ахмет Гучериев удобно расположился в мягком кресле и закурил. Не мешало бы еще и выпить после столь удачно проведенной операции, но это успеется — за ужином. Сладковатый дым анаши полз по комнате. Аллах не возбраняет своим воинам немного расслабиться в минуты отдыха. Главное, что воин должен быть собран, когда Аллах призовет его. Но до этого момента еще далеко.

Ахмет щелкнул пальцами, в комнате тут же появился его подручный Джабраил, появился моментально и незаметно — будто материализовался из воздуха. И замер в почтительной позе.

Гучериев приоткрыл один глаз:

— Скажи, Джабраил, сколько их было?

— Четверо, Ахмет.

— Ты уверен? — Гучериев говорил с ленцой. Казалось, что тема разговора нисколько его не интересует. Он курил и смотрел в окно.

— Уверен... — замялся с ответом Джабраил.

— Так пойди и спроси! — голос Гучериева звучал

78

низко и тревожно, так, что Джабраил поежился от его звука. — Ты этих еще в расход не пустил?

— Нет, — мотнул головой Джабраил.

— А куда дел? — Ахмет сделал глубокую затяжку, почти на полминуты задержал дым в легких и, прикрыв глаза, с наслаждением выпустил его через нос. Джабраил дождался, когда тот откроет глаза и ответил:

— В подвале сидят.

— А профессор? С ними?

— Нет, ты же сказал, что он гость.

— Правильно, гость. Где он?

— Я его в комнату отвел.

Ахмет одобрительно кивнул:

— Молодец... Так иди и спроси!

— У профессора?! — осторожно поинтересовался Джабраил.

— Дурак ты, Джабраил! Профессор знать их не знает! У этих, в подвале, спроси, им все равно отсюда не выйти!

— Хорошо, Ахмет.

— А профессора береги! Пусть покормят его хорошо. Я с ним потом говорить буду.

Гучериев раздавил окурок в пепельнице и закрыл глаза, давая понять, что разговор окончен.

Он попытался вздремнуть, но ему мешали полностью расслабиться мысли о предстоящем разговоре с профессором. Неожиданно перед ним снова возник Джабраил. И снова замер, не поднимая на командира глаз.

Гучериев спросил:

— Что? — И сам тут же догадался: — Сколько их было?

— Пятеро... — ответил подручный, не смея поднять глаз.

Гучериев произнес гортанное ругательство. Потом поднялся с кресла:

— Ты уже узнал кто: адрес, фамилия, машина?

— Все узнал, но он же не дурак, он вряд ли там объявится... — быстро ответил Джабраил.

— Он-то не дурак, раз ушел от нас... — вздохнул Гучериев. — Это мы дураки. Понял?

Джабраил, не зная, как отреагировать, поднял глаза, потом чуть кивнул. Ахмет снова тяжко вздохнул и махнул рукой:

— А ты, Джабраил, совсем дурак будешь, если найти не сумеешь...

— Да, Ахмет...

— Пойдешь и уберешь, чтобы я больше никогда о нем не слышал. Ты понял?

— Да.

— Справишься?

Подручный неуверенно кивнул, а командир, недовольно посмотрев на него, продолжил:

— Ладно... Машина у него какая?

— Джип, белый, прошлого года.

— Какой джип?

— Джип, — недоуменно повторил Джабраил. — Такой большой...

— Какой джип, я спрашиваю! — В голосе Ахмета сквозило раздражение. — Марка какая, марка!

— А-а... «мицубиси-паджеро»... Кажется.

— Что значит «кажется»? Ты точно не помнишь? — взвился командир.

— Точно, точно, Ахмет... — поспешил заверить его Джабраил.

— Хорошо... Вот тебе и премия, Джабраил. Сделаешь его — можешь тачку себе оставить.

— Спасибо, Ахмет.

— Как там профессор?

— Нормально. Спит.

— Это хорошо. Не буди.

Гучериев прошелся по комнате, потирая острый подбородок. Он ступал неслышно, как кошка. И дело было даже не в мягких коврах, которые покрывали пол, просто он привык так передвигаться...

— ...Запомни, Ахмет, в лесу и в горах каждый листик, каждый сучок может тебя выдать.

Так говорил старый Автандил-ага молодому Ахмету Гучериеву, когда еще тот был совсем маленьким.

— А где тут лес? — спрашивал Ахмет, который родился и вырос в окрестностях Караганды. — Да и горы далеко, на востоке...

— Нет, малыш, — отвечал аксакал. — Горы там... На нашей родине.

Сухая морщинистая рука показывала на запад. Там Ахмет никогда не бывал.

— А разве наша родина не здесь? — удивлялся мальчик.

Автандил-ага мотал головой, отчего длинные шелковистые волосы поблескивали в лучах жаркого казахстанского солнца.

— Нет, сынок. Наша родина не здесь. На нашей родине есть высокие горы, покрытые зеленым кустарником, где легко спрятаться. И быстрые горные речки со студеной водой и глубокими омутами. И непроходимые леса, где враг испытывает ужас, а ты чувствуешь себя как в собственном доме. И глубокие пещеры с длинными подземными ходами, которые могут вывести на поверхность в самом неожиданном месте, чтобы зайти врагу в тыл и убить его раньше, чем он успеет обратиться к своим богам...

Ахмет слушал эти странные слова, которые произносил старик, и ему до боли хотелось попасть в этот чудесный край, который Автандил-ага почему-то называл их родиной. Но вокруг расстилалась нескончаемая степь, покрытая сухой травой. Здесь, в Казахстане, в шестидесятые годы под бодрые лозунги об освоении целины пытались сажать пшеницу, сюда со всех концов Советского Союза приезжали люди...

Но суховеи сметали тонкий слой плодородной почвы прочь, и оказалось, что в этой степи не растет ничего, кроме чахлой степной травы. Люди потянулись прочь отсюда, оставляя построенные в ударные сроки колхозы, поселки городского типа, одиноко стоящие в бескрайней степи элеваторы...

Оставались только те, кто жил здесь до начала покорения целины. Казахи, корейцы, немцы. И чеченцы, которые оказались в казахских степях в середине сороковых годов.

Ахмет рос бойким мальчиком. Здесь, под Карагандой, чеченцев было мало, а в школе, где учился Ахмет, их почти совсем не было. Только Ахмет и еще один парнишка, на год старше его — Салман. Они, конечно, дружили, вместе защищались от местной шпаны, и, надо сказать, получалось это довольно успешно. Дрались они так, как будто от исхода стычки зависела их жизнь. Не просто «до первой крови» (по негласному закону местной пацанвы), а до того момента, когда рядом стоящие или появившиеся на шум драки взрослые не разнимут. Если бы не вмешательство, неизвестно, чем могли закончиться эти драки. И Ахмет и Салман сражались, как бойцовые псы, самозабвенно, забывая обо всем на свете, видя перед собой только врага.

Постепенно их стали обходить стороной. Никому не хотелось повстречаться с чеченцами на узкой дорожке — кто знает, что могло прийти в голову этим «диким горцам», как их называли в поселке городского типа, который носил звучное название «Имени Заветов Ильича». В просторечии «Заветка».

И только старый Автандил-ага одобрительно кивал, когда мимо проходили приятели Ахмет и Салман, костяшки рук которых были вечно разбиты, а на лицах всегда можно было заметить две-три свежие царапины.

Впрочем, к окончанию школы Ахмет остался один. Вот как это произошло.

В северной части поселка, которая примыкала к железнодорожной платформе, появилась шпана с соседней станции Пролетарская. Они приезжали по выходным, наведывались в местный клуб на танцы, после которых увязывались за местными девчонками, которых и тискали в ближайших подворотнях. Конечно, местные, «заветчики», как их называли, стерпеть такого не могли, и то и дело вспыхивали драки не на жизнь, а на смерть. Тем не менее хулиганье с соседней станции одерживало верх — ребята там были здоровые, крепкие, кроме того, на соседней станции находились железнодорожные мастерские, где всегда можно было добыть цепь, выточить кастет, а то и заточку. На Заветах же Ильича имелась только хлопкопрядильная фабрика, и то работающая вполсилы.

Так что противостоять «пролетарским» было положительно невозможно. Поэтому местные ребята постепенно оставили попытки им противостоять, заключили мирное соглашение, по которому пришельцы имели полное право хозяйничать в поселке.

Ахмет и Салман держались особняком во время этих разборок. К местным они относились корректно, но близко не подпускали. У Салмана уже была девушка, красавица Фатима, с которой он гулял по местному «Бродвею» — площади, носящей одноименное с поселком название Заветов Ильича, где можно было зайти в кафе «Целинница», поесть мороженое, а потом и в клуб, где крутили кино. Обычно Ахмет сопровождал их, и только вечером, после сеанса, Салман говорил ему по-чеченски, что пора ему домой, и Ахмет, не обижаясь, возвращался. Ходить по поселку один он не боялся.

В этот день они гуляли до поздней ночи. И уже когда собирались возвращаться домой, в конце освещенной улицы появилось шестеро «пролетарских». Ахмет сразу узнал их.

— Салман, их много, — вполголоса сказал он.

— Не бойся, — ответил Салман. — Положись на меня.

Фатима по-чеченски не понимала, но ледяное спокойствие Салмана передалось и ей.

Они продолжали не спеша шагать по улице навстречу хулиганам. Те шли молча, лишь тихо посмеиваясь в предвкушении забавы.

— Эй вы, чурки малолетние, давайте-ка мы вашу девку проводим. А вам баиньки пора! — наконец раздался голос, когда они поравнялись с бандой.

Салман молчал. Впрочем, Ахмет почувствовал, как тот напрягся.

Кто-то из банды протянул руку к Фатиме. В темноте блеснуло лезвие ножа. Даже не ножа, это больше

походило на тесак, который вытачивали в железнодо-
рожных мастерских из вагонных рессор.

— Ну давайте, мальчики, — почти ласково произнес тот, кто вытащил нож. — Идите домой.

И схватил Фатиму за локоть.

Что произошло дальше, Ахмет запомнил очень хорошо. Салман оттолкнул Фатиму назад и сам отскочил.
Потом выхватил из кармана что-то, тускло блеснувшее
в свете грязного фонаря, освещавшего улочку.

— Еще один шаг — и я стреляю, — сказал он спокойно, сняв пистолет с предохранителя.

Ахмет глазам своим не мог поверить. В руке Салмана был настоящий пистолет!

— Ну ты че, вообще, оборзел! — «Пролетарский»,
впрочем, не потерял хладнокровия. — Думаешь, я твоей пушки испугаюсь? Пуганый, и не такими сопляками,
как ты. В прошлом году освободился!

И он сделал шаг по направлению к Салману.

Выстрел прозвучал коротко и глухо. Салман умудрил-
ся приставить дуло к грудной клетке «пролетарца», так
что пуля прошла навылет. Он рухнул как подкошенный.

— Валим отсюда! — почти шепотом произнес кто-
то из «пролетарцев», и они всей гурьбой побежали
прочь, оставив тело своего товарища на потрескавшем-
ся асфальте. Впрочем, и Ахмет, и Салман, и Фатима
тоже быстро скрылись.

На следующий день весть об убийстве потрясла поселок. Ахмет немного волновался за товарища, но тот
хранил олимпийское спокойствие. Он не сомневался,
что «пролетарцы» не выдадут.

— Почему? — задал ему вопрос Ахмет.

— Потому что мы — чеченцы, — ответил Салман. —
Если они донесут, то завтра их самих убьют.

— Кто?

— А ты не знал, что в Пролетарском живут мои родственники? Вот они и убьют. Кровная месть...

Так Ахмет первый раз ощутил себя частью народа, который способен постоять за себя и который нещадно отомстит за каждого.

Это было приятно. Это было спокойно — например, «пролетарские» больше не появлялись в их поселке. Это вселяло уверенность в завтрашнем дне.

Но у Ахмета не было родственников. Своих родителей он не помнил, говорили, что они погибли, когда ему было не больше двух лет от роду. Воспитывала Ахмета дальняя родственница. Кроме нее, Ахмет родных не знал. И рассчитывать на то, что за него кто-то объявит кровную месть, было глупо. И Ахмет решил, что единственный выход — научиться самому мстить за себя. Его поразил тот случай, когда Салман застрелил из пистолета человека. Ахмет понял: для того чтобы стать сильнее всех, надо иметь в руках оружие.

Но где его взять? Тогда для Ахмета этот вопрос был серьезной проблемой. Единственным человеком, имеющим оружие, среди знакомых Ахмета был все тот же Салман. Но он, конечно, никому не показывал свой пистолет, а после убийства, возможно, вообще его выбросил или спрятал так, что ни одна живая душа его не найдет. Но Ахмет считал иначе. Он судил по себе. Вот если бы у него был пистолет, он бы его не выбросил. Он бы его, конечно, очень хорошо спрятал, но так, чтобы иногда любоваться им. Гладить его прохладную вороненую поверхность. Вдыхать запах оружейной смазки и пороха. Чувствовать в руке его тяжесть...

Долгих два года Ахмет выслеживал Салмана. Делать это было непросто, потому что они были друзьями и много времени проводили вместе. А Салман, ясное дело, наведывался к месту, где был спрятан пистолет, один.

И вот наконец Ахмету удалось узнать, где Салман прячет свое сокровище. Это был заброшенный барак в окрестностях поселка. Там, в узкой щели между перекрытиями, и хранился тот самый пистолет, аккуратно завернутый в промасленную бумагу.

Ахмет узнал тайну и теперь не мог усидеть на месте. Ему хотелось поскорее пробраться в тот барак и взять в руки оружие. Что он будет делать с ним дальше, Ахмет представлял плохо. Но главное — он будет обладать оружием...

Прошли две недели. Ахмет решил, что ждать достаточно, и, выбрав подходящий момент, когда Салман был в школе, пошел к заветному бараку. Без труда отыскал щель между перекрытиями. Вынул тяжелый сверток и развернул бумагу...

Да, это был он, тот самый пистолет. Изрядно потертый, видавший виды пистолет «ТТ», с накладками на рукоятке.

Теперь надо было уходить. Ахмет давно подыскал другое место, где он надежно спрячет пистолет. Он уже собирался снова завернуть оружие в бумагу, когда снаружи донеслись шаги. Они приближались. Человек явно шел к бараку...

Перед глазами Ахмета пронеслась давняя сцена на темной улице. Именно из этого пистолета был застрелен человек! И если оружие найдут в руках Ахмета, то именно его обвинят в убийстве!

Ахмет хладнокровно снял пистолет с предохранителя. И когда в двери появилась фигура, ни секунды не сомневаясь, нажал на спусковой крючок.

Выстрел прозвучал точно так же, как в ту ночь — коротко и глухо. Человек упал. Ахмет хладнокровно завернул пистолет в бумагу и направился к двери. И подойдя к выходу из барака, обомлел.

На пороге лежал Салман... Ахмет переступил через труп и осторожно огляделся. Нигде никого. Только метрах в пятистах от барака играли какие-то шкеты.

По дороге домой Ахмет без сожаления выбросил сверток с пистолетом в протекавшую неподалеку реку Нуру. Теперь он представлял опасность для него, так как за убитого Салмана будут мстить. И эта месть может оказаться посерьезнее милицейского расследования.

Но все обошлось. Ни милиция, ни родственники убийцу Салмана не нашли. И только один человек на всем белом свете знал, кто убил Салмана. Ахмет Гучериев...

Ахмет прошелся по комнате. Джабраил поворачивал голову вслед за ним.

— Кстати, насчет машины... Есть у меня мысль. — Гучериев умолк, раздумывая.

Джабраил почтительно выжидал.

— Пусть скажут, что это жена профессора убила. Нам так спокойней будет...

— Как это сделать? — удивился Джабраил.

Гучериев нахмурился:

— Придумай сам. Только так, чтобы комар носа не подточил. Понял?

— Да, Ахмет, — кивнул подручный.

— Тут одной машины мало... Надо чтобы несколько причин было ее обвинить. Ясно?

— Да, Ахмет, все сделаю.

— Хорошо... А теперь — давай, девок зови, обедать будем. То есть я буду обедать, а ты иди!

Джабраил вышел из комнаты. И тут же появились женщины в темных одеждах, и с косынками на голове. Они начали накрывать на стол.

Кстати, убранство комнаты, впрочем, как и других помещений этого загородного дома, было выполнено в европейском стиле — если не считать ковров и расшитых подушек, которые во множестве лежали на диване. А в остальном обстановка никак не свидетельствовала, что тут живут люди с Кавказа. Солидная дубовая мебель — столы и стулья, массивные светильники и удобные кресла. Обстановка даже не дачная, а городская, причем подобранная со вкусом и очень современная. Шкафы-купе, книжные стеллажи под потолок, камин с причудливой лепниной и жалюзи на окнах.

Чеченский командир Ахмет Гучериев любил комфорт, лишений он натерпелся и во время военных действий. Приходилось неделями в пещерах жить, где не то что кресло — подушка роскошью казалась. А случалось, что ночевал на голой земле под открытым небом. Война есть война. Но сейчас он не на войне. А в минуты отдыха Аллах многое своим воинам позволяет.

Гучериев сладко потянулся и, встав с кресла, пошел к столу — трапезничать.

На ходу кинул «сестрам», накрывшим на стол и отступившим в глубь помещения:

— Профессора зови!

Глава 10

— Сотовые телефоны — величайшее изобретение человечества! — сказал Гордеев, поворачиваясь к Лене. Они ехали в служебной машине, водитель был почему-то мрачный, слушал блатные песни по «Радио-шансон» и хмуро крутил баранку.

Лена растерянно кивнула.

— Ты уверен в эксперте? — спросила она.

— Абсолютно. Это профессионал, знаток своего дела.

— Но все же Дублинский был у любовницы за час до смерти. И они долго сидели, обедали...

— А ты уверена в том, что тебе наговорили эти две сумасшедшие? Что-то уж больно у них по-киношному все выходит. Надо бы по программе посмотреть, не повторяют ли «Место встречи» в утреннем эфире? — усмехнулся Гордеев.

— Уже посмотрела. По дороге купила телепрограмму. Не повторяют. По каналу «Россия» фильм начинается в 17.00. Вот, я подчеркнула тут, посмотри.

— Может быть, его показывают параллельно по двум каналам? — Юрий взял в руки газету.

— Я об этом тоже думала. Нет, только «Россия».

— Видеомагнитофон?

— У соседки нет видеомагнитофона, телевизор старенький, «Радуга», он для этого не приспособлен.

— Молодец, отрабатываешь все версии. Тогда у нас получается интересная история. Я бы даже сказал — мистическая. Смотри. Дублинский приезжает. Звонит любовнице. Забегает домой. Бросает вещи, переодевается в парадный костюм. Покупает цветы. Его похищают неизвестные, убивают, вывозят к песчаному карьеру и сжигают. Вывозят, прошу заметить, на автомобиле, принадлежащем его супруге. Вероятнее всего, она и есть организатор преступления. За отсутствием, так сказать, других улик. Затем наш клиент раздваивается. Одна его часть лежит в лесу и не подает признаков жизни. Вторая — продолжает свой путь, вручает цветы любовнице, садится с ней ужинать. Появляется соседка и делает выводы. Дублинский смотрит на часы. Хлопает себя по лбу: «Блин, дорогая, извини, совсем забыл. Меня же тут убили два часа назад! А я с тобой тут сижу. Пора мне обратно в лес». Уезжает и сливается в единое целое с сожженным на костре трупом.

— Ты всегда был таким циником? — недовольно поморщилась Лена.

— Я просто пытаюсь логически мыслить. А логически мыслить в такой ситуации невозможно. Показания свидетелей, последними видевших Дублинского живым, противоречат данным экспертизы. Что это может означать? Что кто-то из них все-таки ошибается. Возможно, преднамеренно.

— Маловероятно. Судя по всему, старуха-квартировладелица очень въедливая бабка и находится с Галковской в не совсем дружеских отношениях.

— Значит, в лесу найдено тело другого человека.

— Еще менее вероятно — супруга и сослуживцы опознали его вещи.

— Вещи! И только... Все равно надо ждать результатов экспертизы ДНК.

— Это долгая история... Нам надо еще раз побеседовать с женой Дублинского. Она единственная, кто может хоть как-то пролить свет на эту ситуацию.

— Давно пора. Но не забывай, что пока у нас рабочая версия состоит в том, что именно жена Дублинского, по крайней мере, имеет отношение к его убийству, о чем свидетельствуют следы протекторов на месте преступления.

Более часа понадобилось Лене на то, чтобы оформить разрешение на допрос. Ох уж этот бюрократический Петербург! В Москве эти вопросы решались за считанные минуты. А тут — никому ничего не надо, а если тебе вдруг надо, то сама и разбирайся с этим. Секретарша в приемной начальника питерской прокуратуры откровенно раскладывала пасьянсы в компьютере и насмешливо следила за Лениной суетой . «Побегай-побегай, столичная штучка! Жируете там в своей Москве на наши деньги!» К слову сказать, приталенный деловой костюм Лены отвергал всякие обвинения в том, что она в Москве жирует.

Кстати, и со служебной «Волгой» случились какие-то неполадки, поэтому они, не желая дожидаться, пока машину починят или дадут другую, остановили первый попавшийся автомобиль. Гордеев коротко сказал: «В Кресты!»

«Голуби летят над нашей зоной!» — надрывался радиоприемник в кабине. Водила притормозил возле поребрика (так в Питере называют бордюрный камень).

— Что, прямо в Кресты? — поинтересовался коротко стриженный водитель, на толстом и волосатом среднем пальце которого красовалась татуировка в виде перстня с белым крестом, украшенным короной.

— Ага... — кивнул Гордеев. — К самым воротам.

— Передачу несешь? — поинтересовался водитель.

— Нет. На свиданку, — в тон ответил Гордеев.

— А-а, родственники...

Гордеев кивнул.

— Да, бывал я в Крестах... Вот и отметился, — показал водитель свою татуировку. — Это значит, был в Крестах.

— А корона что означает? — спросил Гордеев.

— Король камеры, — не слишком уверенно ответил водитель и до самого конца пути молчал.

— Вон Кресты, — хмуро показал он, и Гордеев с Леной выгрузились из машины.

— Слушай, — спросила Лена. — А чего это он так погрустнел, когда ты его про корону спросил?

— Видимо, на месте короны был какой-то знак, который сделали насильно. Ну там, парашник, например, или шнырь... А потом, чтобы его замаскировать, он вытатуировал там корону. Вот и погрустнел, когда пришлось врать...

— Забавный народ, эти уголовнички...

На противоположной стороне улицы высилась красно-кирпичная твердыня начала века с суровыми решетками на окнах. Атмосфера угрозы, отчаяния и безысходности исходила от следственного изолятора, в народе известного как Кресты. Название свое он получил от внешнего сходства: сверху два здания, из которых, собственно, и состояло это скорбное учреждение, напоминали два креста вроде тех, что можно увидеть на машине «скорой помощи». Излечение посредством госпитализации души.

Коридоры, коридоры... Решетка хлопает за спиной, а впереди равнодушный контролер уже распахивает новую.

— Подождите в комнате для допросов. Подследственную сейчас приведут.

Комната для допросов соответствовала всему облику здания — унылые стены, выкрашенные зеленой краской. Жесткие стулья, обшарпанный канцелярский стол.

— Мужчина, вы не имеете права присутствовать при допросе, — ткнула в Гордеева пальцем надзирательница с лицом мопса. — Кто вы вообще такой?

— Это адвокат обвиняемой, Юрий Гордеев, — вмешалась Лена. — Вот разрешение на посещение. Мои документы. Что еще? — жестко спросила Лена, вытаскивая из сумочки пачку документов, — Юра, достань паспорт.

Физиономия надзирательницы из недовольно-брюзгливой сделалась угодливой и даже слегка приветливой, но от этого не стала хоть немного приятнее. Бывают такие лица, которые, вне зависимости от выражения лица, выглядят уныло, тоскливо, жалко. Казалось, что надзирательница была частью этой тюрьмы, ее порождением. Бегала в подвале вместе другими крысами, потом встала на задние лапки, отгрызла себе хвост, подъела товарок, серую шубку заменила на серое обмундирование — и вышла на свет. Хотя нет, вряд ли крыса. У крыс — умные и злые глаза маленьких хищников, а глаза надзирательницы не выражали ничего. То есть, ровным счетом ничего.

Юрий и Лена присели за стол. Гордеев попытался устроиться с максимальным комфортом и чуть не свалился на пол, так как спинка стула со скрипом начала отъезжать назад, увлекая за собой заднюю пару ножек.

— Черт побери! Тут даже стульев приличных нет! — воскликнул Гордеев, отставляя стул в сторону и придвигая к себе новый. Новый скрипнул, но выдержал. Лена предусмотрительно присела на кончик стула и, шевеля губами, перечитывала заключение эксперта. На восклицание Гордеева она отреагировала непроизвольным пожатием плечами.

— Удивительная новая генерация советских людей нарождается, — заметил Юрий. — Пример — наш сегодняшний водила. Он сидел, но при этом сохранил самые теплые воспоминания о времени, проведенном в этом мрачном месте. Он слушает блатное радио и

94

даже — ты слышала — подпевает по мере слуха и возможностей. Но попадись ему настоящие уголовники — плохо бы ему пришлось. Пара наводящих вопросов — и наш водитель колется. А там уж — в зависимости от статуса и настроения «пацанов». Могут просто припугнуть, а могут и полоснуть ножом, чтобы не забывал о субординации.

— Зачем ему это? — не отвлекаясь, спросила Лена.

— Чувствует себя настоящим мужиком, воином, если угодно. Брутальным таким уголовником, за спиной у которого — сила несметная. Раньше такую же гордость мы испытывали, думая о нашем советском государстве, о том, что мы — его часть. Сейчас модно косить под блатного. Девки это любят.

— Это здесь модно, потому что Петербург — город бандитский, — возразила Лена. — А в Москве предпочитают просто богатых людей, без этого мелкоуголовного имиджа.

— Ну не скажи. Женщины всегда любили бандитов с большой дороги. Впрочем, — добавил Гордеев, подумав, — приличные и симпатичные мужчины тоже всегда пользуются успехом. Конечно, у соответствующим образом воспитанных женщин.

— Это ты о той Гайке, у которой я тебя выкупала? Ну-ну, — презрительно бросила Лена, поправляя очки.

— Ревнуешь? — поднял брови Гордеев.

— Обязательно, — фыркнула Лена. — Тешь себя иллюзиями.

«А она стала жестче. Острее, отрывистее говорит, отрабатывает версии и отбрасывает все ненужные. Не только в работе. Но и в жизни. Эх, Гордеев, отработанная ты версия! И эта новая тяжелая черная оправа. По последней моде. Того и гляди — обскачет», — подумал

Юрий, искоса взглянув на Лену. Лена отложила бумаги, расправила спину — ну просто королева на скромном приеме с двумя президентами и олигархом.

— Оксана Дублинская, — важно произнесла надсмотрщица с мопсьим лицом, вводя подследственную.

Лена заправила бумагу, стукнула по паре клавиш, проверяя ленту. «Странно, везде уже давно при допросах пользуются компьютерами. Анахронизм, причем бессмысленный», — машинально отметил Гордеев.

— Здравствуйте, Оксана... э-э-э...

Жена профессора выглядела довольно жалко. Несвежая одежда уродливо смотрелась на ее крупном теле. Лицо, привыкшее к хорошей косметике, глядело рыхлым куском недопеченного теста. Взгляд направлен как-то книзу и вбок.

«Что ж ты, милая, смотришь искоса?» — невесело подумал Гордеев. А ведь в камере ей досталось. Царапина на щеке, мизинец на правой руке распух и отливал сизым.

— Я буду вашим адвокатом, — продолжал Гордеев, не услышав отчества обвиняемой.

— Витальевна, — запоздало подсказала Лена, не менее его пораженная увиденным.

— Оксана Витальевна, подпишите договор. Вот тут.

Он подвел ее к столу, вложил ручку в негнущиеся пальцы. Дублинская подписала не глядя.

— Садитесь.

Дублинская опустилась на стул и уставилась в зеленую, плохо окрашенную стену с влажными потеками.

— Оксана Витальевна, вы обвиняетесь в убийстве вашего мужа, Сергея Дублинского.

— Я это уже знаю, — почти не шевеля губами, произнесла Дублинская.

— Что вы можете сказать по этому поводу? Вы признаете обвинение?

— Нет. Я не убивала... — без всякого выражения ответила Дублинская.

— Во время обыска вы заявили, что не знаете, как в вашей квартире оказался нож со следами крови, откуда на вашей обуви и колесах автомобиля оказался грунт с места сожжения трупа и почему ваша обувь залита бензином.

— Да, я не знаю откуда это все, — отвечала Дублинская.

— Оксана Витальевна, — вмешался Гордеев, — а вы можете предположить, откуда это все взялось? Ведь не мог же этот нож, например, с неба свалиться.

Дублинская задумалась.

— Не знаю... Это не мой нож. У меня никогда такого ножа не было.

— Ваших отпечатков пальцев на ноже не найдено, — сказала Лена. — Однако то, что нож найден именно в вашей квартире, в совокупности с другими уликами и стало основанием для обвинения.

— Нож могли подбросить, — возразил Гордеев.

— Это следует доказать, — сказала Лена.

— Скажите, — обратился Гордеев к Дублинской, — кто-нибудь мог вам подбросить этот нож?

— Не знаю...

— Может быть, у вас были чужие люди в гостях, конечно, после исчезновения мужа. Или не чужие? Припомните!

— Нет, — подумав, ответила Дублинская, — только родная сестра. А она не могла ничего подбросить.

— Может быть, вы замечали что-то странное в квартире? — не отставал Гордеев.

— Нет, — ответила Дублинская после недолгого колебания.

Лена посмотрела на Гордеева. «Ну что я тебе говорила?» — прочел он в ее глазах.

— Хорошо... Откуда на колесах вашего автомобиля грунт с места сожжения трупа?

— Не знаю...

— А на обуви?

— Не знаю...

— Вы можете объяснить хотя бы, почему ваши туфли залиты бензином?

— Не знаю... — в третий раз повторила Дублинская. — Но когда я их последний раз снимала, на них не было ни земли, ни бензина. Это я точно помню.

— Когда вы последний раз одевали эти туфли? — спросил Гордеев.

— Примерно неделю назад.

— То есть до пропажи вашего мужа?

— Да.

— И они стояли там, где их нашли? В прихожей?

Деблинская задумалась.

— Нет, — наконец ответила она. — Я их спрятала в шкаф для обуви.

— Вы уверены?

— Да. Дело в том, что я купила новые босоножки, а старые спрятала.

— И с тех пор не доставали?

— Нет. Я их ношу, когда дождь, а все эти дни стояла теплая погода.

— А согласно протоколу обыска, эти туфли были найдены в прихожей на полу, — заметил Гордеев, обращаясь не столько к Дублинской, сколько к Лене. Впрочем, та промолчала.

— Да, я помню, — сказала Дублинская, — я как раз стояла в прихожей, когда эксперт поднял с пола мои туфли. А шкаф они еще тогда не открыли.

— И как вы объясните этот факт?

— Не знаю... Я не могу это объяснить.

— На полу, в шкафу... — вмешалась Лена. — Какая разница? Важно, что на обуви были найдены следы грунта и бензина.

— Я думаю, это на самом деле очень важно, — ответил Гордеев.

— Итак, — обратилась Лена к Дублинской, — вы утверждаете, что около пяти ваш муж уехал, и с тех пор вы его не видели.

— Да.

— У вас есть версии, куда он мог поехать?

— Да, но... Мне бы не хотелось об этом говорить.

— Почему? — спросила Лена.

— Это личное... — Дублинская опустила глаза.

— Оксана Витальевна, поймите, любая деталь важна для следствия... — сказал Гордеев.

— Хорошо... Я скажу... Дело в том, что у Сергея была женщина на стороне... — Было видно, что это признание дается ей нелегко.

Лена кивнула:

— Итак, он поехал к своей любовнице Ирине Галковской, не так ли?

Дублинская подняла глаза:

— Вы все и без меня знаете... Да, я подумала именно об этом.

— И вас это задело — муж возвращается из загранпоездки и немедленно летит к любовнице? Не так ли?

Что-то Лена крутенько взялась за подследственную. Гордеев подался вперед, вдохнул, словно собираясь что-то сказать, но передумал.

— Нет. Я знала о существовании этой Ирины и принимала ее как неизбежное. Я и сама раньше...

— Да, вы тоже были аспиранткой убитого, прежде чем стать его женой, — кивнула Лена. — Скажите, а не было ли у вашего мужа врагов?

— Врагов? Таких, чтобы явных, — нет. Может быть, недоброжелатели в научных кругах, я не знаю. Я совсем отошла от науки в последние годы.

— Но он же наверняка рассказывал вам о своей работе. Вы же не могли жить в одной квартире и не разговаривать? — терпеливо спросила Лена.

— Ну, он рассказывал, но не о работе, а об отношениях в коллективе. Некоторых из этих людей я знаю, мне было интересно.

— Вот об этих людях и поговорим, — кивнула Лена. Дублинская снова уставилась в стену и пошевелила губами.

— Какие-нибудь коллеги вызывали в нем раздражение? — уточнила Лена.

— Сергей мало рассказывал о работе. Впрочем, был там один,— как бы припоминая, произнесла Дублинская, — но вряд ли он...

— Расскажите о нем. Вы помните, это может вам помочь.

— Бурцев его фамилия. Он работал кем-то вроде завхоза. Не занимался наукой. Незначительная личность.

— И на какой почве они с вашим мужем повздорили?

— Да они не повздорили. Просто Сергей его недолюбливал и тот отвечал взаимностью. Сергей рассказывал, что однажды этот Бурцев предложил ему перевести «Орбиту» на коммерческие рельсы. Что-то продавать, по-моему, осмий, за границу в том числе. У Бурцева уже и предложения были какие-то. Но муж хотел заниматься только наукой. Он говорил — денег на хлеб с маслом, а иногда и с икрой, я и так заработаю. А если погрязнешь в этом бизнесе — начнутся сначала разборки, потом — бандиты, крыша, придется заниматься не делом, а разгребать весь этот мусор. Я не могу себе такого позволить.

— Ваш муж был прав, — вставил Гордеев.

Дублинская молча глядела в стену.

— Муж был легким, открытым человеком, — неожиданно сказала она, — все его любили, прислушивались к его мнению. Коллеги уважали, женщины сходили с ума. Не понимаю, кому понадобилось его убивать?

— Мы обязательно выясним это. Но пока что единственный человек, на которого падает подозрение, — это вы. Имейте это в виду и постарайтесь к нашей следующей встрече припомнить еще какие-нибудь подробности.

Лена последний раз победно клюнула пальцем клавиатуру и вынула лист.

— Ну что скажешь? — спросила Лена, когда они вышли из Крестов.

— Ничего. Я по-прежнему не верю, что это она.

— Вот заладил... — рассердилась Лена. — «Верю, не верю»... Это к делу не подошьешь. Где доказательства?

— Будут у тебя доказательства, — спокойно ответил Гордеев, — не волнуйся.

Глава 11

...Дублинский отказался выйти к столу. Но женщина из числа «сестер», пригласившая его, не настаивала. Это был первый визит к нему, после того как профессор очнулся. Он почти сразу пожалел, что не пошел. Дело не в том, что он почувствовал голод. Но если приглашают на обед, значит, вряд ли предполагается, что он будет есть один, в таком случае еду принесли бы прямо в каморку, где его заперли. Как это было вчера... Или позавчера?

Дублинский плохо помнил, сколько именно дней он уже провел здесь, в этом доме. Два? Три? Нет, все же четыре. Два из которых он был почти в полном беспамятстве после какого-то препарата, который ему, похоже, ввели, когда привезли сюда.

...Нет, все же надо было бы согласиться и пойти обедать. Возможно, его ждал Гучериев. Лучше бы сразу выяснить, какая судьба ему предназначена... Чеченец, помнится, сказал, что Дублинский — гость. Но гостей не запирают на ключ в тесной клетушке. Вопросы, вопросы...

Профессор постучал в дверь. Но никто ему не ответил. Придется ждать, что его позовут еще раз, тут уж он точно не откажется. Однако больше его не. звали. Только примерно через полчаса пришла «сестра», молча поставила перед ним миску с крупными дымящимися кусками мяса, пластиковую бутылку с минеральной водой, кусок домашнего соленого сыра, пучок зелени, два помидора и полбуханки хлеба. Все это она выставила прямо на пол, потому что никакого стола или стула в каморке, отведенной профессору, не было. Рядом с едой чеченка положила алюминиевую ложку. Дублинский пытался с ней заговорить, но она ему не ответила и вышла. Комнату за собой она не заперла, видимо по рассеянности, движения ее были какими-то заторможенными.

Профессор поел, «сестра» пришла и забрала миску с ложкой. Бутылку минералки она ему оставила. Дублинский обратил внимание, что дверь она снова не закрыла на замок.

Он подергал ручку — дверь открылась. Профессор вышел в коридор.

Его комната располагалась на втором этаже достаточно большого дома, он прошел по коридору и никого не встретил. В конце коридора Дублинский обнаружил винтовую лестницу, ведущую вниз. Он стал осторожно спускаться и тут наткнулся на «сестру», но уже другую, не ту, что приносила ему еду.

— Ты куда идешь? Что хочешь? — спросила та строго.

«Сестра», конечно, вряд ли являлась охраной, и она не преграждала ему путь. Просто спросила, что он хочет.

— Где тут у вас уборная? — спросил профессор.

— Иди к себе, сейчас все принесу.

Дублинский вернулся в каморку. Через некоторое время чеченка принесла ему ведро с крышкой.

Он спросил:

— Мне нельзя выходить из комнаты?

«Сестра» даже немного удивилась и ответила:

— Можно, ты гость. Но зачем тебе ночью ходить? Что хочешь, мы тебе сюда принесем. А днем — гуляй, пожалуйста.

Она ушла. Профессор выглянул в зарешеченное окошко под самым потолком комнаты. Увидел большой запущенный сад, высокий забор. Увидел и двоих боевиков, стоящих у ворот.

Дублинский лег на топчан, стоявший в самом темном углу, попытался уснуть.

Но перед глазами стояла кровавая сцена, свидетелем которой он оказался вчера. Это зрелище не давало

103

ему покоя. Он пролежал несколько часов, глядя в потолок и пытаясь отогнать от себя ужасное видение.

Прошлой ночью, где-то уже под утро, он забылся сном, скорее похожим на беспамятство. Но его разбудили крики и выстрелы, доносившиеся из сада. Дублинский вскочил, подбежал к окну и увидел, как боевики методично режут большими тесаками трех мужчин, которые так же, как и профессор, были привезены в этот загородный дом накануне. Гучериев наблюдал за казнью. Дублинский ахнул и отшатнулся от окна. Но чеченский командир, словно почувствовав его взгляд, обернулся и помахал профессору рукой.

Дублинский сполз на пол, закрыл голову руками, заткнул уши, хотя пленники не издали ни звука — рты у них были надежно заткнуты. Профессор не мог не думать, что и ему уготована подобная участь.

— Он знает, что я это видел, теперь-то я точно обречен, — пробормотал Дублинский. Доковыляв до топчана, профессор снова впал в забытье...

Джабраил приехал на Петроградскую сторону уже после захода солнца. Остановил свою «Ниву» возле мечети, вылез из нее, захлопнул дверцу и отправился пешком в сторону Большой Монетной улицы.

Он хорошо тут ориентировался. Найдя нужный двор, Джабраил скользнул в него черной тенью, остановился у серой «тойоты». Несколько минут ушло на то, чтобы вскрыть дверцу. Джабраил сел за руль, завел мотор и рванул в сторону Гренадерского моста. Но тот был уже разведен. Белая ночь вступала в свои права. Подъезжая к соседнему, Кантемировскому, он увидел, что и там ему не повезло. Путь на Левобережье оказался закрыт. Джабраил решил выбираться через центр.

Он уже подъезжал к Троицкому мосту, когда его глазам открылось величественной красоты зрелище — прямо перед капотом еле успевшей затормозить машины треть моста взмыла вверх — с фонарями, столбами, трамвайными путями.

— Шайтан! — выругался чеченец, резко развернул машину и помчался по Кронверкской набережной в сторону Васильевского острова. Но и там его ждал поднятый в небо Биржевой мост.

Не успел Джабраил сообразить, какие у него есть еще пути, как у него на глазах взмыл вверх и соседний, Тучков мост.

Объехав за считанные минуты все набережные, Джабраил убедился, что выбраться отсюда в ближайшее время ему не удастся. Выезд еще оставался открыт на Крестовский. Но это тоже ведь был остров — ехать туда просто не имело смысла. Чеченец оказался запертым на Петроградской стороне. В дельте Больших и Малых Невок, в царстве разведенных мостов. Как в средневековой крепости. Как в какой-то древней сказке или кошмарном сне. Бесполезно было ругаться, сыпать проклятиями, хвататься за оружие, мчаться куда-то во весь опор. Оставалось только ждать часа, когда мосты в порядке строгой очередности начнут сводить обратно.

Джабраил вышел из машины, пнул колесо, потом закурил и приготовился ждать.

... Только через два часа огромный кусок асфальта вместе с куском трамвайных путей и фонарными столбами медленно пополз вниз. Он опускался до тех пор, пока не встал на место. Мост был сведен. Джабраил щелчком отправил окурок за барьер набережной, быстро вскочил за руль и помчался по мосту в сторону карьера Дыбенко...

...— Понимаете, профессор, всем очень удобно жить, как премудрым пескарям в собственном замкнутом мире, спрятаться от всего происходящего в своей скорлупе... Моя хата с краю — да?

Обращение «профессор» звучало с издевкой, впрочем как и цитирование классика российской литературы. Однако Дублинский понимал, что в определенной правоте этому бородатому чеченцу отказать невозможно. Действительно, нельзя делать вид, будто его не касаются проблемы сегодняшнего дня. «Человек не бывает как остров», — вспомнился Дублинскому Джон Донн. О черт! Так и будем пословицами и афоризмами сыпать, будто светскую беседу ведем? Но возразить и правда было нечего.

— Ахмет, вы тоже поймите, я мирный ученый, теоретик, я никогда не работал на оборонку, никогда не создавал оружия. Я просто не тот человек, который вам нужен.

— Знаете, что я вам скажу, когда по вашему телевидению говорят: «мирное население», «мирное время» — это неправда, — покачал головой Гучериев. — Когда идет война, она приходит в каждый ваш дом. И не думайте, что сейчас мирное время, потому что Россия находится в состоянии войны с нами. И не уверяйте себя, что вы мирные граждане в наших глазах. В наших глазах вы все — просто безоружные военные, но не мирные граждане. Вы все — русские воины.

— Почему? Я вот, например, даже в армии не служил, — возразил Дублинский.

— Это неважно. Я вот, например, тоже не служил.

Несмотря на серьезность момента, Дублинский не мог сдержать улыбки.

— Да-да, — подтвердил Гучериев. — Не служил.

И никогда бы не взял в руки оружие, если бы на мою землю не пришла русская армия.

— Вот видите. Армия. А не мирные люди.

— Но воюет она именно с мирными людьми, которые были вынуждены, вот как я, взять в руки оружие. Поэтому теперь каждый русский автоматически стал военным. Вы — люди, которые большинством своим одобряют геноцид чеченского народа. По закону шариата даже одобрение военных словом против нас уже причисляет людей к противнику. Мы воюем за нашу свободу, за нашу независимость и за нашу веру. Хвала Аллаху, мы придем к победе, чего бы нам этого ни стоило.

Ахмет Гучериев довольно осклабился — профессор все же начал разговаривать.

Дублинский потерял счет часам, перетекающим в долгие дни, которые он находился здесь, в загородном доме Гучериева. Он был замкнут и не контактен, что частично объяснялось шоком, пережитым им во время похищения. На вопросы не отвечал, будто не слышал их, даже от еды отказывался. Применять силу похитители не торопились — ждали, что профессор сам пойдет на сотрудничество.

«Будешь его силой вынуждать — еще неизвестно, что он нам нахимичит, надо стараться сделать его добровольным соучастником. Или даже союзником»,— пояснял командир.

Но вчерашний поступок Дублинского заставил его поменять тактику. Прошлой ночью профессор попытался бежать. Его не держали в кандалах и на привязи, он имел возможность достаточно свободно передвигаться по загородному дому и прилегающему к нему участку. Правда, до вчерашней ночи Дублинский этой возможностью не пользовался. Как уже говорилось, находился он в шоке и вообще в прострации, потому и внимание его охранников было ослаблено.

И вот вчера, в то время, когда охрана ужинала, профессор оклемался вдруг настолько, что решился совершить побег. Он вышел якобы в туалет и, выскользнув из дома, бросился к забору, окружающему участок.

Когда об этом сообщили Гучериеву, он решил использовать ситуацию в свою пользу. Забор, который окружал дачу, был оборудован камерами слежения, побег был замечен сразу же, но по приказу Ахмета, вместо того чтобы беглеца тут же схватить и притащить обратно, охранявшие его чеченцы полночи играли с профессором в казаки-разбойники.

Профессор, взобравшись на дерево, перемахнул через забор. Ахмет диву давался его ловкости. Спустившись по дереву уже с другой стороны забора, Дублинский огляделся и двинулся по дороге прочь от дома, где его удерживали. И когда он удалился довольно далеко, уже было расслабился и решил, что да, вот она, удача — ушел! Ушел колобок, и от бабушки ушел, и от дедушки, и от полевого командира Ахмета Гучериева ушел. Вот тут-то его преследователи и обнаружили себя.

Его били, но недолго и несильно, просто чтобы дать почувствовать, кто в доме хозяин... Но зато запугать профессора удалось так, что он оказался в глубоком обмороке. Почти в бессознательном состоянии Дублинского притащили обратно на дачу, где привели в чувство и снова начали бить. Причем, если бы Сергей Владимирович Дублинский не чурался зрелища голливудских боевиков, то смог бы догадаться, что избивали его вполне аккуратно — стараясь не повредить ни глаз, ни рук, ни каких-либо жизненно важных органов. А потом, как ангел-спаситель, появился Ахмет, и побои тут же прекратились.

Ахмет велел сделать профессору обезболивающий укол, обмыть и перевязать раны, уложить спать.

А утром Гучериев начал этот разговор. Издалека начал — мягко и спокойно, с еле заметной издевкой. Но Дублинский, неискушенный детективами категории «Б», повелся на эту извечную игру «злой следователь и добрый следователь», он подсознательно потянулся к Гучериеву, чувствуя, что только он может сейчас обеспечить ему сравнительную безопасность. Да уж, неудавшийся побег Дублинского оказался чеченцам на руку. Профессор просто вынужден был теперь пойти на контакт.

— Мы и не просим вас создавать оружие. Оружия у нас самих хватает, — Гучериев кивнул на вооруженных до зубов охранников, пасшихся неподалеку. — Мы, Сергей Владимирович, просим вас лишь помочь нам устроить небольшой фейерверк, для чего просто необходимо начинить вот этот чемоданчик компактным, но эффективным взрывным устройством.

— Вы хотите, чтобы я помог сделать вам бомбу? Я правильно вас понимаю?

— Да, вы правильно понимаете, профессор!

— Но это же убийство! Причем массовое убийство!

— Профессор! Ну что вы как ребенок! Война это и есть массовое убийство. А сейчас идет именно война. И как пелось в ваших советских песнях, «священная война». Мой народ вышел на путь свободы, чтобы отстоять свой образ жизни, свое право жить, как мы хотим, никому не мешая. Слава Аллаху, мы этого добьемся рано или поздно. А с вашей стороны — это война захватническая и даже поработительская. На вашей стороне нет ни правды, ни бога, и если вы, профессор, поможете сделать нам бомбу, то этим взрывом можно будет остановить войну.

— Где же вы видели, чтобы взрывом бомбы была остановлена война?! — Дублинский пребывал в недоумении.

— Вы плохо знаете всемирную историю, профессор, — Гучериев опять осклабился. — А как, по-вашему, закончилась Вторая мировая война? Разве не взрывом бомб в Хиросиме и Нагасаки?

— Атомная бомба... — эхом отозвался Дублинский.

— Да, именно так. Нам нужна компактная атомная бомба.

— Что? — Дублинский уставился на Гучериева, чтобы проверить, не шутит ли тот. Но лицо Ахмета было как никогда серьезным. Он не шутил.

— Да. Вы ведь специалист по ядерной физике. Если бы нам нужна была обычная бомба, то мы бы обратились к другому. Хотя каждый из нас, в том числе и я, можем соорудить достаточно эффективное взрывное устройство из материалов, продающихся в любом хозяйственном магазине. Поэтому тут ваши услуги не требуются. Нам нужна ядерная бомба.

— Но, позвольте, я не могу сделать атомную бомбу! — возразил Дублинский.

— Можете, Сергей Владимирович! — жестко ответил Ахмет Гучериев. — Вы все можете, и если не ради собственной страны и мира во всем мире, то хотя бы ради ваших женщин.

Голос Ахмета Гучериева неожиданно стал жестким, куда-то испарилась вся мягкость «доброго следователя». «На клиента осталось надавить совсем чуть-чуть, и он сломается окончательно», — подумал Ахмет и продолжал:

— Чью голову вы желаете получить на блюде к сегодняшнему обеду — жены Оксаны или любовницы Ирины?

Кровь прилила к бледному лицу Дублинского: они знают о нем все, а он даже не может сообщить своим близким об опасности, которая им угрожает.

— Вы не поняли меня...

— Так объясните!

— Я не отказываюсь...

— Очень хорошо! — улыбнулся Гучериев.

— Но я не могу сделать атомную бомбу. Физически не могу, понимаете? Атомную бомбу не так просто сделать. Иначе все страны давно бы обзавелись собственным ядерным оружием. Для этого нужно сложное производство, материалы. Лаборатория...

— Можете, можете, Сергей Владимирович, — сказал Гучериев и встал, давая понять, что беседа окончена. Он обратился к охранникам: — Проводите академика Сахарова в лабораторию — пусть полюбуется.

Повышение в ученой степени и сравнение с Сахаровым больно резанули профессора. Интересно, а как бы поступил академик, оказавшись в подобной ситуации? Изобретатель одного из самых мощных современных орудий убийства и известный миротворец, автор проекта в высшей степени демократической конституции, активно выступал против войны, но водородную бомбу-то создал именно он.

Сергей Владимирович, в бытность свою еще просто Сережей, молодым, подающим надежды аспирантом, был знаком с Сахаровым лично. Ну не столько знаком, сколько просто представлен, его и тогда интересовало, как сочетается роль создателя водородной бомбы с ролью правозащитника. Именно тогда Дублинский и принял решение — не идти против совести, не заниматься столь перспективной «оборонкой», а заняться чистой наукой. Но видимо, чистая наука — это миф. Чеченец прав — нельзя оступиться и спрятаться — просто некуда...

Глава 12

На ночь научно-исследовательский центр «Орбита» закрывался. В девять вечера, плюс-минус пять минут, охранники проходили по лабораториям и кабинетам, выпроваживая тех, кто не имел права задерживаться после указанного времени.

У нынешнего заместителя генерального директора по хозяйственной части Андрея Бурцева такого разрешения не было.

К Дублинскому в центр он попал совершенно случайно. К науке, а уж тем более к физике, Бурцев отношения никакого не имел. Закончил он в свое время строительный институт, но по основной специальности не проработал ни дня. Карьеру он решил делать по партийной линии, а точнее говоря, по комсомольской и даже по «комитетской». Последние годы перед перестройкой Андрей Бурцев ездил в качестве сопровождающего с лицами, заключающими договоры о покупке-продаже строительного оборудования и о строительстве. После поездок в Болгарию, Венгрию, Египет и Алжир проверенный на «малые расстояния» Бурцев был допущен и в «большой свет».

Тут-то с ним и приключился лихой вираж, круто изменивший его жизнь. Не в такую уж и дальнюю поездку он тогда попал, Дания много ближе была, чем ранее посещаемые страны, дальность была в другом. Дания была настоящей заграницей. Это Андрей Бурцев осознал, попав в копенгагенское казино. Зашел он туда из праздного любопытства, а вышел только через сутки — на грани обморока, — потратив там не только собственное довольствие, но и деньги всей группы специалистов, приехавшей заключать договор о поставке экскаваторов. На легкой и заманчивой карьере заграничного путешественника пришлось поставить крест.

На пару лет Бурцев вообще вылетел с орбиты большой жизни. Но началась перестройка, старые грехи както затерлись и позабылись. Бывшие однокашники позвали его в небольшой кооператив, торгующий древесиной и нацеленный на заграничного покупателя. Организовывать поездки и переговоры Бурцев любил и умел, казалось, что началась для него новая благополучная жизнь. Однако все началось в те времена и для большой страны Советов, и споткнулся Бурцев опять на той же кочерге, что и в Дании. Здоровый капитализм, пришедший на просторы нашей родины, принес с собой и соблазнительный запах загнивания. Ну уважаемый читатель уже наверняка понимает, о чем идет речь. В России появились казино, игровые автоматы, бильярдные и прочие «центры развлечений». Бурцев пропал. С головой, руками, ногами и — опять-таки — с казенными деньгами. Для возвращения долгов Бурцеву пришлось продать все — вплоть до родительской дачи на Карельском перешейке.

После этого он поклялся обходить казино за километр (что с каждым годом развития капитализма становилось все затруднительнее, особенно в Питере). Пробовался на разных тихих административных работах, медленно докатился до заведующего складом, просуществовал на этой должности несколько лет, начал потихоньку подворовывать и попивать, но тут представился случай — опять-таки в лице бывшего сердобольного однокашника, пригласившего его по старой памяти на день рождения, где Бурцев познакомился с профессором Дублинским. Профессор в тот день был в крайне благодушном настроении и единственной его заботой было — найти себе заместителя по административно-хозяйственной части, а проще говоря, завхоза взамен убывшей в декрет сотрудницы, прежде занимавшей эту должность.

— Больше никаких женщин в репродуктивном возрасте! — провозгласил он.

Мужчина в лице Андрея Бурцева откликнулся сразу. Осознав, что это его шанс — сменить расфасовку макаронных изделий на теплое местечко «при науке», Бурцев привлек все свое обаяние и Дублинского таки очаровал. По крайней мере, уже спустя две недели Андрей обживался в новом кабинете.

Бурцев оказался завхозом сносным, расторопным и вполне толковым. Считать деньги он умел и любил, особенно деньги чужие...

А сейчас, сидя в своем закутке, Бурцев внимательно наблюдал за сотрудниками, изучал их повадки, привычки. Вот Нина. Она уходит ровно в шесть — ей надо ребенка из детского сада забирать.

Это — Михаил Аркадьевич. Он засиживается допоздна, у него два года назад умерла жена и теперь его спасает от одиночества только наука.

Мимо прошла высокая блондинка в цветастой юбке. Это Зоя. Она уходит и приходит, когда сама пожелает.

Но должностные обязанности выполняет получше иных, сиднем сидящих на своем месте с утра до вечера...

Целую неделю Бурцев истратил на изучение режима дня сотрудников, работающих в помещениях, примыкающих к лаборатории, в которую большинству сотрудников путь был заказан. Еще три дня изучал расписание работы охранников, вычисляя, когда же на пост заступят Сергей Кушаков и Денис Эльзенгер — бывшие менты, бывшие охранники в банке, бывшие вышибалы — у них был богатый послужной список, но нигде они долго не задерживались — то скандал устроят, то секретаршу обидят. Бурцеву их легкомыслие должно было сыграть на руку.

Андрею было совершенно необходимо войти в лабораторию, доступа в которую он не имел. Двигало им не праздное любопытство и даже не желание поступить в пику начальству. Все было гораздо проще и гораздо сложнее — Бурцеву нужен был осмий...

Инженерно-исследовательский центр «Орбита», основанный Сергеем Дублинским, занимался не только утилизацией ядерных отходов, как значилось в документе, заверяющем правомочность регистрации данного предприятия. Отходы отходами, но последнее время все мысли сотрудников, входящих в число избранных, имеющих доступ в закрытую лабораторию, были заняты осмием. Осмий используется в самых разнообразных отраслях — например при изготовлении антирадарных установок или спецбумаги, на которой печатают деньги. Свойства осмия малоизучены — есть мнение, что он может быть использован при лечении СПИДа. Дублинский, кстати, не слишком жаловал эту версию.

«Все малоизученные химические элементы пытаются выдать за панацею от СПИДа, облысения или импотенции. Нормальный подход. По принципу — раз есть заболевание, то должно же быть против него лекарство. Просто оно еще не найдено», — отвечал он на вопросы любопытных, но чаще всего малокомпетентных журналистов.

Наступивший вечер принес с собой прохладу. Нина вскочила, наскоро попрощалась с коллегами и умчалась за Женечкой в детский сад. Михаил Аркадьевич заперся в своем кабинете — видимо, пишет очередную научную статью, которую опять никто не захочет публиковать. Зоя? Где Зоя? Ушла, очевидно. Ну что ж...

Магнитная карточка шефа, позаимствованная из его рабочего стола, была при Бурцеве, во внутреннем кармане спортивной легкой куртки. Кабинет Дублинского, как и его стол, запирался на ключ. Оба ключа Сергей Владимирович не выпускал из рук и полагал, что его кабинет полностью защищен от случайного внедрения чужаков. Но у завхоза, как известно, есть ключи от всех дверей и всех погребов — он как ключница. Не было только у «ключницы» магнитной карточки, обеспечивающей допуск в спецлабораторию. То есть не должно было быть. Но внимательный и ловкий Бурцев выследил, вычислил, умыкнул. Ситуация под контролем. Сегодня, вот так удача, около лаборатории с осмием дежурили Эльзенгер и Кушаков, которые, понятно, не знают, что всемогущий завхоз не имеет права доступа на эту территорию. Как это так — они, простые охранники, имеют, а Андрей Анатольевич вдруг нет.

Охранники сидели по обеим сторонам от входа в лабораторию и лузгали семечки.

— Не мусорите тут, — машинально одернул их Бурцев.

— Угу, — ответил Эльзенгер, отодвигая ногой шелуху к стенке. — А мы и не мусорим. А вообще, уборщица-то на что?

Но Бурцев уже был внутри и не слышал его довольно-таки хамоватого ответа.

Контейнер с осмием стоял в отдельном стеклянном шкафу. Подумать только, Бурцев зачем-то вспомнил любимую считалку из детства: «В этой маленькой корзинке есть помада и духи, ленты, кружева, ботинки — что угодно для души!» Вспомнил он и начало этой считалки: «Доры-доры, помидоры, мы в саду поймали вора». Нехорошее предчувствие шевельнулось в его душе. Он решительно взял маленький контейнер и спрятал в специально заготовленный чемоданчик.

— Андрей Анатольевич, а почему вы находитесь в лаборатории без специальных средств защиты? — вдруг раздался голос.

Бурцев резко обернулся. За спиной стояла Зоя.

— Каких средств? — задохнулся он.

— Где перчатки, халат, респиратор?

— А-а, — попытался улыбнуться Бурцев, но получилось это у него плохо. Улыбка вышла кривая и напряженная.

Зоя внимательно посмотрела на него, и по ее лицу пробежала тень.

— Постойте, а вы разве имеете право здесь находиться? — сказала она с подозрением.

Что было дальше, Бурцев помнил как во сне. Он попытался оттолкнуть Зою, ему это удалось, и на краткий миг свобода была так близка! Но туповатые охранники, тут же забыв про семечки, сработали на редкость оперативно, а Бурцев так мечтал по-киношному вылететь в коридор, растолкать этих ротозеев — и на дно. Он знал, куда именно.

Сильные руки Эльзенгера держали его за плечи, пока Кушаков производил обыск. Была изъята и магнитная карточка, и контейнер с осмием. Зоя по его же, Бурцева, сотовому телефону вызвала милицию.

— А еще семечки есть запрещал, — с детской обидой в голосе промолвил Эльзенгер и со всей дури приложил бывшего заместителя по хозяйственной части головой о стенку.

Бурцев даже не почувствовал боли. Все было кончено...

Впрочем, все было кончено еще раньше, когда Андрей Бурцев вернулся к игре. Но он тешил себя иллюзиями, что тихие посиделки у друзей за преферансом не являются таким конечным злом, как поход в казино. Мелкие ставки, мелкие радости — с одной стороны это напоминало Бурцеву о прежнем, обладающем сокрушительной силой азарте, но, с другой стороны, казалось таким безобидным. Тихие, почти семейные вечера у Валерика — того самого однокашника Бурцева, при посредстве которого он устроился в «Орбиту», каждую пятницу — игра до «двадцатки», ставки не больше рубля, идиллия!

Но однажды на смену преферансу пришел покер — и напор азарта, съедавшего Андрей Бурцева изнутри, заметно усилился. О! Это была совсем другая игра и другие деньги. Проигрыш иногда холодил кончики пальцев Бурцева, но не переходил уровня разумных цифр. Однако Андрей и сам не заметил, как с уютной кухни Валерика он переместился в квартиру дальнего приятеля его приятелей, который как-то раз подменял заболевшего партнера по преферансу.

Собирались теперь все время в разных местах. Игра, как правило, сопровождалась выпивкой и затягивалась иногда до самого утра.

А потом на квартире уж и вовсе неизвестного Бурцеву Сашки появился Фирсов. Крупный, наголо бритый мужик лет пятидесяти. Он, прищурившись, наблюдал за игрой, но сам участия не принимал. А потом подошел к Бурцеву и сказал:

— Хорошо блефуешь, никак тебя раскусить не мог!

Андрей от похвалы расплылся в улыбке, да и игра сегодня сложилась удачная, тоненькая пачка денег приятно улеглась в карман пиджака. Фирсов похлопал его по плечу широкой ладонью, похожей на ласт какого-то морского животного, блеснул золотым зубом и сказал:

— Покер — туфта! А вот в «очко» слабо так блефовать? Только по такой мелочи я не играю.

— «Очко» — это «блэк джэк», что ли?

Фирсов фыркнул:

— Фраерок ты, сразу видно. Какой еще «блэк джэк»?! У нас в России так не говорят. Очко — оно и есть очко.

И ушел.

Но уже в следующую пятницу Андрей сам начал искать встречи с Фирсовым. Руки у него чесались — хотелось сыграть по-крупному. Забыл Бурцев про все, что было в прошлом. И крупный проигрыш во время знаменательной поездки заграницу, и годы, которые он пытался сдержаться... Теперь ему хотелось только одного — сладостного чувства, азарта, мурашек по спине во время игры и ожидания вожделенного выигрыша... Правда, последнее ему доводилось испытать очень редко.

И вот долгожданный день настал. Как же ему везло тогда — поначалу! Карта шла превосходная, деньги текли рекой. Делая ставки, Фирсов и его приятели действительно не мелочились. Бурцеву несказанно везло.

Везло так, что он даже стал воспринимать эти легкие пятничные деньги как основной свой заработок. За одну ночь он мог выиграть сумму, превышающую месячную зарплату. Мог — и выигрывал. Выигрывал, пока неделю спустя не проиграл все — буквально все. Да еще и остался должен. Крупную сумму. Очень крупную...

— Сколько вы остались должны и кому? — перебила его воспоминания Лена Бирюкова.

Когда ей сообщили, что в центре задержан сотрудник, о котором она и так была наслышана, то Лена не стала медлить и тут же примчалась в следственный изолятор для беседы с новым фигурантом.

— Сто кусков, — быстро ответил Бурцев.

— Эх вы! Представительный человек, заместитель директора научного центра, а выражаетесь, как шпана уличная, — покачала головой Лена. — Каких еще «кусков»?!

— Сто тысяч, — помедлив, ответил Бурцев, вздохнул и добавил: — Долларов.

Машинистка, протоколирующая допрос, даже ойкнула. Лена строго посмотрела на нее и продолжила разговор с подследственным:

— Кому вы оказались должны?

— Фирсову.

Рассказав подробно историю своего падения и подойдя к самому главному — к тому, что как раз интересовало следователя, Бурцев вдруг стал краток, будто исчерпал весь запас положенных слов.

— И для этого вы решили похитить осмий? — догадалась Лена.

— Да, — кивнул Бурцев.

— Понятно... Какова примерная стоимость похищенного вами контейнера? — поинтересовалась Лена.

— Порядка тридцати тысяч, если повезет с покупателем. — Андрей криво усмехнулся.

— И кому же вы его собирались продать?

— Никому. Это Фирсов предложил передать ему осмий — в счет долга.

— Он знал, где вы работаете?

— Наверное, но мы с ним это не обсуждали. Когда он сказал про осмий, я сам удивился.

— Вам известно, где находится ваш начальник Сергей Дублинский?

— Нет, а разве имеется какая-то связь?

— Здесь я задаю вопросы, Андрей Геннадьевич, — перебила его Лена. — Мы располагаем данными, что у вас были конфликты с Дублинским, и как раз на почве осмия.

— Что вы! Какие конфликты! Просто профессор принял меня на работу в качестве хозяйственника, говоря современным языком, коммерческого директора, и у меня действительно голова болела о том, чтобы повысить доходы «Орбиты». А осмий-187 — это самое выгодное из того, что мы производим. Более того, наше производство осмия уникально. Так что мы легко могли бы стать монополистами. Понимаете? — Глаза Бурцева загорелись. Лена подумала, что он действительно очень азартный человек, причем этот азарт проявляется во всем — от карт до производства химических элементов.

— И как реагировал Дублинский?

— Мы могли бы производить его и в бо́льших, почти промышленных, масштабах. Спрос на осмий в мире очень высок. Но Сергей Владимирович был против. Хозяин — барин, я не стал настаивать. Хотя и не был согласен с его решением. — Андрей Бурцев снова стал разговорчивым, видно было, что он заметно нервничает. — Абсолютно не согласен.

«Врет он все,— подумала Лена. — Какой еще коммерческий директор. Брали его на роль завхоза. Он и есть завхоз».

— Хорошо, об этом мы поговорим позже. Давайте вернемся к Фирсову. Что вам о нем известно?

— Ничего. Он не очень-то откровенничал. Встречались только за игрой.

— Где встречались? У кого?

Бурцев явно нехотя назвал несколько фамилий и адресов.

— Как вы должны были передать ему похищенный контейнер?

— Он назначил мне встречу — завтра, точнее, уже сегодня, в восемь утра.

— Где?

— На Приморском шоссе.

— А где именно? Опишите место, Андрей Анатольевич, вы же главное уже рассказали, что ж из вас сейчас как клещами каждое слово приходится тянуть?! — Лена была заметно раздражена.

— На восемнадцатом километре, там небольшой съезд с дороги, направо от города, Фирсов должен там меня ждать...

— Вряд ли кто-то будет там ждать Бурцева, — сказала Лена Гордееву, когда они встретились позже. — Наверняка уже просочились сведения, что завхоз арестован. Но проверить на всякий случай, я думаю, стоит. Ты мне поможешь? Я хочу этого Бурцева доставить туда...

Но ни Бурцеву, ни Лене с Юрием не суждено было дождаться Фирсова на восемнадцатом километре Приморского шоссе. В шесть часов утра, когда Лена позвонила в Кресты с просьбой доставить Бурцева на место встречи, выяснилось, что этой ночью в камере тот был убит.

— Как убит? — оторопел Гордеев, узнав об этой новости.

— Задушен. Удавкой. Буквально недавно. Обеспокоились бы раньше, могли бы застать живым. Ну и что будем делать, Гордеев?

— Место встречи изменить нельзя. Собираемся и едем туда без Бурцева. Если повезет, выйдем на заказчика похищения осмия. А там, возможно, и на убийц Дублинского.

Они вышли на Невский, поймали такси. Такси — не служебная машина, не так привлекает внимание посторонних. Пустой утренний город проскочили быстро — без пробок и остановок, поймав «зеленую волну» светофоров. Группа силовиков, вызванных на задержание Фирсова, должна была прибыть отдельно.

Отпустив такси в километре до назначенного места, Лена с Гордеевым решили прогуляться по лесу, благо до восьми оставалось час с лишним.

Утро за городом было свежим и тихим. Сырой лес, легкий туман. Лена даже поежилась — после душного каменного мешка города на природе ей стало прохладно.

— Юра, ну что ты думаешь?

— Думаю, что зря не позавтракали, времени у нас еще вагон в запасе был, — ответил Гордеев, с наслаждением вдыхая чистый лесной воздух.

— Я не об этом. Как тебе кажется, Бурцев причастен к исчезновению профессора?

Гордеев помотал головой:

— Не причастен.

— А этот Фирсов?

— Тоже нет. Возможно, причастны люди, которым Фирсов собирался продать осмий.

— Ты думаешь...

— Ну не сам же он его в производстве использовать будет. Судя по замашкам, это простой катала.

— Верно, — согласилась Лена.

— А почему ты говоришь «к исчезновению»? У тебя появилась надежда, что профессор жив-здоров, просто загулял немного?

— Не знаю, — задумчиво протянула Лена. — Может, и не жив. Может, и не здоров. То, что найденный труп — не его, это пока нельзя утверждать с полной определенностью. Результатов экспертизы на ДНК еще нет... Сожженный труп, конечно, не случайность, раз на нем предметы, принадлежащие профессору, нашли. И следы от шин Оксаниной «тойоты» неспроста там... Гордеев покачал головой:

— Это все мелочи. Я думаю, зря ты его жену в тюрьме держишь.

— А что делать?

— Достаточных оснований для ее ареста нет.

— А земля на обуви? А окровавленный нож?

— Это, конечно, серьезные улики. Но они не отменяют элементарной логики — не могла Оксана убить Дублинского в квартире и вынести труп одна. И вывезти его в лес она тоже, скорее всего, не успела бы. И потом, вспомни, что она говорила про свои туфли, которые спрятала в шкаф, а потом они оказались на полу.

— Это ерунда... Вряд ли Дублинская помнит, когда и куда надевала туфли.

— Может быть... Но о том, что она спрятала их в шкаф, Оксана говорила очень уверенно...

124

— Что с того? — пожала плечами Лена. — Пока не будет доказано, что это все неспроста, что кто-то специально облил ее туфли бензином и покрыл подошвы слоем грунта из карьера, все это не стоит и выеденного яйца.

— Ладно, — кивнул Гордеев. — Я ее еще раз расспрошу, если ты не возражаешь...

— По закону ты можешь встречаться со своей подзащитной, когда тебе заблагорассудится, — ответила Лена. — Только вряд ли эти расспросы что-то дадут.

— Я уверен, тут дело нечисто. Кто-то пытается направить следствие по ложному следу. Уж поверь моему следовательскому опыту.

— Предположим, водит нас кто-то за нос. Но если я ее отпущу, ясно будет, что от версии ее вины следствие отказалось.

— Тоже верно.

— Значит, в любом случае придется держать в тюрьме...

Помолчали.

— Как ты думаешь, это Фирсов? — нарушила молчание Лена.

— Вряд ли. Не того полета птица — карточный шулер. Он, скорее всего, сам на заказ работал. Вот дождемся его и выясним.

— Ох, — Лена снова поежилась, — не кажется мне, что дождемся... Вот, чувствую, что зря мы тут гуляем по болоту.

И правда, тропинка, по которой они шли, вывела их к небольшому заболоченному озерцу. После безуспешных попыток обойти его по берегу, два раза поскользнувшись и ободрав руку о колючий кустарник, Юрий предложил возвращаться к шоссе — поджидать силовиков.

...Ленины предчувствия оправдались. На встречу никто не явился. Вместе с прибывшей группой они прождали невдалеке от назначенного места более двух часов. Дальнейшее ожидание становилось бессмысленным. Дело заходило в тупик.

Глава 13

«...Российские эксперты полагают, что террористы могут использовать при изготовлении ядерного оружия осмий. Как удалось узнать корреспонденту «Комсомольской правды», в России есть только одно месторождение, где добывается руда, содержащая изотоп осмия-187. Для выделения чистого металла требуются специальные условия. Поэтому сейчас российские спецслужбы ведут проверку всех НИИ, способных обогатить эту руду.

Обогащенный до чистоты 99,9%, осмий-187 — ценнейший металл платиновой группы. Окричская лаборатория (США) производит осмий-187 с максимальной обогащенностью 70,43%. Стоимость — 159 тысяч долларов за один грамм.

Столь высокая цена объясняется уникальными свойствами этого металла. Он используется при производстве ядерного оружия и в аэрокосмической сфере, а также как катализатор при синтезе некоторых лекарственных препаратов. Изотоп осмия-187 обладает способностью многократно усиливать мощность радиационного излучения.

Осмий-187 является основой для создания твердотельного гамма-лазера. В свое время американцам не удалось реализовать свою грозную программу СОИ именно потому, что они не могли получить осмий-187 в достаточных количествах и необходимой степени обогащенности.

Безгранична палитра использования этого материала в мирных целях. С его помощью можно получить очень дешевые и практически неисчерпаемые источники энергии, не имеющие никакого отношения к достаточно опасной термоядерной реакции и используемые в разных областях...»

Газетная статья, достаточно бестолковая и безграмотная, подкреплялась еще серией документов, в частности и полным досье на Дублинского, и не только касательно его личной жизни:

«...Сергей Владимирович Дублинский является генеральным директором научно-исследовательского центра «Орбита», профессор, заведующий кафедрой тяжелой ядерной физики в СПбГУ. Тридцать патентов на различные изобретения самого Дублинского оценены свыше двухсот миллиардов долларов.

Мировой сенсацией стало изготовление Дублинским первых восьми граммов осмия-187 в домашней лаборатории. Полученный материал был отправлен на экспертизу в Данию, где ученые его идентифицировали, назвав степень очистки «космической». Следственный эксперимент в присутствии государственных экспертов подтвердил необычный метод получения этого металла — отнюдь не в цехах секретного завода. Далее последовало восемь международных патентов на изобретение, представленных к Нобелевской премии. И мировое признание.

Новый метод позволяет производить дорогостоящий изотоп в килограммовых количествах.

Помимо этого Дублинский нашел применение осмию-187 для создания из него уникальных меток для денежных знаков, банковских карточек и ценных бумаг. Президент Bundesbank просил Дублинского о конфиденциальной встрече. Результатом стал протокол о намерениях по покупке лицензии с одной германской фирмой.

А Institut Fresenius сделал заказ на покупку сорока шести граммов осмия-187. Есть заявки из Греции и других стран.

Сергей Владимирович женат, детей нет. Имеется любовница — аспирантка кафедры тяжелой ядерной физики Ирина Галковская...»

Дублинский просматривал папку с бумагами, которую кто-то предусмотрительно оставил на столе в комнате, которая была предназначена для лаборатории.

Черт! Они действительно знают о нем все. Но почему же они прицепились именно к осмию-187?

...А началось это еще прошлой осенью. В сентябре? Да, пожалуй в сентябре. Новая секретарша перепутала в деканате расписание занятий первого и шестого курса, и вместо целого выводка новобранцев Сергей Владимирович обнаружил в аудитории двух унылых очкариков-зубрил и пяток девиц, неторопливо переговаривающихся о том о сем.

— Сергей Владимирович, у нас снова введение в специальность? — кокетливо спросила Анечка, самая посредственная студентка потока, наделенная, впрочем, отличной памятью, которая ее спасала от неминуемого провала на всех экзаменах. Сердобольные преподаватели обычно, тяжело вздохнув, откладывали в сторону перечеркнутый в десяти местах листок с задачами и переходили к дополнительным вопросам. На все вопросы Анечка отвечала четко и без запинки и уходила из аудитории со своей законной тройкой.

— Это еще что такое? Саботаж? Забастовка? Заговор? — Дублинский поправил галстук.

— Это мы подкупили деканат, чтобы еще раз послушать ваши лекции, — льстиво поведали с «камчатки». — Сергей Владимирович был самым красивым преподавателем, и профессором к тому же, немало девичьих сердец он разбил, сам того, впрочем, не подозревая.

— А на самом деле что произошло? Вас всех понизили? Я что-то не понимаю ничего, — нахмурился Дублинский. По плану у него были первокурсники, которых надлежало как следует запугать, а тут эти наглые переростки галдят.

Ошибку обнаружили, секретаршу наказали, вот только первокурсников найти не удалось. Дублинский отпустил «дембелей» по домам, а сам отправился на кафедру — Ирина на той неделе жаловалась на какого-то дипломника, оставшегося на пересдачу, надо было ей помочь с ним разобраться.

Ирины на кафедре не оказалось. Дублинский поговорил с доцентом Кротовым и хотел было уже ехать в «Орбиту», как вдруг на пороге появился мужчина не совсем академической внешности.

— Вы — Сергей Дублинский? — спросил незнакомец.

— Я, — нахмурился тот.

«Наверное, отец Иркиного лоботряса, пришел взятку сунуть за своего нерадивого сынка».

— Я к вам по научному вопросу. Меня зовут Алекс.

Вновь пришедший стянул с квадратных плеч кожаную куртку. Под курткой обнаружился китайский спортивный костюм.

— Садитесь, — указал на стул Дублинский и с сомнением оглядел Алекса. — Что за научный вопрос?

— То есть, по-деловому, — поправился тот, ничуть не робея под взглядом профессора.

«Ну, началось, — сжал зубы Сергей Владимирович, — сейчас заговорит о своем сынке. Или о младшем брате?» — При ближайшем рассмотрении Алекс выглядел лет на тридцать.

— Вы, я знаю, осмием занимаетесь, — плотно присев на стул, начал Алекс.

Вот этого Дублинский ожидать не мог. Откуда родственники студентов могут знать про осмий? Впрочем, с чего он решил, что это родственник?

В кабинет заглянул доцент Кротов:

— Сергей Владимирович, с расписанием все утряслось. Завтра у вас второй парой первокурсники, а шестой курс у меня.

— Спасибо, Ваня.

Подождав, пока за доцентом закроется дверь, Алекс развернул мятый газетный листок и прочитал небольшую публикацию, появившуюся в газете «Комсомольская правда». Как всегда язвительно, и даже грубовато, там сообщалось о том, что в очередной раз за неоплату электроэнергии местный монополист вырубил свет в нескольких научно-исследовательских институтах, в том числе и в исследовательском центре «Орбита». А ведь в последнем, чтобы монополисту было известно, изучаются радиоактивные вещества! В том числе осмий, из которого буквально на коленке можно собрать атомную бомбу. Системы охраны отключены, света нет —

130

любой злоумышленник может проникнуть на территорию предприятия и похитить опасное вещество!

Поморщившись от вопиющей журналистской некомпетентности и отметив для себя разобраться с тем, кто сообщил газетчикам про осмий, Дублинский холодно ответил, что для предотвращения подобных ситуаций у объединения «Орбита» имеется свой автономный дизельный генератор, в случае аварии или отключения способный обеспечить электроэнергией все помещения.

— А... — разочарованно протянул Алекс, — а я вам как раз такой генератор и хотел предложить.

— Спасибо. Нет нужды, — ответил Дублинский.

Про осмий журналистам проболталась, конечно, Любочка. Это выяснилось после первого же допроса с пристрастием — да и кто еще мог так некомпетентно прокомментировать ситуацию?

— Ну представляете — темно, генератор гудит, обороты набирает, джентльмены в волнении. Завхоз бегает и слюной брызжет, звонит в Ленэнерго, называет им номера платежек, судом угрожает — кавардак! И тут приходит этот, чернявенький. Мне, правда, не до него было, но я его усадила на гостевой стул, кофе предложила, — говорила Любочка, когда поняла, что отпираться бессмысленно.

— Ну и гнала бы его в шею, если не до него было! — строго сказала Зоя. — Зачем в разговор вступала?

— Да конечно, гнала бы! Темно было — генератор обо мне в последнюю очередь позаботился! Мне страшно было. А вдруг осмий рванет! — надула губки секретарша.

— Люба-Люба, чему я тебя два года учил? Зачем по три раза зачеты принимал? За два часа до Нового года в институт мотался? Как он может рвануть?! — схватился за голову Дублинский.

— Ну, не знаю. Как-нибудь, — неопределенно пошевелила пальцами Любочка.

Дублинский обреченно махнул рукой.

— ...А молодой человек этот такой милый оказался, — продолжала Любочка. — Кофе со мной попил. Мы очень хорошо поговорили. Потом свет включили, и он ушел.

— Зачем он приходил-то? — набычилась Зоя. — Ты это хоть выяснила?

— Ой! Я и забыла спросить! Когда свет подключили, не до этого было. Бурцев бегает, кулаком себя в грудь бьет, Ленэнерго подает в суд на перепродавцов, которые им деньги вовремя не перевели! Генератор опять же гудит... Не до него было. Он кофе допил, чашечку за собой вымыл — и ушел. Такой галантный. Столько анекдотов знает!

Галантный чернявенький молодой человек оказался Дмитрием Головацким, самым скандальным в городе журналистом, корреспондентом «Комсомольской правды». Информация об осмии пошла в народ.

— Ты зачем про бомбу ему сказала? — заламывала руки Зоя.

— Для солидности! — ответила Любочка.

После странного визита Алекса на кафедру приходил некий Илья, потом — Василий. Спрашивали Дублинского, но он оба раза отсутствовал. Наконец недалекий доцент Кротов дал странным посетителям адрес «Орбиты»...

Сергей Владимирович немного удивился, когда Любочка ввела в его кабинет старого знакомого Алекса.

— Я по делу, — сказал он.

— Да, генератор, знаю. Вы уже заходили, — кивнул Дублинский, закрывая папку с документами.

— Нет. Я по поводу осмия. Наша фирма может предложить вам хорошую цену. За границей осмий сейчас очень востребован.

— Я не занимаюсь торговлей, — покачал головой Дублинский. — Я занимаюсь наукой.

— Но у вас же частная фирма. Вы как-то зарабатываете деньги?

— Вы, извините, из налоговой инспекции? — поднял на него глаза Дублинский.

— Я из фирмы. Я представитель фирмы. «ЧП Фипран».

— Чепэ, значит. Нам чепэ не нужны. Я не думаю, что ваше предложение нам подходит.

— Вы очень зря так думаете, — неожиданно словно озлобился Алекс.

Но, выходя из кабинета, он наткнулся на Бурцева.

А через пару недель завхоз начал обхаживать Сергея Владимировича. Так, мол, и так, шеф, нам предлагают очень выгодную сделку. Шеф отказался. Впрочем, если Бурцев хочет вплотную заняться торговлей, заметил он походя, то может вернуться к своей прежней специальности.

Разговоры об осмии поднимались то и дело, но Дублинскому было не до этого. Он отмахивался от завхоза как от надоедливой мухи и готовился к конференции, на которую собирались специалисты по радиоактивным металлам со всего мира.

Но однажды — это было уже в середине весны, когда скупое северное солнышко припекало уже настолько, что смогло растопить снежные сугробы, но еще не в состоянии было высушить улицы города, выходя из своего автомобиля, Дублинский наступил в предательскую лужу около тротуара и непечатно выругался. На нем были новые штиблеты, подаренные Ириной на день рождения, впервые надетые и от соприкосновения с грязью сразу потерявшие магазинный лоск.

— Очень обидно! — поддержал его незнакомец с черной бородой, изучавший до того содержимое багажника своего «вольво».

Дублинский растянул губы в дежурной улыбке, машинально кивнул в сторону «вольво» и направился к подъезду.

— Сергей, а я к вам, — вслед ему с легким акцентом сказал бородач.

Дублинский остановился, повернулся на каблуках.

— Ко мне?

— Да. У меня для вас есть предложение. Даже два.

— Какие у вас ко мне предложения?

— Мы об этом на улице будем говорить? — поинтересовался незнакомец.

— Знаете что, мне сейчас очень некогда.

— Тогда давайте встретимся с вами завтра, — предложил бородач.

— Где?

— Ну например, в двенадцать часов в кафе «Инкол» на Васильевском острове.

— У меня не будет времени... Ладно, что там у вас? Давайте у меня в машине обговорим, — сдался Дублинский.

Бородач представился Ахметом Гучериевым.

Да, вспоминал Дублинский, именно в тот раз они и познакомились...

— Я не тот Гучериев, который держит Ситный рынок, я ему даже не брат, — зачем-то прибавил Ахмат, как будто это все объясняло.

Гучериев сделал Дублинскому два предложения. Как в анекдоте — одно хорошее, другое — плохое. Хорошее предложение: «Орбита» — такой замечательный институт. Жалко будет, если с ним что-то случится. Но есть люди, практически даром готовые обеспечить его защиту.

— Спасибо, у нас есть охрана, — отказался Дублинский.

— Разве ж тут в охране дело?! — неопределенно ответил Гучериев.

— А в чем? — поинтересовался Дублинский.

— Дело в принципе, — неопределенно ответил Гучериев.

— В каком еще принципе?

— Например, чтобы у вас вообще врагов не было.

Дублинский рассмеялся:

— Так не бывает. У всех есть враги.

— Нет, — с очень серьезным видом покачал головой Гучериев. — Есть люди, враги которых со временем исчезают.

Дублинский внимательно посмотрел Гучериеву прямо в глаза. Они были холодными как лед. Они не выражали ничего, кроме непреклонной решимости. Взгляд Гучериева не предвещал ничего хорошего. Ах, если бы Дублинский знал тогда, как обернется дело...

— Ну хорошо, — сказал наконец профессор, — а второе предложение?

Второе предложение было старое, только сформулировано по-новому. Гучериеву тоже понадобился осмий...

— Вы нам осмий, — а мы проследим, чтобы те, кому ваша фирма не нравится, больше по земле не ходили. Немного осмия. Совсем чуть-чуть.

Дублинский отказался. Гучериев улыбнулся, продемонстрировав отличные белые зубы:

— Вы подумайте пока. Я с вами еще свяжусь.

Гучериев начал осаждать Дублинского звонками. Присылал ему письма, в том числе и по электронной почте, с какого-то бесплатного почтового ящика. Начались угрозы — в адрес жены, Ирины и даже домработницы, почтенной Веры Федоровны. Близким Сергей об этом не рассказывал — зачем лишний раз их пугать, и так по телевизору сплошные ужасы, да и в газетах — какую ни открой, везде разбой, убийства, терроризм. Но Гучериев становился все настойчивее и агрессивнее. Параллельно с ним активизировался затихший было Бурцев. «Обложили со всех сторон», — бессонными ночами думал профессор, ища выход из сложившейся ситуации.

Наконец Дублинский не выдержал и отправился в милицию. Черт его дернул пойти в ближайшее к дому, сорок седьмое отделение, в то самое, которое через две недели посетит перепуганная супруга пропавшего профессора...

Петроградская сторона — она вообще-то очень красива и живописна. Если идти по Каменноостровскому проспекту медленным прогулочным шагом, можно вдоволь налюбоваться на здания эпохи петербургского модерна. Но если спешишь, то лучше воспользоваться проходными дворами. Во дворах модерна не наблюдается, зато там есть живописные помойки, полуразвалившиеся кирпичные постройки и прочая прелесть. Дублинский, как настоящий петербуржец, решил пройти дворами.

Можно было, правда, и на автомобиле доехать, но Каменностровский и все прилегающие улочки, как назло, перекрыли в ожидании кортежа президента, который очередной раз решил посетить историческую родину. В Санкт-Петербурге к этим визитам и к частым пробкам в центре уже привыкли, так же, как жители Кутузовского проспекта в Москве. Там, где правительство, — всегда пробки, эту нехитрую истину петербуржцы приняли как должное.

Выходя из темной проходной парадной в очередной двор, Дублинский наткнулся на старого знакомого.

Гучериев был не один.

Неподалеку трое или четверо его земляков передавали друг другу пару арбузов, имитируя разгрузку фургона.

— Здравствуйте, профессор, — обрадовался Гучериев.

— Добр-рый... день... — Дублинский был поражен до такой степени, что почти потерял дар речи...

— Не надо бояться. И не надо глупостей, — миролюбиво сказал Гучериев, как будто ненароком показывая Дублинскому рукоятку пистолета во внутреннем кармане кожаной куртки. — Мы все здесь люди горячие. Можем вспылить.

— Что вам угодно? — стараясь говорить как можно громче, произнес Дублинский. — Что вы хотите?

— Не кричи — не услышат, — отозвались от фургона. — Все ушли охранять президента.

Дублинский напряженно сглотнул, припоминая, что вдоль всего Каменноостровского, докуда видел глаз, через несколько шагов друг от друга стояли милиционеры. «И где их столько понабрали, — подумал еще Дублинский. — Не иначе, как с менее важных постов на окраине сняли. На радость местным хулиганам».

— В милицию идешь, — ласково то ли спросил, то ли констатировал Гучериев.

— Ну что вы... — попытался соврать Дублинский и неожиданно для себя густо покраснел.

— В сорок седьмое отделение... — продолжал Гучериев, будто не слыша слов профессора. — Друзей своих хочешь ментам сдать. А мы ведь охраняли тебя. Мы тебя и сейчас охраняем. Если бы не мы, тебя бы уже давно пристрелили или бомбу под двери квартиры подложили. Обычную, с тротилом.

До столь откровенных угроз Гучериев раньше никогда не доходил.

Умирать не хотелось — особенно здесь, сейчас, в вонючем питерском проходном дворе, когда по главной улице едет кортеж президента и все жители города машут из окон платочками. Не хотелось умирать от руки бандита. Не хотелось быть вывезенным на свалку в фургоне, для виду груженном арбузами. Не хотелось умирать, не завершив исследования, не попрощавшись с Ириной и с женой. Просто не хотелось умирать — и все тут. Какие могут быть оправдания?

Дублинский оценил свою жизнь дороже осмия. А вы бы, читатель, как поступили на его месте?

— Ну что? — спросил Гучериев. — Теперь мы можем договориться?

Дублинский помедлил несколько секунд, потом еле ответил:

— Можем...

— Ты правильно поступаешь, — Гучериев одобрительно похлопал Дублинского по плечу, а потом протянул ему ладонь. Дублинский тупо уставился на нее, борясь с собой, не желая подать руку Гучериеву. Тот, однако, рассмеялся, сам взял ладонь Дублинского в свою и крепко пожал.

— Мужчина должен уметь проигрывать, — добродушно сказал он. — И не терять лица. Ты молодец, профессор. Мы заплатим тебе за осмий по-царски.

Встреча была назначена на день возвращения Дублинского с конференции. Он заедет домой, повидается с женой, потом отлучится, возьмет чемоданчик с осмием и приедет в условленное место.

Место было выбрано несколько странное — на окраине города, в лесу за метро Дыбенко.

— Нельзя ли где-нибудь поближе? Я буду с дороги, уставший, может быть, я вам сюда его принесу, в этот двор?

— Чтоб тут нас всех забрали? Делай, как мы говорим! — пригрозил Гучериев.

В Германии, в кругу коллег и друзей, Дублинский как-то забыл про угрозы, про Гучериева, про гонки за осмием. Посидел в кельнских пивных, поел сосисок с капустой, округлился, посвежел, пропали мешки под глазами, так огорчавшие Ирину.

— А то оставайся у нас! — предложила жена школьного приятеля, Изи Шапируса, — У вас там в России так страшно, в новостях показывают, олигархи, чеченцы на каждом шагу.

Лучше бы она не вспоминала о чеченцах! Дублинский нахмурился. Может быть, и в самом деле остаться? Перевезти сюда жену, вызвать Ирину — она как раз отлично знает немецкий, даже Гете читала в оригинале три года подряд, пока не надоело. Немецкое правительство с распростертыми объятиями примет ученого с мировым именем. Вот только...

— Нет, я должен вернуться. Может быть, как-нибудь еще выберусь к вам.

— Уж мне эти русские патриоты! — отозвался из соседней комнаты Изя. — Держитесь за свою Россию, как за кусок черствого пирога. Додержитесь!

— Изя, а правда, что евреи продали Россию? — поинтересовался Дублинский.

— Ой, Сережа, я тебя умоляю! Если бы мы ее продали, стал бы я принимать тебя в такой развалюхе?

Развалюха была трехэтажная, с мансардой и видом на зеленый некошеный луг. Правда, бассейна в ней не было и автомобилей у Шапирусов было всего два — как и у Дублинских. Впрочем, Изя не был всемирно известным ученым. Он работал в фармацевтической компании «Байер».

Вечером перед отъездом из Германии русские ученые вздумали перепить немецких. В итоге все чуть не закончилось, как в фильме «Ирония судьбы или С легким паром». Русские остались допивать, их германские коллеги, вялые и сонные, были погружены в автомобиль и отправлены в аэропорт. Но немцев вовремя завернули, а русских все же доставили в самолет в последнюю минуту.

Вернувшись, Дублинский забежал домой — переодеться, бросить вещи и поздороваться с женой (а может быть, и попрощаться, подумалось ему).

Он отдавал себе отчет в сложившейся ситуации: Гучериев, получив осмий, вполне может расправиться с курьером — зачем ему такой свидетель? Но, по крайней мере, он отстанет от семьи, от Ирины. А что до исследований — жалко их бросать, но в сейфе Дублинский оставил все расчеты и выкладки. Зоя может продолжить его дело.

На прощание с Ириной Дублинский отвел минут десять, а задержался у нее чуть более часа. Время пролетело незаметно, хотелось многое сказать, что-то объяснить. Ирина явно осталась недовольна, она надеялась, что Сергей останется у нее на ночь.

«Милая, — думал Дублинский, маневрируя среди дачников и разомлевших от жары таксистов, — если бы ты знала, что я ради тебя отложил такую важную деловую встречу! С такими серьезными партнерами, которые шутить не любят».

Профессор бодрился, а на душе у него было тяжело. Осмий так и остался в лаборатории «Орбиты». Дублинский честно заехал за ним перед поездкой к Ирине, но не нашел в своем столе магнитной карточки, она, очевидно, в сейфе, сейф опечатан до понедельника. И тогда он решился. Если он приедет с осмием — его, вероятнее всего, убьют. Если же он приедет порожняком, его тоже могут убить, а могут подождать, пока принесет обещанное.

Автомобиль застрял в канаве около деревни Кудровка. До назначенного места пришлось идти пешком.

Плутая по лесу, Дублинский выбился из сил и решил было, что заблудился. Как вдруг откуда-то слева послышались хлопки, негромкие, как будто последовательно откупорили пять или шесть бутылок шампанского.

Дублинский пошел на звук. Он оказался около заброшенного песчаного карьера — кажется, про него писали в газетах, будто бы здесь гопники, наркоманы и прочая шваль собирают свои грибочки. Дублинский подошел к месту встречи с противоположной стороны. От людей Гучериева его скрывал песчаный холмик.

Дублинский выглянул из своего укрытия.

На поляне стояло пять или шесть автомобилей, в основном джипы, ходили люди в масках и с автоматами. На земле лежало тело, изрешеченное пулями. К высокой корабельной сосне были привязаны трое — все избитые, оборванные, с заклеенными скотчем ртами.

Дублинский осел на траву. Такого он не ожидал. Может быть, это ошибка? Может быть, он случайно сорвал по дороге пару грибочков, машинально сунул их в рот и теперь ему кажется, что на поляне только что произошла классическая бандитская разборка?

Люди в масках тихо переговаривались. Один из них пнул ногой труп и что-то зло крикнул жертвам, привязанным к дереву.

— А ты что? — В спину Дублинского уткнулся ствол.

Видимо, пока одни бандиты на поляне совершали возмездие, или как это у них называется, другие прочесывали лес в поисках нежелательных свидетелей.

Дублинского схватили под руки и выволокли на поляну.

— Профессор пришел! — поприветствовал его Гучериев, снимая маску. — Тебя Аллах хранит.

Сообразив, что главный знаком с Дублинским, его отпустили.

— Давай осмий. Этот вот, — плевок в сторону распростертого тела, — тоже за ним приехал. Хотел тебя перехватить. Но мы тебя спасли. Всю жизнь будешь молиться!

— Командир, что с этими? — на хорошем русском языке спросил один из боевиков, указывая на привязанных к дереву.

— С собой их возьмем, — распорядился Гучериев. — Давай, профессор, ты нам тоже пригодишься. Этих — в багажник. А ты — гость. Ты со мной поедешь.

К Гучериеву подошли двое боевиков и заговорили с ним по-чеченски. Тот одобрительно хмыкнул и повернулся к Дублинскому:

— Снимай часы. И кольцо снимай. Сейчас мы сделаем фокус-покус, чтобы тебя никто не искал.

Фокус-покус заключался в том, что часы и кольцо были надеты на труп, труп облит бензином, обложен сухим валежником и подожжен.

Мимо Дублинского протащили связанных пленников, в одном из которых тот с удивлением узнал Алекса, самого первого охотника за осмием. Спеси и зубов у него поубавилось.

— Садись, — Гучериев подтолкнул Дублинского к своему джипу.

— Зачем? Я никуда не поеду!

— Поедешь. Ты нам бомбу сделаешь. А мы за это твоих будем охранять. Им такая опасность грозила! Но теперь мы проследим, чтобы ни один волосок не упал с их головы!

Посреди поляны вспыхнул большой костер. Запахло паленым мясом. Чеченцы продолжали стоять вокруг костра с телом неудачливого конкурента и весело переговариваться.

Дублинский покорно сел в машину.

— А где осмий? — поинтересовался Гучериев.

— Я не смог его вытащить сегодня.

— Как? Почему? — Командир изменился в лице. Теперь его глаза метали молнии, которые вот-вот, казалось, прожгут Дублинского насквозь.

— У нас выходной. Я забыл об этом... И пройти в лабораторию нельзя.

— Как это нельзя? Ты же директор! Ты нас хочешь обмануть!

— Нет, — Дублинский старался говорить как можно спокойнее. —Внутренний распорядок касается всех. И меня в том числе.

— Хм... — Гучериев чуть успокоился. — Ну ладно... Потом привезешь. А теперь поехали.

Дублинского посадили в середину, по бокам уселись Ахмет и русскоязычный боевик, представившийся Джабраилом.

— А то вдруг ты на всей скорости вывалишься? И поспать бы тебе, — сказал он, вынимая из кармана небольшую бутылочку и кусок белой марли.

...Запах паленого мяса перекрыл хлороформ, забытье, спокойный, крепкий сон... Но перед тем как окунуться в полную уже темноту, Дублинский почувствовал нечто похожее на укол.

Глава 14

— Ну и что мы теперь будем делать? — уже в который раз спросила Лена у Гордеева, но Юрий отмахивался от нее, он все выжидал. Когда же окончательно стало ясно, что ни Фирсов, ни кто-то другой на встречу, назначенную на Приморском шоссе, не торопится (а Гордееву это стало ясно только спустя два с половиной часа, хотя Лена еще накануне пророчила, что поездка эта не принесет результатов), Гордеев заявил:

— А сейчас мы поедем завтракать.

Лена фыркнула:

— Тебе лишь бы жрать, Гордеев, с Фирсовым-то что будем делать?

— Искать будем. Но сначала завтракать.

— Да время уже к обеду. Какой уж тут завтрак!

— Тем более, заодно и пообедаем. Бог весть, когда у нас еще время будет. На пустой желудок думается тяжело. А подумать тут есть о чем.

Лена пошла к бойцам — давать «отбой», те стали грузиться в машину, недовольно ворча, что их в такую рань вытащили да еще заставили несколько часов протомиться — и все без толку. Несмотря на недовольство ребят, они оказались вежливыми и предложили женщине-следователю и ее спутнику проехаться в их машине до центра. Лена с Гордеевым не стали отказываться.

Оказавшись на Кирочной улице, они нашли небольшое уютное кафе в полуподвале. И решили поесть именно тут. Еда в кафе оказалась замечательная, гарнир прилагался к основным блюдам бесплатно, порции были щедрые, а главное, в кафе, кроме них, никого не оказалось — слишком ранний был час для светской жизни и слишком поздний — для обычного завтрака работающих людей. Мальчик-официант крутился возле столика, принося то перец, то салфетки и меняя пепельницы. Гордеев явно решил наесться на несколько дней вперед, он заказал себе и рыбу, и мясо, и холодный борщ, да еще присовокупил к этому пару салатов. Лена ограничилась овощным салатом и омлетом. Быстро справившись с едой, она нервно курила и все пыталась начать разговор. Но Юрий продолжал набивать свой рот и от разговоров уклонялся. Наконец дожевав остатки отбивной, адвокат потребовал себе кофе и рюмку армянского коньяку, хотел было заикнуться и о десерте, но осекся, встретившись с Лениным испепеляющим взглядом. Наконец он закурил и сказал:

— Ну вот, поели, теперь можно и поспать...

Лена вновь гневно зыркнула на него из-под солнечных очков.

— Да ладно, шучу я, шучу. К разговору готов!

— И что? Даже мысли какие имеются?

145

— А мысли у меня, дорогая подруга, следующие... Единственная ниточка, которая теперь тянется к осмию, а значит и к профессору — это некто Фирсов. Вот его и будем искать. — Гордеев после еды стал спокойным и рассудительным.

— Думаешь, Бурцев не соврал? — недоверчиво спросила Лена.

— Думаю, что он попался и сломался. Врать ему было уже незачем. Вот, кстати, убийство Бурцева наверняка по заказу Фирсова и случилось. Или тех, на кого тот работает. Надо еще за эту ниточку подергать. Кто-то же его убил. И вполне вероятно, что этот «кто-то» до сих пор находится в той же камере.

— И что ты предлагаешь?

— А предлагаю я вот что. Ты сейчас отправляешься в угро, трясешь там всех и вся, но на Фирсова выходишь. Судя по рассказу Бурцева, Фирсов — кадр еще тот, с богатой биографией, не может быть, чтобы никаких сведений о нем не имелось.

— Если Бурцев знал его настоящую фамилию...

— Все равно, проверить надо, — жестко сказал Гордеев. — И вот еще, очень может быть, что и эта версия окажется бесполезной, если принять во внимание, что труп был не профессора, хотя нас и пытались убедить в обратном. Так вот, если профессор жив, то очень странно получается, что за осмием отправили Бурцева. Что-то тут не стыкуется. Но Фирсова искать нужно.

— И чем займешься ты?

— А я отправлюсь... тоже сначала в уголовный розыск, к Виктору Петровичу Гоголеву, а потом в Кресты.

— Зачем? — удивилась Лена.

— Попытаюсь найти убийцу Бурцева.

— Каким образом?

— Есть у меня один планчик, — потер ладони Гордеев.

— Какой? — загорелась Лена.

— Да так... Потом узнаешь...

Николай Петрович Мяахэ — начальник Крестов — был потомственным тюремщиком. Его, дед, отец и даже мать всю жизнь отработали контролерами. А вот Николай Петрович сделал карьеру. Кто знает, удалась бы ему эта карьера в прежние времена, тогда он о ней и мечтать не мог и не стремился к заоблачным высям. Медленно, но верно, с наследственной «чухонской обстоятельностью» делал Мяахэ свое дело и не претендовал на большее. Однако, когда систему МВД и Минюста начало крупно трясти и мелко лихорадить — в такт со всей нашей большой страной — люди стали уходить и даже разбегаться. Сотрудники Управления исполнения наказаний ценились на вес золота в качестве охранников в коммерческих структурах. Лучшие люди уходили. А на безрыбье, как известно, и рак рыба. Так и получилось, что начальником тюрьмы был назначен Николай Петрович, звезд с неба не хватавший, но обстоятельный и исполнительный. Из тюрьмы он уходить не собирался — возраст был уже ближе к пенсии. Нельзя сказать, что он любил свою работу, да и как можно любить подобное и считать своим жизненным предназначением? Но Мяахэ относился к этому философски. Если кто-то рожден, чтобы воровать и убегать, значит кто-то рожден, чтобы их ловить и сажать. А ведь кто-то же должен и следить за преступниками, пока они сидят. Следить не только за тем, чтобы они не разбегались, но и за тем, чтобы с ними обращались справедливо. К тому же в СИЗО, где содержатся еще не осужденные преступники, а человек томится в ожидании решения суда — он, может быть, и не виноват вовсе. И роль тюремщиков главным образом состоит в том, чтобы установить справедливый порядок для всех подопечных. Всяческие чепэ, случавшиеся во вверенном ему хозяйстве, Николай Петрович Мяахэ воспринимал как оскорбление, нанесенное лично ему, и всегда проводил очень тщательное расследование с целью наказания виновных. Особенно близко к сердцу он принимал тот факт, что во множестве неприятных происшествий не последнюю роль играли его непосредственные подчиненные. Действительно, передать с воли «маляву», содержащую те или иные указания, можно было только при участии тюремщиков. Когда подобные факты раскрывались, гнев Мяахэ бывал очень силен, проштрафившиеся контролеры не только бывали уволены, но и попадали под следствие.

Визит Юрия Гордеева с его предложением найти виновника убийства, произошедшего накануне в Крестах, Мяахэ воспринял как должное, он и сам собирался провести расследование.

— Виктор Петрович мне позвонил насчет вас. Интересно, почему это адвокат занимается такими делами?

— Видите ли, я сам бывший следователь. А защищаю сейчас обвиняемую по делу об убийстве профессора Дублинского, по которому Бурцев проходит одним из главных фигурантов. Так что выяснить, кто совершил его убийство, для меня жизненно важно.

— Ну что ж, раз за вас просил сам Гоголев, я, конечно, препятствовать не буду. Будем искать, хоть это дело и непростое.

— Да я понимаю, Николай Петрович! Сколько в той камере человек?

— Двадцать пять, — тяжело вздохнул начальник тюрьмы.

Перенаселенность камер он считал одной из главных причин подобных чепэ.

— Ну вот, видите, всего двадцать пять человек, — почему-то обрадовался Гордеев. — Это все же не многомиллионный город, где искать гораздо тяжелее. Давайте вместе посмотрим дела всех заключенных из этой камеры. Кто-то и сам отлетит из числа подозреваемых, а кто-то может оказаться и полезен.

Тополиный пух кружился в коридорах, пахнущих сыростью и слежавшимися документами. В питерском угро на Огарева было тихо, как в Кельнском соборе. Где-то на лестнице орга́ном гудел басовитый начальник, распекающий секретаршу, вздумавшую поставить чашку кофе на документы по делу... бу-бу-бу...

Лена прошла мимо гулкой лестницы, свернула в коридор направо, уткнулась в тупик. Лабиринты питерского угро могли сравниться с лабиринтами, в которых пасся несчастный уродец Минота́вр, только были еще запутаннее. Снова поворот, крашеная дверь с табличкой «Ушла на 15 минут». Вконец заблудившаяся Лена на всякий случай осторожно приоткрыла дверь.

Дверь вела в небольшой, пыльный и душный кабинетик. Вентилятор висел на открытой форточке, но прохладнее в кабинете не становилось. За довольно убогим дешевым столом сидела мадам. Таких мадам в любой конторе навалом — просто удивительно, как из русских красавиц, ясноглазых, с косой до попы, с маленьким аккуратным курносым носиком, получаются такие клячи — с обрюзгшими щеками, отвислой гру-

149

дью, жирными складками на открытых по случаю жары руках и в неизменном перманенте.

— Ня-а видишь — я ушла-а? — взвизгнула и пропела мадам очень высоко, как невзначай лопнувшая струна на первой скрипке.

— Я только хотела спросить, как найти картотеку. — Такие дамы были единственными людьми, перед которыми робела в общем-то бесстрашная Лена Бирюкова. Потому что она совершенно не понимала логики этих женщин. Преступник ворует, убивает, шантажирует — для корысти, ради собственного блага. А эти шпыняют и дергают людей без всякой пользы. Частенько приходит в контору, наполненную подобными мадамами, молодой начальник и наказывает их за неподобающее обращение с посетителями. Но мадамы не унимаются. Чем строже их наказывают, тем больше они обозляются на ни в чем не повинных посторонних людей, все несчастье которых состоит в том, что очень им нужно подписать ту или иную бумажку или, как вот Лене сейчас, просто узнать что-то.

— Де-евушка за-акройте две-ерь, я что, нея-асно сказала?

Лена стояла перед этой незначительной крысой и чувствовала, что здесь она бессильна. Ни удостоверение, ни увещевания, ни просьбы, ни ласковый взгляд «доброго полицейского», ни суровый прищур «злого» — здесь ничего не поможет.

Закрыв крашеную дверь в комнату, Лена двинулась по коридору дальше.

Двери, двери, десятки дверей, с табличками, номерами и просто так, двери дорогие и дешевые, новые и старые. Опечатанные, закрытые на замок и распахнутые настежь. Из-за дверей слышен телефонный разговор, бормотание радио, застольные крики (где-то уже что-то отмечают). А возле стен коридора чего только не стоит. Старые ксероксы, столы и стулья, пакеты с каким-то мусором, ведро, забытое уборщицей, и ни одного окна — коридор темен, потолок отсырел и пошел желтыми пятнами, а пол, покрытый шахматными квадратиками синего и желтого линолеума, кое-где пузырится. Многих квадратиков уже нет, и видно цементное нутро. Небогато живут питерские милиционеры.

Дверь в мужской туалет резко распахнулась, Лена еле успела отпрыгнуть, чтобы не получить по лбу. Наружу выбрались трое — одутловатый полковник, молодой человек в дорогом костюме и золотистых очках и веселый, улыбающийся паренек. Паренек вертел в пальцах зажигалку. Что недвусмысленно давало понять: эти трое тайно покуривают в туалете, как школьники. А что ж, правильно. На лестнице и, уж тем более, в этих пыльных, полных бумаги кабинетах курить опасно — того и гляди вспыхнут.

— Девушка, что это вы тут бродите совсем одна? — спросил паренек. Одутловатый полковник даже не извинился за то, что так резко распахнул дверь. Очкастый презрительно поджал губы — видимо, женский пол раздражал его в любом виде. Лена представила, что именно этот элегантный мужчина в костюме является начальником тетки, которая «ушла на 15 минут», и обижаться не стала. С подобными гражданками поработаешь — станешь импотентом за месяц.

— Мне нужна картотека. Кажется, я заблудилась, — как бы смущенно улыбнулась Лена.

— А, так это вам надо в соседний коридор. Сейчас я вас провожу. Николай Иванович, я мигом!

— Давай, через пятнадцать минут выезжаем! — просопел одутловатый полковник.

— Вы не туда завернули из чистого коридора, — по-

151

яснил парнишка. — Вот, смотрите, — ловко проводя Лену лабиринтом, по которому она кружила до этого, он объяснял и показывал: — Когда обратно пойдете, повернете вот так и сразу окажетесь на главной лестнице.

«Чистый коридор» был и вправду несколько посветлее и поприличнее предыдущего. Линолеум был золотистый, под паркет, стены — из красного дерева. Таблички на них — золоченые, под потолком сдержанно гудели лампы дневного освещения пополам с кондиционерами.

— Тут у нас начальство обитает! — шепотом, будто опасаясь, что начальство его услышит и накажет, произнес провожатый. — А я шофер у этого, у толстого. Меня Володей зовут. Вы, кстати, вечером что делаете? Могу подвезти куда-нибудь.

— Подвезите меня пожалуйста до картотеки, — улыбнулась Лена.

Володя сник и какое-то время вел Лену молча, но потом тряхнул головой и восторженно воскликнул:

— А вы здорово напугали Эдуарда! Это тот, который в очках и в английском костюме. Он блондинок, таких, как вы, боится очень. Его мачеха била. Он показывал фотографию — мачеха очень даже ничего, но вы, конечно, лучше. А вот и картотека. Если заблудитесь опять, — в 314 б постучитесь, спросите, где Володя, там меня все знают.

— Непременно, — вежливо кивнула Лена и потянула на себя указанную дверь. За дверью, на сиротской скамеечке, уже сидел Андрюша — тот самый молодой оперативник, которого ей выдали в помощь.

— И давно ждешь? — приветливо поинтересовалась Лена.

— Да с час уже, наверное. Я на всякий случай пораньше пришел.

— Молодец. В тебе чувствуется заинтересованность, — обронила Лена. Мальчик покраснел от радости и не стал спрашивать, почему же заинтересованная больше его Лена так опоздала?

Для того чтобы попасть в картотеку, надлежало сообщить даме, сидящей за дубовым прилавком, кто ты, откуда и зачем. Андрей, видимо, уже представился, потому что при виде Лены дама изобразила на лице материнскую заботу и спросила у Андрея, подчеркнуто не замечая Лену:

— Ну что, голубчик, дождался? Худенький-то какой, небось ни позавтракать, ни пообедать? Ну давай, что там у тебя.

— Вот мы... — Андрей неловко пропустил вперед Лену.

Здешняя мадам была еще ничего, видимо, долго выбирали по всем кабинетам ту, что поприличнее. Вместо перманента у нее были натуральные каштановые кудри, макияж не сыпался кусками с потного лица, а степенно подчеркивал его морщинистость и бывалость.

— У вас разрешение есть? — тут же сменила тон дама. Ленин скромненький брючный костюмчик ее уже раздражал! («Импортный, за пять тысяч рублей, небось, любовник подарил!» — Представить, что эта вот шмакодявка сама на костюм заработала, у дамы за прилавком не хватило бы фантазии.)

— Да. Вот разрешение. Удостоверение показать?

— Ну покажи уж, раз достала.

С тупым интересом рассматривая документ, сверяя подпись и печать на разрешении с имеющимися образцами, дама за прилавком продержала Лену и Андрея около пятнадцати минут.

— Вот тут неправильно дата написана, — удовлетворенно отчеркнула дама кроваво-красным ногтем,

153

возвращая Лене разрешение. — Надо цифрами, а не прописью. Пойдите перепишите и возвращайтесь. Только у меня сегодня укороченный день, после четырех здесь уже все будет закрыто.

— А цифрами — это принципиально? — повторяя про себя простенькую мантру «Бабы-дуры-дуры-бабы», елейным голоском спросила Лена.

— Конечно! — важно произнесла дама. — В этом, можно сказать, вся суть и заключается!

— Простите, а можно я потом вам правильное разрешение занесу? Нам просто очень срочно, — встрял Андрей. Дама хотела было его испепелить взглядом. Но не испепелила. На Андрее одежда болталась, как на вешалке, и был он весь такой жалкий, испуганный, худой, что в ней снова пробудился материнский инстинкт, и она сменила гнев на милость:

— Ладно уж, проходите так. Лето сейчас, начальство в отпуске. Никто проверять не будет. Это я уж так. Но на будущее — запомните.

— Обязательно! — радостно отчеканил Андрей.

— Ну вот ты как будто бы и ожил! — обрадовалась дама за прилавком, кивнула Лене и Андрею на дверь слева, а сама задвинула свое рабочее место фанеркой с надписью «Обед».

— Я когда пришел, у нее тоже был обед, — шепнул Лене Андрей.

Помещение, в котором они оказались, напоминало кладбище ненужных документов. Среди шкафов и столов, заваленных коробками и папками, как тени в царстве Аида, сновали работницы картотеки. Здесь было как-то попрохладнее, чем в коридорах.

— Ну что вам? — спросила очередная дама у Андрея, смерив Лену взглядом и найдя, что она уж слишком легкомысленно выглядит. — Ваша помощница имеет право доступа?

— Моя? — мультяшно ткнул себя пальцем в грудь Андрей. — Моя помощница?

— Это он мой помощник, — холодно ответила Лена (ох, не надо было ей этого делать, но уж больно вокруг было жарко, хотелось прохлады!)

— Ах вот оно что? — издевательски переспросила очередная дама. — Значит, начальница с инспекцией пожаловала? Ну смотрите, как у нас тут. Вот — стол, давно пора менять, — дама ткнула кулаком в свой письменный стол, и тот жалобно скрипнул, — папки, смотрите, — она без труда похлопала одной пухлой папкой о другую, от чего вокруг образовалось облако пыли. — Папки советских времен еще! Ни регистраторов, ни оборудования. Маринка вон одна, бедняжка, все в компьютер набивает!

Бедняжка Маринка выглянула из-за компьютера. Вид у нее был как у сушеной воблы, решившей для живости завязать на макушке кокетливый хвостик.

— Вы с инспекцией, да? — гнусаво спросила она.

— Нет. Мы из Москвы. Нам нужно ознакомиться с документами по делу некоего Фирсова. Словесное описание и приметы у нас есть, вот. — Лена достала из сумочки копии с допросов Бурцева, где он описывал внешность Фирсова.

— А что же это вам в Москве не сидится? — из-за пыльного шкафа выглянула еще одна женщина. — В Москве небось Лужков такого не допустит!

— Там в Москве еще и Путин есть! — улыбнулся Андрей.

— Ладно, смотрите. Только меня не отвлекайте — я занята! — сказала первая дама и принялась ожесточенно пилить ногти на левой руке.

— Давайте, какие у вас приметы, — сказала гнусавая Марина. — Посмотрим, может быть, он у меня уже в базу забит.

У Марины была внешность программистки-неудачницы, но она была гораздо моложе своих товарок и человеческий облик потеряла еще не до конца. К тому же Андрей был такой милый, молоденький, а Марина как раз на прошлой неделе купила сиреневое кружевное белье...

— Нам известно следующее, — ухватилась за человеческое понимание Лена, — человек представлялся своим партнерам по игре фамилией Фирсов. Также известно, что он сидел, что он картежник. Вот словесный портрет, сделанный человеком, который был с ним знаком.

— Почему же был? — спросила любопытная Марина, быстро колошматя по клавишам. — Дружок в тюрьму — и прощай, дружок?

— Нет, просто его убили, — пояснила Лена, — в тюрьме задушили. Уголовники.

— Нет у меня такого! — резко сказала Марина.

Лена от неожиданности выронила листок с описанием внешности Фирсова.

— Я подниму, — улыбнулся Андрей, наклоняясь за листком. Лена отвечала ему благодарным взглядом. Ненависть немолодых женщин и обожание юноши — это Лене было знакомо, хотя привыкать к такой ситуации она отказывалась.

— Наталья Степановна, посмотрите, может быть, это у вас? — крикнула Марина в сторону самого могучего шкафа.

Из-за шкафа выглянула сухонькая старушка в нарукавниках.

— Сейчас поглядим! — голосом доброй сказочницы произнесла она. — Идите сюда, посмотрим, что там у нас.

Наталью Степановну не зря не хотели отпускать на пенсию. Маленькими морщинистыми руками она перебирала корешки папок, что-то бормотала про себя, улыбалась и печалилась каким-то воспоминаниям. На ее старческом, изрытом морщинами, но более живом, чем у всех прочих сотрудниц, лице отражались тени давних громких и не очень дел.

— А вот посмотрите — Максим Аронов, известный питерский шулер по кличке Катала. А? Подходит по всему. И внешность, и делишки соответствующие. Почитай, девочка. Как же я забыла про Аронова? Такой был хулиган известный, эх!

— Аронов? Это такой еврей, немолодой уже, известный картежник? — вдруг хлопнул себя по лбу Андрей.

— Ну да! — с воодушевлением ответила Наталья Степановна. — О нем же легенды ходят, а мы с тобой забыли, два растяпы!

— Что тебе известно про Аронова? — спросила у Андрея Лена. Получалось, что она одна тут не в курсе ситуации.

— Ох, Аронов — это ого-го какой матерый человечище! Мы его проходили — ну если так можно про человека живого сказать, — в школе милиции. Якобы это именно он придумал метод игры в преферанс под названием «ленинградка», законы которой даже жестче, чем «сочинка», но не столь расточительны для проигравших, как «ростов».

— Ну-ну-ну! — быстро-быстро закивала Наталья Степановна. И они с Андреем принялись вспоминать все, что когда-либо слышали об Аронове. Было похоже на воспоминания о любимом родственнике. Когда их разговор сошел к легендам и анекдотам из жизни картежников, Лена присела на край стола и начала знакомиться с делом Фирсова-Аронова. В деле было немало мелких деталей и интересных подробностей.

Следователь Сергей Михайлович Пендюрин, который вел дело Аронова, человек был добросовестный и записи делал очень тщательно. Причем, прежде чем Аронов был задержан в прошлый раз и привлечен по статье за мошенничество, за ним некоторое время велось наблюдение, и в деле накопилось немало сведений о вкусах и привычках фигуранта.

Наталья Степановна отошла к своему столику. Андрей подошел поближе к Лене, стал робко заглядывать ей через плечо.

— Андрюша, а я в его вкусе, — сказала Лена, больше с целью подразнить молоденького оперативника. — Вот читай, наш клиент, оказывается, предпочитает натуральных блондинок в возрасте от 25 до 30 лет.

— У него хороший вкус, — вздохнул Андрей. — А что он еще любит?

— Любит он широко тратить деньги, любит рестораны в пышном стиле раннего нэпа, не любит казино, предпочитает «семейные игорные дома», а точнее — притоны и подполье. Так что мы будем ловить его именно там.

Глава 15

Ирина Галковская не ложилась спать в эту ночь. Впрочем, как уже несколько ночей подряд. Только совсем под утро на нее наваливались тьма и безволие, но с первыми лучами солнца она снова просыпалась. И не могла уснуть до следующей ночи...

Ирина всегда жаловалась, что не может нормально спать в белые ночи. Ну как уснуть, когда за окном светло? Правда, сейчас период «полярной ночи» шел на убыль, и причинаИрининой бессонницы была совсем в другом.

— Как же я могу нормально спать, есть, говорить с людьми, если Сереженька пропал?

Чтобы как-то справиться со случившейся бедой, Ирина пыталась с головой погрузиться в работу, но работа не шла. Все валилось из рук. Да и сезон для заказов был неподходящий. Лето, все разъехались в отпуска.

Отпуск. На кой черт ей сейчас отпуск? А ведь так хотелось поехать куда-нибудь вдвоем с Сергеем. Пусть даже не в заморские дали на экзотические острова, пусть недалеко — под Питер, пусть даже не на неделю-другую, а на выходные.

За окном серебрились низкие облака, сбивались в тучи, обещали дождь. Но Ирине было сейчас не до дождя, не до погоды. Она одетая лежала на диване, укрывшись легким пледом, пыталась читать книжку, тоскливо посматривала на лежащий рядом перевод. Нет, не до работы ей сейчас. Она легла на спину, уставилась в потолок невидящими глазами и принялась вспоминать, как начались ее отношения с Дублинским.

Аспирантка и профессор — устойчивая пара, как «свинарка и пастух», как «Бонни и Клайд», как «Бивис и Батхед». Пошлая ситуация, частичное нарушение субординации, аспирантка — не студентка, но ее положение все же является подчиненным. Какая же дура откажет своему научному руководителю, он ведь не только начальник, но и помочь может — диссертацию за нее написать, о трудоустройстве похлопотать. Так про Ирину думали многие. Многие, кто не знал Дублинского близко. Начало их романа вовсе не походило на соблазнение ученицы. Наоборот, Ирина прикладывала все усилия, чтобы профессор обратил внимание на нее, не только как на талантливую аспирантку.

А Ирина Галковская была на самом деле умна и талантлива.

Она заканчивала среднюю школу в Казахстане, специализированный физико-математический класс, получила золотую медаль и пребывала в растерянности — что же ей делать дальше. Наукой в маленьком Степногорске, что возле Целинограда, к тому времени уже и не пахло, а ей так хотелось учиться дальше. С благословения родителей Ирина, а тогда еще Ирочка, поехала поступать в Санкт-Петербург. На Москву она все же не рискнула замахнуться. Но ни разу Ирочка Галковская не пожалела, что выбрала для себя северную столицу. И в первую очередь, потому что именно здесь она встретила настоящую любовь. Ирина влюбилась в Сергея Дублинского с первого взгляда, с той минуты, когда она — провинциальная абитуриентка в дешевом ситцевом платьишке — пришла подавать документы.

Моложавый и импозантный мужчина находился один в просторном кабинете. В модном в те времена кожаном пиджаке, с ранней сединой, которая только молодила его, Дублинский поразил Ирину своей непохожестью на всех людей из ее прошлой жизни. Он был как из-за границы или даже с Марса. Ирина влюбилась сразу и навсегда. Она не помнит, что она тогда лепетала, объясняла, что только что с самолета, в Питере остановиться негде, приехала поступать, вот документы.

А время уже — шестой час, в секретариате никого нет, а ей необходимо сдать документы сегодня и узнать насчет общежития. Сергей Владимирович оказался очень добр к ней. Он усадил ее на диванчик, предложил чаю, сделал пару звонков, вышел куда-то и вернулся с секретарем приемной комиссии — недовольной рослой девицей, на ходу дожевывающей бутерброд. При Ирине Дублинский выговорил этой девице:

— Между прочим, приемная комиссия у нас работает до шести. А вы там заперлись — пиво распиваете, стыдно должно быть.

Секретарь приняла вступительные документы прямо тут — на кафедре тяжелой ядерной физики, и у Ирины исчезли все сомнения — на какое именно отделение ей поступать. Она хотела учиться только у Дублинского, правда тогда ей не были известны ни его имя-фамилия, ни ученая степень, ни семейное положение.

Ирина поступила в СПбГУ с легкостью. Скучная жизнь в маленьком Степногорске не представляла богатого выбора развлечений, а Ирина была всерьез увлечена физикой, именно над специальными книгами и справочниками она проводила все свое свободное время.

Теперь у нее появился дополнительный стимул — ей очень хотелось произвести впечатление на профессора. И, отринув радости и соблазны большого города, Ирина с головой погрузилась в учебу.

Дублинский и правда выделял ее из общей массы студентов, но держался в высшей степени корректно. А Ирина не пропускала ни одной его лекции, конспектировала все его высказывания с маниакальной точностью, посещала дополнительные семинары и просиживала свободное время в библиотеке, чтобы на следующем занятии блеснуть ответом.

Девушек на отделении тяжелой ядерной физики было немного, а Ирина среди своих однокурсниц выделялась еще и привлекательной внешностью — тяжелые длинные волосы цвета спелой пшеницы и огромные зеленые глаза. Однокурсники пытались ухаживать за девушкой, но никто из ровесников не мог заинтересовать Ирочку, когда практически ежедневно перед ее глазами был Сергей Владимирович Дублинский.

И наградой, большей, чем получение красного диплома, для Ирины стало предложение профессора поступить в аспирантуру. Это была маленькая, но победа — Дублинский оценил ее старания. Или страдания.

И уже став аспиранткой и сотрудницей кафедры, Ирина, чтобы утвердиться в новом статусе отношений и перестать быть в глазах профессора сопливой студенткой-малолеткой, набралась смелости и пригласила его в гости. На день рождения. Она только-только съехала из общежития и сняла квартиру на Крестовском, ту самую, где жила и сейчас.

Сергей Владимирович пришел с цветами и подарками. Он не очень-то был удивлен, когда оказалось, что являлся единственным гостем на празднике. Легкий необязательный флирт со своими или «соседскими» аспирантками для Дублинского был вполне привычен (кстати, и его супруга Оксана тоже в свое время была его аспиранткой), и конечно, не укрылось от его внимания обожание Ирины. Но, пока она была студенткой, ни о каком романе речь не шла, тем более Сергей чувствовал, что легким флиртом тут не обойдется. Ирина на самом деле нравилась ему, умница-красавица, для которой он был непререкаемым авторитетом, и каждое его слово ловилось с восторгом. Какой же мужчина устоит перед таким набором достоинств. Сергей был не против длительных отношений с влюбленной аспиранткой, лишь бы это не отразилось на его браке с Оксаной, влюбленность к которой уже несколько угасла, однако как жена та его устраивала, налаженность быта и внимание к его привычкам Дублинский ценил не менее, чем яркие вспышки чувств.

Но даже тогда, когда он пришел к Ирине в гости, он не подозревал, что их отношения затянутся надолго и будут столь серьезны.

У Иры и правда был день рождения в тот день — двенадцатого мая, и визит Дублинского был долгожданным и заслуженным подарком, который она сделала своими руками. Тогда ей исполнилось двадцать три года, и она тоже не думала, что их отношения окажутся столь длительными. Не думала и не загадывала — боялась спугнуть свое короткое счастье. Но всем же известно, что нет ничего более постоянного, чем то, к чему мы относимся как к временному.

Роман Ирины и Дублинского длился уже более двух лет, со временем они даже перестали таиться на кафедре, Ирина была как бы удостоена статуса «официальной любовницы», их приглашали вместе на выездные семинары и научные чтения. Администрация закрывала глаза на то, что и в командировки Ирина всегда сопровождала профессора. Почти всегда. Вот в Германию ей с ним поехать не удалось. Но эта командировка была не по линии университета. Президент берлинского банка пригласил Дублинского как руководителя научного центра «Орбита». Немцев заинтересовал осмий.

Размышления Ирины прервал телефонный звонок.

— Ирочка?

Женщина чуть не выронила трубку. Это был голос Сергея...

...Когда Джабраил поставил машину на место, часы показывали около девяти. Двор был пуст, кажется, никто не заметил того, что машина отсутствовала некоторое время. Джабраил, выйдя из «тойоты», удовлетворенно оглядел колеса — они были покрыты слоем грязи явно загородного происхождения.

Если бы не Ахмет, которого Джабраил боялся как огня, он бы удалился с сознанием выполненного долга. Но Ахмет строго-настрого приказал сделать так, чтобы именно жену Дублинского обвинили в убийстве. На этот случай у него было припасено кое-что еще.

Джабраил многим был обязан своему командиру. Их связывали не только общее дело, но и нечто большее...

Четыре часа тряской дороги по целине, еще три — по каменистым горным дорогам, потом восемь километров лесом, где не пройдет ни одна машина — только так можно было добраться до горного аула Ени-чу. Сработанные смекалистыми японцами «мицубиси-паджеро» не выдерживали такой нагрузки и часто ломались. Если бы не Джабраил — механик с бывшего военного завода в Гудермесе, наверняка отряд застрял бы где-нибудь на полдороге. Но все равно частые поломки отняли очень много времени. Поэтому, несмотря на то что они выехали около полуночи, в половине двенадцатого дня караван был еще на Ергебильском перевале. И тут, как назло, снова забарахлил один из джипов.

Ахмет Гучериев неторопливо выбрался из первой машины и подошел к группе спорящих и отчаянно жестикулирующих солдат. Впрочем, солдатами их можно было назвать лишь с большой натяжкой — одеты они были кто во что горазд, в основном в изрядно потрепанные полевые хебэ, поверх которых натянули джинсовые куртки, ветровки, а кто и до дыр потертый шерстяной свитер.

— В чем дело, Рамзан? — спросил Ахмет у ближайшего к нему солдата.

— Да вот, билят, трансмиссия полетела! — ответил тот через плечо.

Ахмет, ни слова не говоря, взял Рамзана за плечи и повернул лицом к себе. Потом точным и резким ударом в скулу сбил его с ног, да так, что тот, пролетев два метра, ударился о бампер стоящей рядом машины и медленно сполз на землю. Разговоры сразу стихли. Все повернулись и вопросительно посмотрели на Ахмета. Только Джабраил продолжал копаться под джипом.

— Я одно и то же два раза не повторяю, — негромко сказал Ахмет, — если еще раз услышу от кого-нибудь поганые гяурские ругательства, церемониться не буду. Мы не какая-нибудь шайка бандитов. Некоторые забывают, что мы ведем джихад — священную войну за родину и веру. Приходится напоминать.

На шум из машины вышел Вахит, который был правой рукой Ахмета.

— Не нервничай, Ахмет, — он дружески положил ладонь ему на плечо, — ребята устали, выдохлись, с кем не бывает?

Ахмет стряхнул с себя его руку.

— Вот из-за таких, как он,— он указал пальцем на безуспешно пытающегося остановить льющуюся из носа кровь Рамзана, — мы и терпим такие потери. Нельзя расслабляться ни в чем!

— Рамзан в Свердловске учился. Вот и нахватался.

— Ну и что? — возразил Ахмет. — Я тоже в свое время МГУ кончал. Разве я когда-нибудь себе позволяю русские ругательства?

— Ну ладно, Ахмет. Погорячился и хватит, — примирительно сказал Вахит, — эй, Али, скоро ты там? На дороге находиться очень опасно. С утра я вроде шум вертолетов слышал. А здесь мы как на ладони.

— Билят, никак не получается... — донесся из-под джипа сдавленный голос Джабраила.

Вахит, да и все остальные не могли скрыть улыбки. Ахмет рассерженно зашагал к своей машине, наподдав по дороге большой булыжник, который стукнулся о полированную дверцу машины, оставив на ней изрядную вмятину.

Вахит бесшумно расхохотался, но быстро спрятал улыбку.

— Вы, ребята, хотя бы при Ахмете не ругайтесь. Знаете же — он человек серьезный. В следующий раз и пули не пожалеет.

Все закивали головами. Из-под джипа вылез расстроенный Джабраил:

— Все, подшипник полетел. А заменить нечем. Абана мат.

Ахмет вздохнул:

— Так, дело к двенадцати... Скоро намаз нужно совершать. Здесь оставаться больше нельзя. Придется машину просто убрать с дороги.

Солдаты вынули из джипа все ценные вещи — несколько «калашниковых», ручной пулемет М-59 и даже шмайссер времен Великой Отечественной войны, пару рюкзаков с провизией и канистру с бензином. Потом поднатужились, приподняли машину и сбросили ее с обрыва. Джип грузно ударился несколько раз о склон горы, потом покатился быстрее, и наконец, уперевшись в выступ скалы, остановился. Несколько секунд спустя раздался сильный взрыв.

— Бензин из бака вылить забыли, — сказал один из боевиков.

— Так, — скомандовал Ахмет, — быстро по машинам и вперед.

Через пятнадцать минут караван миновал горный перевал и остановился около узенькой тропинки, ведущей в густой лес.

Выйдя из машины, Ахмет достал компас и определил кибла — направление на Мекку, в сторону которой должны молиться все правоверные мусульмане. Все разулись, ополоснули водой из фляжек ступни и ладони и, достав небольшие коврики, преклонили колена.

— Бисмиллах, аль-Рахмат аль-Рахим, — нараспев произнес Ахмет. И остальные повторяли за ним слова первой суры Корана:

— Во имя Аллаха, милостивого, милосердного! Хвала Аллаху — Господу миров, милостивому, милосердному, царю в день суда! Тебе мы поклоняемся и просим помочь! Веди нас по дороге прямой, по дороге тех, кого Ты облагодетельствовал, не тех, которые находятся под гневом, и не заблудших...

Намаз продолжался недолго — всего минут пятнадцать. Закончив чтение молитв, Ахмет поднялся со своего коврика и повернулся к своим спутникам:

— Сыны Ичкерии! Ныне, когда на нашу землю вновь обрушились орды завоевателей, останемся верными заветам наших предков и великого имама Шамиля! Не дадим родину в обиду, будем сражаться, пока последний враг не покинет нашу страну. Видит Бог, правда на нашей стороне. И поэтому мы обязательно победим! Аллах Акбар!

Боевики повторили за ним воинственный призыв.

— А теперь нужно хорошенько замаскировать машины, Иса, Джабраил и Салех остаются здесь, все остальные — за нами, в Ени-чу.

За Ахметом, который возглавлял процессию, шли полтора десятка боевиков. Здесь было достаточно безопасно — федералы так далеко в горы еще не добрались. Конечно, время от времени и здесь можно было услышать стрекот вертолетных винтов, но за густой листвой деревьев, пока еще не начавшей осыпаться, отряд сверху был неразличим. Было тихо. Мирно щебетали птицы, где-то неподалеку журчал быстрый горный ручей. И не верилось, что в каких-нибудь семидесяти километрах к северу идут ожесточенные бои. В сущности, Чечня — это маленький клочок земли, который, если бы не горы, можно было бы за сутки объехать вдоль и поперек. И именно здесь, на этой земле, разгорелся, самый, пожалуй, кровопролитный конфликт за последние годы.

Лучше всех дорогу знал Ахмет, но и он время от времени останавливался, чтобы выбрать нужное направление, — в некоторых местах тропинка так заросла травой, что была почти неразличима. Примерно через полтора часа лес закончился и потянулись поля и бахчи — селение Ени-чу, родовое село полевого командира Ахмета Гучериева, было близко.

В горах темнеет рано, поэтому идти пришлось при свете электрических фонариков. Тропинка, едва заметная при свете дня, в сумерках была вообще неразличима. Пробирались на ощупь, почти не разговаривая друг с другом. Солдаты закинули оружие за спину, чтобы не болталось.

Отряд все-таки немного сбился с пути и вышел из лесу примерно на пятьсот метров в сторону. Издали можно было различить небольшой костер рядом с машинами. Если бы не огонь, пришлось бы плутать по всей округе. Боевики быстро зашагали к своим машинам.

Когда они были уже метрах в пятнадцати от четко вырисовывающегося в темноте пламени, Ахмет вдруг остановился:

— Стойте! — Он наклонил голову и стал прислушиваться. Все остальные тоже замерли.

Со стороны костра доносилась русская речь!

— Федералы! Туши фонари! — прошептал Ахмет. — Откуда они здесь?

— Это мобильная группа спецназа, — тихо сказал один из боевиков, — я встречался с такими, они появляются в самых неожиданных местах. И очень хорошо подготовлены.

— Ладно. Надо зайти со стороны леса и внезапно обстрелять. Никакая подготовка не поможет, накроем как котят.

Тут он споткнулся обо что-то мягкое. Рассмотрев поближе, Ахмет обнаружил, что это труп Вахита.

— Подонки. Вы мне за все ответите.

Чеченцы зашли в лес и максимально близко подошли к машинам. Затем по команде Ахмета открыли шквальный огонь по сидящим у костра солдатам федеральных сил. Но спецназовцев так просто взять было нельзя. Они, казалось, за полсекунды до того, как боевики нажали на спусковые крючки, почувствовали, что в них целятся. И успели лечь на землю и откатиться в сторону. У костра осталось лежать всего двое. Еще спустя секунду федералы открыли ответный огонь. Стреляли наугад, в лес, но очень точно — судя по тому, что многие автоматы чеченцев замолчали, их пули достигали цели. Очевидно, федералов было немного — всего человек десять, но каждый из них прошел такую школу, что, пожалуй, стоил двоих обычных солдат. К тому же в темноте всегда легче обороняться, чем нападать.

Но Ахмет оказался хитрее. Она зарядил подствольник и послал гранату в один из джипов. Тот быстро загорелся ярким факелом, осветив все вокруг. Федералы попытались скрыться в темноте, катясь по земле и одновременно стреляя, но это их не спасло. Благодаря горящему джипу они были как на ладони.

Джабраил вдруг почувствовал сильную боль в груди. Перехватило дыхание, глаза начало застилать алым цветом...

— В чем дело, Джабраил?! — эхом отдались в его сознании слова Ахмета.

— Я... Все... — с трудом произнес он.

— Держись, это пустяки, царапина, — пытались его подбодрить сгрудившиеся вокруг чеченцы, — мы разбили спецназовцев.

Голова Джабраила бессильно упала на уже обагренную его кровью траву. Ахмет подхватил его на руки и понес. До селения Ени-чу было километра два, и все это время Ахмет вместе с другими боевиками нес почти безжизненное тело Джабраила, бывшего механика с военного завода в Гудермесе...

Джабраил вышел из двора и занял наблюдательный пост в кафе напротив. Отсюда прекрасно просматривалась арка, которая вела во двор.

Ждать пришлось около сорока минут. Джабраил успел позавтракать, выпить пару чашек кофе, выкурить несколько сигарет и даже почитать свежую газету. Примерно без четверти десять из арки выехала «тойота».

Джабраил проводил ее взглядом и, расплатившись, снова отправился во двор, пересек его и скрылся в подъезде...

Открыть дверь при помощи универсальной отмычки для английских замков оказалось делом двух минут. Джабраил сам подивился, как быстро он управился, притом что только вчера научился с ней обращаться. К счастью, сигнализации в квартире Дублинских не было.

... В квартире Джабраил провел не больше пяти минут. Выйдя, он остался весьма доволен. Теперь можно докладывать Ахмету о том, что его приказ полностью выполнен. Джабраил был обязан Ахмету Гучериеву жизнью и не мог его подвести...

— Ну что же, продолжим, Сергей Владимирович?

— А что продолжать? Никакого смысла нет... Я вам сказал же, что бомбу, тем более атомную, я создать не смогу.

— Это почему же?

— Потому что атомная бомба требует двух основных компонентов — урана и плутония, причем в обогащенном виде. У меня — ни в лаборатории, ни в университете — таких веществ нет и быть не может.

— А осмий?

«Вот черт! Дался им этот осмий, начитались газет! Хотя на этом как раз и можно сыграть»,— подумалось Дублинскому.

Ахмет Гучериев начинал злиться, это было заметно по тому, как он подергивал своими могучими бровями.

«В хорошенькую же ситуацию я попал, если моя судьба зависит от движения бровей какого-то кавказца».

Но раздражать Гучериева в планы профессора не входило.

— Вы поймите, Ахмет, осмий — это металл из платиновой группы, его изотоп сто восемьдесят семь, который нам удалось создать искусственным путем, обладает гамма-излучением, но период его полураспада всего лишь девяносто дней. Понимаете, что это значит?

— Папа, ты сейчас с кем разговаривал? — пошутил Ахмет, цитируя известный анекдот, видно было, что настроение его резко улучшилось — водить бровями он перестал, понял, что профессор не сопротивляется сотрудничеству. — Ты все же, Сахаров, популярно объясни, что можно делать с осмием?

— А сделать можно многое. Если, конечно вы мне объясните задачу.

— Задача такова: устроить взрыв. Большой взрыв. Показательный взрыв во славу Аллаха. Взрыв, после которого всем и каждому станет понятна бесполезность этой войны и сила чеченского сопротивления.

— Тогда вам не нужна именно Атомная Бомба, — Дублинский специально подчеркнул заглавные буквы. — То есть не нужна такая бомба, какую, например, американцы на Хиросиму сбросили.

— Почему?

— Потому что, повторяю, для того, чтобы ее создать, нужно специальное производство и материалы. Большой штат сотрудников. Испытания. Расчеты. Опыты... Всего этого нет. И вообще, создать бомбу очень сложно...

Дублинский замолчал, глядя на Гучериева. Тот сдвинул брови, что-то соображая.

— Значит, невозможно? — переспросил он.

— Да. Исключено, — кивнул Дублинский.

— Хорошо. Но у тебя, кажется, есть какие-то предложения? Ты ведь ученый-ядерщик... И потом, если у тебя нет никаких предложений, ты сильно рискуешь. Не забывай о жене. О любовнице... — Гучериев улыбнулся и показал ровный ряд желтых зубов.

Дублинский подумал, что спорить с этим головорезом совершенно бессмысленно.

— Вам не нужна атомная бомба, — повторил он. — Для того чтобы произвести эффект, вам вполне будет достаточно и «грязной» бомбы.

Ахмет нахмурился.

— Ты что, обидеть хочешь? Атомная, значит, нам не подходит, только «грязная»? — Гучериев уже четко перешел с профессором на «ты».

— Для создания массовой паники — а ведь именно это вы и хотите сделать — «грязная» бомба — идеальный инструмент. Лучшее, наипростейшее и, возможно, наиболее дешевое средство, — сказал профессор.

— А что это такое вообще? — Ахмет был озадачен. С одной стороны, ему казалось, что профессор хочет увильнуть. Но с другой, возможно, Дублинский предлагает что-то дельное, что-то такое про «грязные» бомбы слышать ему уже приходилось.

— «Грязная» бомба распыляет на достаточно большую площадь радиоактивные вещества при помощи обычной взрывчатки. Если взрыв происходит в закрытом помещении, то само здание может не пострадать, но во все щели и поры попадает радиоактивный элемент, который будет фонить долгие годы, избавиться от этого будет невозможно.

— И что вам для этого потребуется? — Ахмет Гучериев неожиданно для себя снова перешел с профессором на «вы».

— В «грязной» бомбе используются обычные взрывчатые вещества, «подкисленные» радиоактивными изотопами. Вот тут-то и нужен осмий.

— Хитришь, профессор? — прищурился Гучериев. — Думаешь, мы сейчас тебя за осмием отпустим?

— Да нет, Ахмет, я так не думаю. Можно попытаться достать его и отсюда.

— Как? — спросил Гучериев.

Дублинскому дали право на один звонок. Кроме
Ирины звонить ему было некому.

«Вот сейчас Бурцева было бы неплохо подста-
вить», — злорадно подумал Сергей Владимирович, он
и не подозревал, насколько это была неудачная шутка,
Бурцев к тому времени уже успел подставиться сам.

Но доверять Дублинский мог только Ирине, ей он и
позвонил с любезно предоставленного мобильного телефона:

— Ирочка? ... Ира, да, это я... Погоди, у меня мало
времени. Ира, я жив-здоров, но у меня серьезные проблемы, и мне очень нужна твоя помощь. Ира, погоди,
не плачь, слушай внимательно. Во-первых, о моем звонке никто не должен знать. Во-вторых, ты должна пойти
в центр, попробуй, договорись с Любой. Ты должна
взять там из лаборатории контейнер номер четыреста
сорок семь. Да, лаборатория охраняется. Но попытай-
ся договориться как-то с Любой, возьми у нее карточку, я ей делал... Ира! Родная, ты меня очень обяжешь...
Нет, со мной действительно все в порядке. Только Любе
о моем звонке не говори! Не говори никому!.. Нет!.. Ира!!!
Никакой милиции!!! Контейнер потом отдашь человеку,
который тебе позвонит и представится, что он от меня...
Это очень важно... Я вернусь, конечно, вернусь, родная,
и мы поедем и на острова и на озера — куда захочешь...
Не знаю когда... Я тебе обещаю — все будет хорошо...

И тут телефон у Дублинского отобрали.

Глава 16

Самым полезным из всего небольшого списка оказался Степан Корнилович Коренев. Вор в законе по кличке Корень. Он сидел в Крестах уже более полугода в ожидании суда. Ждать суда, потом пересылки — дело для Корня было привычное. Это уже его седьмой срок. И Кресты давно стали для него домом родным в не меньшей степени, чем для Мяахэ. Не то чтобы даже домом, а скорее — привычной гостиницей с постоянно забронированным номером. Сел он в этот раз за ерунду. Незаконное ношение оружия — пустяк, мелочовка. Обидно было только то, что его подставили. Подставили или подловили — вот эту дилемму и решал Коренев в минуты длительных раздумий. А уж времени в ожидании суда было у него предостаточно.

Сотни и сотни раз он прокручивал в голове сцену своего ареста. Дикие, дикие времена наступили, солидный человек не может просто поужинать в приличном месте в компании близких ему людей.

Ужинал в тот вечер полгода назад Корень в ресторане «Палкинъ» — новом фешенебельном заведении на Невском проспекте. За столом были только свои. Никаких важных вопросов не решалось, планов не строилось, проблем не обсуждалось. Они просто ужинали. А вот за соседним столиком у людей явно были проблемы. И проблемы нешуточные. Легкая перебранка переросла в крупный скандал, а тот уже в драку и перестрелку. Милиция явилась как черт из табакерки в ту же секунду, но вот почему-то пристальное внимание было уделено не стрелявшему в потолок подгулявшему хлыщу за соседним столиком, а именно Корню и его окружению.

И надо же было случиться, что в кармане у пахана оказался пистолет, избавиться от которого он элементарно не успел. Разборок и правда никаких не предвиделось в тот вечер, но привычка носить с собой оружие привела к тому, что с любимым пистолетом пришлось расстаться года на два, как минимум.

Однако слишком уж гладко прошел арест, одним невезением это вряд ли можно было объяснить. Слишком гладко. Что ж, возможно, и соседи по ресторану были подставными, и пасли менты именно его — Корня, такое уже случалось. «У ментов никогда не хватает ума играть по-честному», — в который раз подумал старый вор и зло сплюнул. Ему вспомнился его первый срок, тогда тоже попался на глупости и мелочовке. Анекдот просто — хоть учебник для начинающих воров пиши, — как Корень пришел продавать краденое к указанному барыге, а тот оказался мусором. Тот урок ему дорогого стоил, однако он ни о чем не жалел. Зона оказалась для него важнее цивильных университетов. «Всем, что я в жизни имею, я обязан зоне» — именно так перефразировалась известная фраза. Ни к чему лишние премудрости, когда ты узнаешь всю изнанку жизни и постигаешь все ее таинственные механизмы. А постиг в этой жизни Коренев немало. Потому и не боялся ни тоскливого ожидания, ни трудного тюремного быта, ни неизвестности судебного заключения. Чего страшиться — все это уже неоднократно пройденный путь. Страшило его другое — мир, в котором он чувствовал себя на своем месте, последнее время стал достаточно зыбок, дикие, дикие времена наступают. Молодняк наглеет и звереет, авторитеты для них давно утратили свой авторитет — вот такой печальный каламбур. Может, и лучше сейчас для него вернуться на зону, отсидеться, понять, что к чему, восстановить прежние связи, набрать новых. Власть старого вора утекала из рук. Дикие времена наступили.

В камере триста шестьдесят четыре, где в данный момент содержался Корень и где сутками раньше был удавлен Андрей Бурцев, действительно содержалось двадцать пять человек — на четырнадцать койкомест. И разумеется, Корень тут был признан главным. Паханом. По крайней мере, в Крестах с его авторитетом никто не спорил.

Коренев Степан Корнилович оказался не слишком-то разговорчив. Спокойный, рассудительный Мяахэ уже начинал злиться. Старый вор не шел на контакт.

— Да вы что, гражданин начальник! С какой стати я ссучиваться должен? За какие-такие блага и радости?

— Никто тебе ссучиваться не предлагает, Коренев, — строго сказал начальник тюрьмы.

— А как это называется, интересно? — иронически поинтересовался Корень.

— Ну, Коренев, я же тебе говорю — мы можем посодействовать в плане назначения суда. Не надоело тебе его в Крестах дожидаться?

— А я никуда не тороплюсь! Нам, знаете ли, и тут неплохо. — Корень нагло улыбался, но был настороже.

— Ну я могу за тебя и походатайствовать!

— Вот еще, чтоб за меня начальник Крестов ходатайствовал! Да я от такого позора не отмоюсь. Ерунду говорить изволите!

Уговоры, неоднократно причем повторенные, уже иссякали. Распалившийся Николай Петрович решил перейти к угрозам и обвинениям:

— А не кажется ли тебе, мил друг, что твое нежелание содействовать может быть расценено как причастность? Быть не может, будто в камере что-то без твоего ведома творилось. К тому же убийство! Небось сам инженера и заказал. Откажешься сейчас говорить — на тебя и повесим.

— А ты не судья — на меня мокруху вешать! Ты хоть дело мое почитай, крыса тюремная! Когда это я на мокрое шел? Я тут по всем краям чистенький! А коли ты за вверенным тебе контингентом уследить не можешь и у тебя на глазах молодежь самоуправничает, ты на меня это не вешай! Я тебе за деньги не нанимался в камере порядок мести.

Видя, что разговор заходит в тупик, в дело вступил Гордеев:

— Степан Корнилович! Вот вы слова такие упоминаете — «контингент», неглупый вы все же человек, образованный, сразу видно. Но при этом проговорились, сказали «молодежь самоуправничает», значит, знаете кто?

Но старый вор и сам понял, что ляпнул лишнее, и снова замкнулся, отвечал только «да-нет», или не отвечал на вопросы вовсе.

Гордеев все же решил воззвать к его совести, если не к гражданской, то хотя бы к человеческой.

— Степан Корнилович, да поймите вы, ради бога, что на этот раз тут не разборка творится — кто у кого что украл, кто кого обманул, подставил, убил. Тут речь идет о большой опасности.

— А ты гэбэшник, что ли? В органы безопасности меня вербуешь?

— Нет, я не гэбэшник и не мент. Я вообще лицо гражданское, — признался Гордеев. — Но о помощи вас прошу. Если мы их сейчас не найдем, не остановим, то дело тут не ограблением банка пахнет. А взрывом. Большим взрывом. Причем атомным.

— И какой же ты помощи от меня ждешь? Я же тебе сказал, что стучать не стану.

— Но у нас же это единственная ниточка к преступникам — найти того, кто Бурцева убил. Разобраться надо.

— Тебе надо, ты и разбирайся.

— А я разбираюсь. — Гордеев уже сильно нервничал. Эта карта оказалась не козырной. Видимо, придется вернуться к сомнительному плану внедрения в камеру к уголовникам, дабы провести там собственное расследование, но теперь он засвечен перед паханом и вдвойне нуждается в его помощи.

Однако Корень будто читал его мысли:

— А что, лицо гражданское! Вот садись к нам за компанию, да и разбирайся. Я тебя сдавать не буду, но и их тебе не сдам. А молодежь воспитывать надо. К тому же, если ты говоришь, что они бомбу делать хотят, по-хорошему останавливать придется. Но тут я тебе не помощник, одно могу обещать, ежели ты не мент, — я тебя не сдам.

На том и порешили. Гордеев решил отправиться в гостиницу, отдохнуть и выспаться, а заодно при участии Лены сочинить себе легенду — покрасивше да поправдоподобнее.

— Долгие проводы — лишние слезы, — сквозь сон пробормотал Гордеев. Вчера они четко и ясно проработали его легенду. Легенда заключалась в следующем: он, предприниматель Ольховский, решил стать медиамагнатом, для чего взял денег на газету, которой не существовало в природе, у двух серьезных предпринимателей. Но газету выпускать не стал, а вложил эти деньги в партию итальянской обуви, на чем и наварился. Сначала наварился, а потом попался. Встретились два серьезных предпринимателя на неком фуршете, и один другому возьми да и похвастайся, что у него скоро своя газета будет, вот скоро, вот уже буквально завтра. И для понта достает из кармана распечатку «пилотного номера» и показывает другому. А другой очки на носу поправляет, газету рассматривает и не может поверить своим глазам: ведь в эту же самую газету он вкладывал деньги! И теперь выясняется, что придется делить ее с конкурентом! Но и этого мало: так называемый «пилотный номер» оказался всего лишь распечаткой одного довольно популярного интернет-ресурса, на котором, в плане развлечения, отметились в разное время всяческие известные и не очень авторы. Замели предпринимателя Ольховского и поместили в камеру. Эта история не была такой уж вымышленной и надуманной: пару месяцев назад Юрий слышал в Москве о подобном деле, даже фамилию запомнил — Ольховский. Красивая фамилия; только москвичу с красивой фамилией несказанно повезло — за него вступились какие-то совсем уж запредельно высшие силы, и новоявленный Остап Бендер отделался легким испугом и большим штрафом, который за него и заплатили все те же высшие силы. Юрию, то есть предпринимателю Ольховскому из Питера, повезло меньше.

Когда легенда была проработана в мелочах и подробностях, часы показывали одиннадцать тридцать вечера. Это такое время, в которое спать ложиться както глупо, а идти куда-то, особенно если завтра ждет ответственное дело — еще глупее. Так, слово за слово,

Лена и Гордеев оказались в одной постели, хотя совершенно не собирались таким образом проводить вечер перед ответственным делом.

— Я буду ждать тебя. Надеюсь, срок навесят небольшой, — сказала Лена на прощание.

— Да знаю, как ты ждать будешь, — вошел в образ Гордеев. — Завтра же к соседу в гости зайдешь телевизор посмотреть, а через неделю домой вернешься — за вещами!

— И с этим идиотом я прожила пять лет! Заберите его, глаза бы мои не видели твою рожу, аферист, жизнь мою погубил, детей без куска хлеба оставил!

Гордеев улыбнулся и покачал головой. Лена явно заигралась. А ему сейчас необходимо сосредоточиться.

— Имейте в виду, — сказал Гордееву Мяахэ, — в камере есть весьма опасные люди.

— Да, я знаю, меня ознакомили с их делами.

— Я бы на вашем месте отказался от этого, — заметил начальник тюрьмы. — Либо опетушат, либо задушат. И неизвестно, что лучше.

— Я бы на вашем месте с такими мыслями ушел в ночные сторожа, — хмыкнул Гордеев.

Николай Петрович помолчал.

— Ну, впрочем, раз сам Гоголев за вас ручается, я тоже не против.

— Спасибо.

— Оружие есть? — спросил начальник тюрьмы.

— Какое? Вы же, волки, еще при первом обыске все отобрали, вплоть до мобилы! — машинально ответил Гордеев.

— Вы вот так не говорите. Вы нормально говорите.

Так говорят только уголовники, которые уже успели зону потоптать. А оружие вам там ни к чему, это я на всякий случай спросил.

Камера оказалась лучше, чем ожидал Гордеев. В ней было двадцать пять человек, ожидающих приговора. Откровенных отморозков, от которых можно получить ночью заточкой под ребро просто потому, что лицо твое им чем-то не понравилось, вроде нет.

Гордеев вошел и бегло оглядел диспозицию. Кто-то лениво посмотрел на него, кто-то с заинтересованным видом тут же сел на лежанке, в ожидании хоть какого-то развлечения, но большинство сокамерников не обратило на Гордеева никакого внимания. За столом шла игра в шахматы между щеголеватым парнишкой и крепким как дуб матерым уголовником, поросшим седым и пегим волосом. Даже из ноздрей торчали пучочки шерсти. Парнишка против него был — как Давид против Голиафа, но пока вроде держался.

Все нары были заняты, разве что можно было бы найти местечко в самом стратегически и субординационно нейтральном месте — на верхних нарах, и скорее ближе к окну, чем к параше. Главное, чего опасался Гордеев, что свободное место окажется в петушином углу и придется начинать свое пребывание в камере с того, что прогнать какого-нибудь несчастного. Иначе никто с ним разговаривать не станет. Да и гипотетического несчастного жалко — сгонит его Гордеев, а назавтра уйдет отсюда. А на человеке уже до конца отсидки клеймо будет.

«Посадили? А ты не воруй!» — сказала, помнится, Лена. Она была безжалостна к уголовникам любого сорта. Словно забыла, как сама однажды попала в подобную ситуацию, и если бы не Юрий, неизвестно еще, как бы сложилась ее жизнь. Ну на свободе бы она сейчас точно не разгуливала.

А Гордеев, как адвокат, испытывал жалость к мелким жуликам. К тем, которые попадают из привычной, пусть не совсем честной жизни, совсем в другой мир. Настоящим уголовникам, ворам в законе, тем, кто на малолетке побывал, проще в этом смысле. Это их жизнь. А чужим они спуску не дадут. «Посадили? А ты не воруй!» — глумливо улыбнутся они, совсем как Лена вчера, отрежут несчастному ноги и заставят плясать на обрубках.

Игра закончилась.

— Мат, — спокойно, глядя куда-то в сторону, произнес парнишка.

Волосатый почесал спину. Подул за пазуху. Потер лоб. Поскреб подбородок.

— Не быть мне парашником, да? — спросил его победитель. — Не быть мне петушней! А ты, дядя, думай в следующий раз, с кем играть.

Гордеев вспомнил дела своих сокамерников, с которыми ему удалось ознакомиться. Это — Скрипач. Скромный мальчик из хорошей еврейской семьи. Однажды вспылил и убил родного папу. Его, понятно, — в психиатричку, на обследование. Оказалось — совершенно нормален. Просто папа запрещал сынуле встречаться с «гойками», а тот, как на грех, влюблялся в девушек ярко выраженной славянской внешности.

— Иди сюда, Скрипачок, мы тебе на зоне еще найдем «машку» с пейсами! — засмеялся кто-то из окружения пахана. — А ты, Щетка, парня больше не трогай. Он тебе уже доказал, что он нормальный мужик — не черт, не петух, не фраер. Че ты к нему вяжешься.

— Нравится он мне! — дерзко ответил волосатый.

— А нравится — разворачивайся и нагибайся!

Щетка свирепо сверкнул глазами и уполз на свои нары, престижные, неподалеку от паханских.

— Ну, Румын, затаил он на тебя зло, — заметил Корень. — Больно много языком мелешь. Ты, Щетка, не до смерти его убивай, если вздумаешь, уж больно сказки у него занятные.

Щетка, вспомнил Гордеев, — «грузчик». Таких еще назыают акулами. Эти люди на зоне убивают людей по приказу вора в законе. Сколько смертей на их совести — никто не считает. Глумиться над «грузчиком» будет только полный идиот.

— А ты, Румын, базлай, да потише. А то, может, и ты ему сам вместо Скрипача сгодишься? — осадил шутника Корень.

В спокойном сознании своей силы он поманил новенького пальцем. Изображая робость, Гордеев слез со своих нар и пошел к окну, на царскую перину.

— Садись. Обзовись, порадуй нас какой-нибудь историей.

Гордеев, притворно запинаясь, протараторил свою фамилию, статью, которую ему шьют, рассказал про предпринимателей, не утаил, что газету делать не собирался, а деньги потратил на итальянские туфли.

— Быстрый ты больно. Вот и попался, — сделал вывод пахан. Вся камера с интересом ждала решения главного. Что он скажет, то и будет. Захочет — покуражатся уголовники над новеньким. Захочет — отдадут ему весь общак. Старый вор роль свою держал справно, знакомство с Гордеевым никак не выдавая, Юрию даже на минуту показалось, что Корень и забыл о вчерашнем уговоре.

— Ольховский, значит, — задумчиво протянул Румын. — А кличут как?

— Дмитрий, — ответил Гордеев, глядя ему в глаза.

— Прозываешься как, чертяка!

— Ты, Румын, что-то бойкий сегодня очень, — лениво взглянул на него Коренев. — Может быть, у тебя тепловой удар приключился? Нормального мужика в черти рядить, или забыл, как тебя тут по всей камере пинали?

— Я сдох бы, а не сдался. А этого — чуть припугни, и он пошел парашу вылизывать.

— Как бы тебе самому в параше не охладиться, — неожиданно сказал Скрипач.

— Ты, Скрипачок, не больно-то много на себя бери. Как бы самому в дерьмо рожей не ткнуться! — вскочил Румын.

— Спокойно! — поднял руку пахан. — Пожмите друг другу руки, улыбнитесь — нам нечего делить. Сначала Скрипач и Румын. Теперь — Румын и новенький. Вот так.

— И все-таки как его, новенького, звать? — не унимался Румын. — Не может такого быть, чтобы человека никак не звали!

— А зовите его — Газетчик. Вон там, — он показал рукой на верхний ярус нар в середине, — и отдохни пока...

Корень благосклонно улыбался. Заключенные разочарованно вернулись к своим прежним занятиям. Веселья пока не намечается. Но это ненадолго.

Старый вор пошевелил пальцами. Гордеев понял, что аудиенция окончена и побрел к своему месту, указанному паханом.

Забрался наверх, сел, затих, стал рассматривать остальных заключенных.

На нижних нарах напротив расположился самоуверенный парень лет тридцати. Плечи расправил, вел беседу с двумя пацанами, только что с малолетки. Авторитет пытался, судя по всему, заработать. Коренев посматривал на него с неодобрением — ему не нужно это государство в государстве. Но пока — ситуация под контролем.

«Шумовский, продавал квартиры, предназначенные на съем. Через два месяца хозяева квартир приходили и требовали с жильцов плату. Жильцы резонно замечали, что квартира теперь их полная и безраздельная собственность. Хозяева возмущались и пытались выгнать наглых жильцов вон. Тем временем Шумовский был уже в другом районе и под личиной другого агента продавал очередную квартиру недалеким, но состоятельным гражданам, — вспомнил Гордеев. — Такой же аферист, как и мой Ольховский. И фамилия такая же красивая. Ленке бы понравилась. Только я честный — я у богатых деньги забирал, а этот... А что этот? Тоже у богатых. Сейчас на квартиру только у богатых деньги и есть. Но убивать Бурцева? Этот навряд ли. Не будет он руки марать, да и незачем ему».

Рядом с паханом терся любопытный тип. Кличка — Румын. Маленький, худой, чернявый, взгляд злой, цепкий. И язык хорошо подвешен, судя по всему. Держатель подпольного борделя, где работали, в частности, несовершеннолетние. В первый же день его пытались опетушить, думали, легкая попалась добыча, но не тут-то было. Маленький-то маленький, но злой. Избили его, конечно, зубы выбили, отбили почки. «А мне не впервой» — сплевывая кровь, прохрипел Румын, когда его на крест уносили. После этого как-то зауважали Румына, даже Корень в свое окружение принял. А и то сказать — Румын рассказчик отменный, а кто еще может потешить царя, как не любимый сказитель или шут. Румын весело осклабился на какое-то замечание Шумовского и ответил ему так, что все, кто был рядом, схватились за животы. Даже пареньки, которых Шумовский обхаживал, прикрыли ладошками рты, чтобы не сердить своего покровителя. Но покровитель все равно рассердился и отвесил каждому подзатыльник.

— Румын нынче в ударе. Ну, расскажи байку! — требовал пахан.

Вот Румын может убить человека. Теоретически. А практически — сомнения что-то берут. Ножом пырнуть — это он запросто, рука не дрогнет и глаз не подведет. А вот удавка — нет, силенок не хватит.

Второй уголовник, который около пахана крутился, Мочало, послужной список имеет немалый. Но ни одного мокрого дела. Разбойные нападения, грабежи — все это есть, но ни одного убитого на его совести.

Щетка вот этот из головы не идет. По всем статьям — он убил Бурцева. Но пахан-то тоже не фраер. Если он Гордеева в камеру пускал, должен был понять, что Щетка выделяется среди всех, и весьма отчетливо. Значит, не Щетка. Или пахан — шахматист? Продумал игру на три хода вперед. Если Щетка похож на убийцу, а я пускаю в хату чужого, чужой думает, что, раз я его пустил, то Щетка, который первым на глаза попадается, тут ни при чем. А может, все проще. Может, ссучиваться-то он и не хочет, а вот сдать Щетку, который у него, кстати, явно не в фаворе, надо бы.

В хате с прошлой недели проблемы — в хате нет петуха. Наркомана, который сидел тут раньше и готов был на все ради дозы, увезли в реанимацию — что он от отчаяния пустил по вене, так никто и не знает, говорят разное. После того, как Шира увезли, уголовники подступались к разным мелким жуликам, но те либо давали отпор, либо просились в другую камеру, один изрезал себя всего отточенным черенком ложки. Сейчас он сидел на своих нарах неподалеку от пахана, местами еще перебинтованный, но решительный. Этот парнишка тоже был интересным экземпляром. Знакомился с состоятельными, часто известными публике немолодыми уже дамами и уламывал их поиграть в садо-мазо. Все это записывалось на скрытую видеокамеру. А потом дамам предлагалось на выбор: выплачивать находчивому юноше деньги или ждать, когда кассета увидит свет в серии «Домашнее порно». В милицию нести заявление дамы стеснялись, там ведь потребуют вещественное доказательство, а оно постыдное. Но в последний раз Стилист, как его прозвали еще в прошлую отсидку, когда он тоже шантажировал известных женщин, обещая опубликовать в прессе их фотографии без макияжа, прокололся — связался с теряющей популярность певицей, которая не только подала на него в суд, но и, не особо стесняясь, продемонстрировала всем особо пикантные кадры. Это повысило ее популярность так, что ее даже пригласили сниматься в молодежном эротическом сериале.

Стилист точно ни при чем. Ему кулак посильнее сжать — и швы разойдутся.

Гордеева всегда поражали такие уголовники — способные убить себя или изуродовать, только чтобы избежать опетушения. А что бы он сделал сам? Вступил бы в драку, как Румын, — да. До смерти, не ради спасения. Умереть, но нанести ущерб противнику. А вот так, бессмысленно, самому себя покромсать — зачем?

На нижних нарах, неподалеку от параши, сидел старик с обвислыми щеками и красными, слезящимися глазами. Дышкант Михаил Михайлович — раньше был важной шишкой. Попался на взятках. Теперь вот ждет суда. Видимо, он так до конца и не понял, что с ним произошло.

Скрипач, проходя мимо, сделал в его сторону неприличный жест. Камера захохотала, а старик никак не отреагировал, как сидел, уставившись в пустоту, так и сидит.

— Эй, министр, расскажи, как ты жил, побалуй сказочкой, — обратился к нему Коренев.

Дышкант повернул в его сторону отечное старческое лицо.

— Оставьте меня, молодой человек. Я вам ничего не сделал.

— У-у-у! — закривлялся Румын. — Скрипачок, ты смотри, дедушка старшим хамит! Что с ним за это сделать надо?

— Оставь его, Румын, я тебе сам сейчас сказку расскажу, — остановил его Скрипач.

— Расскажи уж, уважь! — благосклонно кивнул пахан.

— А дело было вот как! — возвращаясь на свое место, начал Скрипач. — Когда я папу родного порешил — меня тетки скрутили и в дурку упекли. Главное, я на них смотрю, на все вопросы отвечаю, а они заголосили: «Сдвинулся наш мальчик из-за этой математики и физики, совсем его в институте этом замучили». Ну, если кто не знает, я на красный диплом шел. Засунули меня в палату, а там ничего такие мужики, смирные. Все к койкам привязаны. Ну и меня тоже привязали. И был там санитар один — мелкий, вроде Румына нашего. Только трусливый человек и злой. Звали — Семецкий. Очень любил подойти к человеку и издеваться над ним. Одному на лицо помочился, другому в глаза перцу сыпанул и смотрел, как тот, привязанный, мучается. А потом один дядя, я думал — он совсем не в себе — как-то выбрался, то ли его развязали, раз он совсем ничего не говорит и не шевелится — и схватил этого Семецкого. А дядя такой был, типа Щетки нашего. Схватил за плечи и держит, и смотрит на него. Семецкий сначала обосрался — вонь пошла по всей палате невыносимая, а потом как-то обмяк у дяди в руках и все. Умер от страха. А дядя с ним ничего не делал, все это видели, просто, говорит, хотел в глаза ему посмотреть, понять, почему он злой такой.

— Понял, Румын? Не трогай старика, а то он в глаза тебе посмотрит! — наставительно сказал старый вор.

— А пусть-ка дедок Румына нашего за плечи подержит, — предложил Мочало. Видно, скучно ему стало, хотелось как-нибудь поразвлечься.

— Я тебя самого сейчас за плечи подержу, — лениво отозвался Румын, — сзади.

— Оставьте меня, я ничего вам не сделал! — снова сказал старик Дышкант.

— Чего это он? — удивился Мочало. — Мы его и пальцем не тронули.

А это, оказывается, один из мальчиков квартирного махинатора Шумовского забрался на верхние нары и льет старому на голову воду тоненькой струйкой из жестяной кружки.

— Ну что, дед, взятки брал? — спросил у него Шумовский, развалившись на нарах. И вся хата замолчала, ожидая продолжения.

— Не сметь со мной так разговаривать! — вдруг взорвался старик. Слезливые глаза метнули молнии — видно стало сразу, что на свободе он занимал высокий пост.

— А почему? — ласково улыбаясь, спросил Шумовский.

— Ты кто такой? Мальчишка, сопляк!

— Я — сопляк? — по-кошачьи потягиваясь и легко оказываясь на ногах — а только что, казалось, лежал, расслабленно и вальяжно растянувшись на нарах. — И когда же ты мне сопли вытирал, дедушка?

Пахан подозвал Мочало и Щетку и неторопливо о чем-то повел с ними беседу. Румын тем временем подошел поближе к месту разборки — очень ему снова захотелось поучаствовать.

— Я не собираюсь с вами разговаривать в таком тоне! — отрезал старик. — Я буду разговаривать только с вашим начальником!

— Вот это уже дело, — улыбнулся Коренев. — Вижу, что мужик ты неплохой, хоть и бывший эксплуататор. Фамилия у тебя только неудачная. Ну что это такое — Дышкант-Мудышкант? Будешь зваться Мухомор.

Шумовский недовольно вернулся на свое место. Такую потеху пахан сбил. Как бы он сейчас поиздевался над этим стариком, на потеху камере и на пользу себе. А теперь — юнцы, которые только что смотрели ему в рот, уже куда-то в сторону отползли. Очень хотелось, видать, Шумовскому в лучшие люди камеры выбиться. Ну чем, чем он хуже Румына или Скрипача? И собой покрепче, и мужики его во дворе уважали. Стилист, конечно, псих, с ним не тягаться. Щетка и Мочало — настоящие уголовники. Надо попасть в их круг, закрепиться и удержаться.

Шумовский посмотрел на Гордеева, и, видно было, что мысли копошатся в его голове, а потом вдруг объявил на всю камеру:

— Либо ты мент, либо — петух.

Это он не со зла сказал, и не потому, что действительно Гордеева заподозрил. Просто всем было скучно, духотища стояла неимоверная, так или иначе какая-нибудь стычка случилась бы, а тут — удобный повод, новенький явился, явно не из уголовного мира — опустив такого, можно легко подняться самому.

— Это ты мне? — переспросил Гордеев. Драться, тем более с этим рыхловатым мошенником, не хотелось.

— Такими словами не бросаются, — заметил Румын, — судить будем всей хатой!

Румыну Гордеев явно приглянулся — нормальный мужик, пахан его приветил, а он не возгордился, сел, где указано, молчит, уголовником казаться не пытается. Ну что ж — не повезло ему, не сидел еще, законов воровских и обычаев не знает. Но держится спокойно, сам по себе, не заискивает ни перед кем и чертей строить не пытается. Таким мужикам и на зоне ничего злого не делают, если сами, конечно, не нарываются.

— Судить, судить! — загалдела камера.

Глава 17

...Начать решили с квартиры Валерика, который, во-первых, был причастен к трудоустройству Бурцева в «Орбиту», а во-вторых, именно у его друзей-приятелей Бурцев познакомился с Фирсовым. Но Валерик, а точнее, Валерий Павлюченко знать ничего не знал:

— Да, клянусь вам! Какие уголовники! Какой притон! Собирались друзья, старые знакомые, еще со школьной скамьи. Преферанс, вист по копеечке, считай, просто на интерес. Тут чужих людей-то отродясь не было.

— Как часто вы собирались? — спросила Лена.

— Да раз в неделю, не чаще, по пятницам. Но это вовсе даже не обязательно — если компания соберется, если настроение будет...

— Бурцев бывал у вас регулярно?

— Андрюха? Да уже полгода не показывался. По крайней мере у меня.

Лена так и вцепилась в проговорившегося Валерика:

— У вас не показывался? А у кого?

Павлюченко пытался как-то выкрутиться, все твердил, что знать ничего не знает. Но он не ведал Лениной хватки.

— А между прочим, вы знаете, что статью за содержание притонов у нас никто не отменял?..

— А машину «ауди» двухтысячного года выпуска вы на доходы с научно-инженерной деятельности приобрели?..

— У нас есть показания, что вовсе не по копеечке играли. И не только в преферанс. В покер тоже по копеечке ставили?..

— А Бурцева вы нарочно устроили в «Орбиту», чтобы потом легче было шантажировать и провоцировать кражу?..

Вот на этом Павлюченко и сломался. Известие, что его подозревают в соучастии в какой-то краже из закрытого научного центра он не выдержал. «Сейчас еще шпионаж припаяют», — подумалось ему.

Валерик сдался. Назвал всех, кто бывал у него на «пятничных вечерах», сказал телефоны и адреса. Среди названных имен оказался и Сашок, на квартире у которого Бурцев познакомился с Фирсовым.

— А вот с этим персонажем вы знакомы лично? — и Лена показала ему копию фотографии из дела Аронова.

Валерик замялся, но потом ответил твердо и глядя Лене в глаза:

— Нет. С этим я не знаком.

Лена попрощалась с хозяином квартиры холодно. Однако оставила свой номер телефона с наказом позвонить, ежели что вспомнится. И уходя, заметила, как бы невзначай, что помощь следствию обычно ставится в заслугу при рассмотре других прегрешений.

Звонок от трусливого хозяина подпольного игорного дома раздался, когда Лена с Андрюшей не успели отъехать от его дома и на квартал.

— Елена Викторовна... Это Павлюченко... Вы знаете, я вспомнил... да!.. Как я понял, вы ищете Фирсова?... Я знаю, где его можно найти.

Чертыхаясь и чуть ли не матерясь, Лена с Андрюшей двинулись обратно к дому Валерика.

— Вы только меня не выдавайте! Это действительно страшные люди — уголовники... Я и Бурцева предупреждал, когда он с ними играть садился.

— А вы сами?

— Я — с Фирсовым?! Да ни в жисть!

— Но все-таки, вы с ним знакомы?

— Да, знаком, — удрученно произнес Валерик.

— Рассказывайте.

— Да рассказывать тут особо и нечего. Он приходил к нам играть. Но для него тут было слишком мелко. Он пытался меня уговорить сделать по-крупному, но я отказался. Я встречал его пару раз в казино. Последний раз — недели две назад. Он мне сказал, что если я надумаю, то его можно каждый вечер найти в «Матросской тишине».

— Что-о? — сказать, что Лена была изумлена, это значит — ничего не сказать. Кажется, у Валерика рассудок помутился от страха перед служителями закона. — Он вас в тюрьму приглашал на ужин?

Павлюченко нервно хохотнул:

— Да нет! Вы же не местная, не знаете. «Матросская тишина» — это ресторан такой. Новый и очень модный. Я в него не хожу — дорого. А вот Фирсову, видимо, по карману каждый вечер там ужинать.

«Матросская тишина» и правда напоминала одесские кабаки времен интервенции или знаменитый «Трактир на Пятницкой» середины двадцатых годов. Однако заведение вовсе не являлось дешевым бандитским притоном, скорее, здесь просто торговали романтической атмосферой, столь милой сердцу современных братков и воротил криминального бизнеса. Перед въездом на охраняемую стоянку у ресторана висел рекламный плакат: «Мы здесь вас не тусуем — мы вас вкусно кормим». А на самой двери массивного темного дуба еще один: «Посетите «Матросскую тишину» — почувствуйте вкус жизни!»

Вкус жизни тут был специфический. Небольшая эстрада, на которой певец в белом костюме, подозрительно похожий на Филиппа Киркорова, пел что-то щемящее под аккомпанемент, напоминающий три блатные аккорда «Мурки».

Столики, рассчитанные на большую компанию, окружали низкие диванчики, обитые малиновым бархатом — под цвет тяжелых портьер, скрывающих посетителей от яркого уличного солнца. Во всем царила некая театральность. И тяжелые низкие люстры, и драпировка стен — все это отдавало бутафорией. Надо признать, что очень дорогой бутафорией. Меню, похожее на театральную программку, сверкало золотом печати и предлагало изыски старинной русской кухни с еврейским колоритом. Царская уха из осетрины, стерляди и семги соседствовала с фаршированной щукой. А соленые царским же способом рыжики — с тушеными баклажанами и форшмаком.

Намеком на тюремную тематику, звучащую в названии заведения, служила униформа официантов. Все они были одеты в арестантскую полосатую робу, нарочито небриты и в дурацких бумажных шапочках. Всем своим видом они старались напоминать беглых каторжников позапрошлого века, разве что кандалами не бряцали, вместо кандалов у них для бряцания были столовые приборы. Лена вошла в ресторан одна. Андрюша и группа захвата должны были прибыть отдельно.

В Питерском угро даже оказался гардероб для ведения слежки, который предложили Лене. Гардероб, правда, оказался довольно устаревший и потравленный молью. Лена, привыкшая к качественной и дорогой одежде, капризно подвигала своим точеным носиком и про себя пожалела, что не взяла в Питер ни одного вечернего наряда от Лагерфельда, к которому она питала большую слабость.

Однако, войдя в ресторан в открытом черном платье, которое стелилось по полу и было расшито чудовищными на современный вкус блестками, Лена поняла, что подобное одеяние как нельзя кстати вписывается в общую атмосферу «Матросской тишины».

Лена подошла к столику, рассчитанному на одного посетителя, и царственным жестом указала официанту, чтобы он отодвинул для нее кресло. Подскочивший к ней «каторжник» начал бормотать, что данный столик заказан.

— Вы уверены?

— Да, прошу прощения, сейчас мы вам подыщем другое место.

— Я что, собачка? Место мне искать?

— Простите, вы можете выбрать сами — любой стол, кроме этого...

— Я выбрала этот, и я сяду здесь. Вы даже не поинтересовались, может, я и есть та самая особа, которая столик заказала. К тому же никакой таблички, что место зарезервировано, я не увидела. Если вы не потрудились ее поставить, то выгонять даму — дурной тон, как минимум. Это ваша небрежность и забывчивость, а мне нравится именно этот столик.

В Ленины планы совершенно не входило затевать скандал, к тому же с обслугой. Но эта легкая перебранка была ей на руку, на нее оборачивались и обращали внимание.

Лена, игнорируя дальнейшие бормотания официанта, уселась за столик и начала лениво перелистывать меню, исподтишка разглядывая других посетителей «Матросской тишины». Заведение, открывшееся не так давно, и правда оказалось популярным, несмотря на ранний для ужина час, пустующих столиков было немного.

Однако никого похожего на Фирсова-Аронова тут не наблюдалось.

«Будем надеяться, что привычек своих он не изменил», — подумала Лена и решила, что стоит заказать что-нибудь из предложенных деликатесов. Она вспомнила, что последний раз ела накануне. А потом была очень бурная ночь. И утром им с Гордеевым было не до завтрака — Юра торопился в тюрьму. Интересно жизнь роли распределяет — Гордеев сейчас в Крестах баландой давится, а Лена, в рабочем платье проститутки образца восьмидесятых годов прошлого века, стерлядок с перепелками заказывает — и все ведь ради дела.

Только она хотела подозвать официанта и сделать заказ, как по залу ресторана прошел легких шорох. Скорее, даже шелест. Повинуясь общему движению, Лена посмотрела на дверь. Там был Фирсов. А точнее говоря, Максим Аронов. Здоровый, как трехстворчатый шкаф, и с головой гладкой, как бильярдный шар. Он вошел в сопровождении трех мужчин, всем своим видом показывающих, что они «на работе». «Ох, рано встает охрана», — подумала Лена и ей стало смешно, правда ненадолго, потому что Аронов большими шагами направлялся к ней. Точнее, к ее столику. За ним семенил официант-«каторжник» и по пути что-то пытался объяснить, заискивающе кивая. Сопровождение карточного шулера отправилось к соседнему столу, накрытому на три персоны. Видно было, что здесь их знают и уже ждали. До Лены медленно начало доходить, что она как раз и заняла столик, предназначенный Аронову. О такой удаче она и мечтать не могла — повод для знакомства сам плыл в руки, такое не рассчитаешь и не придумаешь!

Но персонал, видимо, скандала избегал всеми силами и для постоянного клиента им удалось найти свободный столик в непосредственной близости от Лены. Лена радостно и очень открыто улыбнулась Аронову, но тот посмотрел на нее холодно.

В этот самый момент в ресторан вошли два оперативника. Они должны были изображать из себя подвыпивших нефтяников, сибирских королей, приехавших гульнуть в столичный город. Надо сказать, играли они свои роли неплохо, будто действительно приехали из Сибири:

— Ска-а-ажите, а это казино «Колыма»?

Метрдотель отвечал им вежливо, но было видно, что

данная компания не является клиентами его мечты. Однако выгонять их никто не стал. Переодетые милиционеры заняли один из центральных столов и шумно начали читать меню вслух, будто только вчера осилили букварь и сильно этим фактом гордились.

«Да уж, группа поддержки у меня та еще», — улыбнулась про себя Лена и, решив действовать самостоятельно, двинулась в сторону Аронова.

— Здравствуйте, тут, видимо, произошло недоразумение... Я, кажется, заняла ваш столик?

Максим Аронов смотрел на нее заинтересованно. Точнее, не смотрел, а осматривал с выражением опытного оценщика.

— А почему вы решили, что это мой столик? — ответил он вопросом на вопрос.

— Ну догадалась... — Лена улыбалась ему как можно умильнее.

— Да что вы, барышня! Вы первая пришли и место взяли. Меня тут не обидят, не извольте беспокоиться.

«Нефтяники» шумели, не умолкая ни на минуту. Требовали ананасов в шампанском. Аронов кинул свою реплику и умолк. На продолжение знакомства явно не претендовал. Говорить было больше не о чем. Лена еще раз улыбнулась, умильней прежнего, и вернулась на свое место.

Аронов кратким жестом подозвал «бойца» из своего сопровождения, шепнул ему что-то, а потом поднялся и пошел к Лене:

— Если вы действительно испытываете неловкость от того, что заняли мой столик, то у вас есть все шансы эту неловкость загладить.

«Все же клюнул!» — обрадовалась Лена и снова начала сиять ослепительными улыбками.

— Вы не согласитесь со мной потанцевать?

И в этот момент раздались первые аккорды аргентинского танго. Что Лене оставалось делать? Она встала и пошла.

Увидев, что Лена идет под руку с Ароновым к пятачку возле небольшой эстрады, оперативники за соседним столом напряглись, приготовились к активным действиям. Но не успели танцоры сделать первый шаг под томительное танго, как в зале ресторана внезапно погас свет. Тут же смолкла и музыка. После секундной паузы в темноте раздались встревоженные голоса посетителей.

Темнота длилась менее одной минуты, в зале даже паника не успела вспыхнуть — так, легкое замешательство. И когда свет и аккорды танго вернулись — все было по-прежнему. Вот только ни Лены, ни Аронова с его охраной в зале уже не было. На месте, где только что находились Аронов и Лена, теперь стояли «нефтяники», подозрительно держа правые руки за пазухами...

Глава 18

— Судить, — согласился пахан. — Идите сюда оба, на мой строгий и справедливый суд. Ты, Румын, адвокатом будешь. А вам, Щетка и Мочало, приговор исполнять. Тут — присяжные, — пахан указал на Стилиста и Скрипача.

Быстро организовали декорации.

— Итак, ты, Волчок, обвиняешь Газетчика. Я правильно понял?

Шумовский, которому очень шло прозвище «Волчок» — не волк еще, не волчонок, а именно волчок, кивнул головой.

— Производится слушание дела — Волчок против Газетчика! — на всю камеру объявил Румын. Шестерки Шумовского захихикали, но на них цыкнули с соседних нар.

— Расскажи нам, Газетчик, ничего не утаи, откуда ты и почему, кто за тебя поручиться может? — ласково спросил пахан.

— Я — Ольховский, вы меня Газетчиком назвали. Раньше не привлекался, как-то удавалось ускользнуть от закона.

— А до этого чем занимался? — спросил Шумовский. — Про газетку твою мы уже послушали, но этому делу — без году неделя. А раньше что, просто дурака валял?

— Почему дурака валял? Дело у меня свое было, но погорел...

— Какое-такое дело? — спросил вдруг Стилист.

— Контора у меня была, маленькая, но своя. Металлами торговал. С Урала возил — в Калининград толкал. Оттуда — дальше.

— В Калининград? — удивился Шумовский. — Эй, Таможня, тебе это рыло не знакомо? Говорит, металлы в Кёниг толкал.

К месту судилища подошел молодой парень, длинный и худой, как белый глист. Но жилистый и крепкий — это было сразу видно. Посмотрел внимательно на Гордеева:

— А какие металлы брал?

— Да все что плохо-хорошо лежало, все брал. И алюминий, и медь, и титан, случалось, и в дорогие сделки ввязывался, но не сошлось — погорел-таки.

— А работал с кем? — Таможня просто буравил Гордеева глазами.

И тут Юрий решил рискнуть. Нужен был хоть один провокационный ход, а то уж больно гладко он сказки плел. А что делать, и не поверят — страшно, а поверят — дело провалил. Надо, чтобы все поверили, а тот, кто ему и нужен, — усомнился бы.

— В Питере с Фирсовым работал.

Таможня посмотрел на него холодными рыбьими глазами безо всякого выражения, сказал:

— Есть такой, — и вернулся на свое место.

— Что скажете, присяжные? — обратился пахан к своим прихлебателям.

— Не мент это, — твердо сказал Щетка.

— Осталось второе обвинение, — невозмутимо сказал пахан.

Шумовский приосанился. От первого обвинения Гордеев счастливо отделался — ну кто же знал, что он с Фирсовым сотрудничал? Но как новенький отделается от второго обвинения? Молодых да глупых как ловят? «Мы верим, что ты настоящий мужик, что ты не петух. Но для справедливости надо проверить. Здесь всех так проверяли, так что нет ничего постыдного. Снимай штаны». И молодой да неопытный штаны снимает — тут-то ему и конец. «Извини, парень, обознались. Ты действительно не был петухом. Но теперь уж придется!» И налетает вся голодная камера и тянут мальчика к параше.

— Ну что, Газетчик, ответ придется держать, — жестко сказал Скрипач. Страшно представить, что вырастет из этого юноши. Может быть, выйдет после отсидки — и станет новым Аль-Капоне. Но не вернется к прежней жизни. Зато хоть с девочками славянской внешно-

202

сти вдоволь накувыркается. Если на зоне не привыкнет окончательно к мальчикам.

Гордеев напрягся, готовый в любой момент дать отпор. Даже машинально сжал кулаки.

— Послушай, Шумовский, а не о тебе ли мне Грум говорил? — поднимаясь с нижних нар неподалеку от пахана, спросил тощий уголовник, голый по пояс, весь в наколках.

— Грум? Не знаю о таком, — ответил Волчок.

— А он про тебя знает. Грум, — поворачиваясь к пахану, пояснил татуированный: — Это тот, который мальчиков сдавал в аренду. Точно там Шумовский был.

— Мало ли в стране Шумовских? — нервно дернул щекой Волчок.

— И говорил мне Грум, что ты любишь, когда мальчики при тебе ласкают друг друга, а ты смотришь. Потому что сил на то, чтобы их поласкать, у тебя нет.

— Пошел он, твой Грум! — вскочил Шумовский. — Я больше одного мальчика за раз...

— Что-что? — приложил ладони к ушам Румын.

— Это неправда, — тяжело дыша, ответил Шумовский.

— Ну мы поглядим, поглядим! — ответил Щетка, засучивая рукава. — Ганс не соврёт.

— Зачем Гансу врать! — стукнул себя кулаком по тощей груди татуированный. — Ганс попался, как мальчишка-чертяка, теперь Ганс только правду говорит!

— Ну что ж, Волчок, — притворно вздохнул пахан, — вот ты и сам подписал себе приговор. Заточка на столе.

Уголовники — тоже люди. Они дают проштрафившемуся право выбора: перерезать вены или быть опущенным. Волчок подошел к столу. Его шестерки напряглись, мечтая только об одном, чтобы он сейчас полоснул заточкой по одной руке, по второй, а они бы потом на зоне говорили, что Волчок, который умер, а не сдался, был их корешем.

Волчок потянулся к заточке. Закатал рукав. Сжал кулак, посмотрел на вены, примерился. Помедлил. Снова посмотрел на заточку.

— Курить! — прохрипел он.

Ему без слов протянули сигарету, поднесли огонь. Ясное дело — мужик перед смертью покурить хочет. Пока он курил, Гордеев рассматривал окружающих. Стилист равнодушно глядел в сторону — он уже через это прошел. Румын от нетерпения приплясывал на месте — очень ему хотелось оприходовать этого Волчка. Щетка оттягивал пальцами щеку и отпускал — он не верил в смелость Волчка. Мочало поглаживал себя по животу, предвкушая веселье.

Долго, очень долго спокойно курил Волчок. А у самого дергалась бровь. Что творилось в его голове в этот момент — так никто и не узнал.

Открылась дверь, и охранник гаркнул:

— Шумовский, с вещами — на выход!

— Ну, мужик, повезло тебе сказочно, — заметил Коренев, — сама судьба за тебя вступилась.

— Мы по параше-то передадим, кто ты есть! — зло сказал Румын.

— Нет, Румын, — отрезал пахан.

Но воры уже напряглись, приготовились к потехе, им было не остановиться.

— А что это вы, мальчики, в общей беседе не участвуете? — обратился к шестеркам Шумовского пахан. Мальчики затрепетали. Их кореш подставил их основательно — не отдуплился по-мужски и свалил. Нет теперь им спасения.

— Идите сюда, не бойтесь, — ласково сказал Румын, улыбаясь во весь рот. Вот-вот-вот, его звездный час! Наконец-то добыча, вялая, трепещущая, сама идет в руки.

— А слыхали вы, черти, что Ганс сказал? — спросил пахан, глядя на шестерок Шумовского. — Будто Волчок любит, чтобы два мальчика перед ним ласкались. А?

— Может, любит, а может, и нет, мы этого не знаем, а врать не будем, — твердо ответил один.

— Обзовись, что-то я запамятовал, кто ты.

— Мурик, Петр Мурзин. Поссал на ментовскую машину на спор. Меня и замели.

— Храбрый мальчик. А второй что же?

— Алексей Курносов. Ларек подломил.

— А что за ларек-то был? А как же ты его подламывал? — потянулся к нему Румын. Первого, Мурика, трогать точно не станут — он за правое дело пострадал, на поганую ментовскую машину поссал и был схвачен. Это искупляет его вину за дружбу с Волчком перед хатой. А вот коллега его — первый претендент на опетушение. Щетка даже перестал терзать свою щеку — тут и так было все понятно. Ганс плотоядно облизал тонкие синие губы.

Мальчишка еще совсем, девятнадцать лет, не больше. Не шпана, не гопник — небось не от скуки пошел ларек ломать.

— У сестры моей рак нашли, — опустив голову, сказал парнишка. — А лекарство стоит, как пять маминых зарплат.

— Сам-то не работаешь, значит? На мамины деньги живешь? — прищурился Скрипач.

— Уж ты бы, Скрипачок, помалкивал! — заметил Румын.

— Ты мне рот не затыкай, я тебе не шавка!

— Спокойно, спокойно. Я не хочу, чтобы такие уважаемые люди друг с другом ссорились, — сказал пахан.

«Хочет, — неожиданно понял Гордеев. — Хочет, и поэтому незаметно стравливает их друг с другом. И у Скрипача, и у Румына есть все задатки лидеров. Если они объединятся, власть в хате может перейти к ним. Умный в этой хате вор. И справедливый вроде. Но вот парню, похоже, достанется за всех. Он его не станет защищать — иначе бойцы будут роптать».

Гордееву почему-то стало жалко этого неудачливого взломщика, решившегося на преступление ради сестры. Второй-то рожа довольная, гопническая — как же, милицейскую машину обгадил, уже стоит, подбоченясь, метит в приближенные к пахану.

— Послушайте, отцы, скажите лучше, Бурцева, кореша моего, убили здесь, в этой самой камере? — спросил Гордеев, когда все замолчали в ожидании дальнейшего развития событий.

— Убили. Задушили во сне. Знаешь, как это бывает? Человек в камере ложится спать и думает, что до завтра уж с ним ничего не произойдет. А утром не просыпается. Потому что заточку в легкое всадили или задушили нежно, — пояснил Мочало.

— Отцы, я вам сразу скажу — я к его делам никакого отношения не имел. Я ничего про них не знаю и знать не хочу! — быстро заговорил Гордеев. — Я даже больше скажу — он, Бурцев, меня кинуть хотел, когда осмий украдем.

— Как быстро ты открещиваешься от своего подельника. Нехорошо, — заметил пахан.

Шестерки Шумовского потихоньку отступили к своим нарам, благословляя недалекого новенького, которому лучше бы в этот момент сидеть и помалкивать, авось не тронут, а теперь все внимание переключилось на него, и быть ему битым, а то и опущенным.

— И взял-то всего, смешно — три грамма. Это разве много? — обратился к пахану Гордеев. — Так за что его?..

— Да уж, видать, подороже порнухи с певицей! — ответил Таможня. — Осмий используется где угодно, он стоит бешеных денег и на него за границей колоссальный спрос.

— Ага, и нам в универе говорили, что он сто тысяч долларов за грамм тянет, — встрял вдруг в разговор Скрипач.

— Скрипачок у нас образованный! — поддел его Румын.

— А я вот что скажу, главное образование — оно на зоне получается. Глядите на мой диплом! — хлопнул себя по татуированному животу Ганс.

— Диплом-то больно синий, — заметил Мочало, как бы невзначай накрывая рукой заточку на столе, — как бы не сделать его красным маленько.

Ганс и Мочало вяло переругивались. Скомандовали обед. Заключенные с мисками и кружками кинулись к окошку. Лучшее, понятно, отнесли пахану и его окружению, остальное поделили между собой простые зэки. Гордеев был не особенно голоден, а при виде баланды аппетит у него совсем пропал, поэтому он подставил свою миску, когда совсем уже одна жижа осталась.

Зэки застучали ложками, уписывая баланду. Один старый взяточник Дышкант лежал на своих нарах пластом.

— Дед, ты чего? — тронул его за плечо Гордеев.

Но тот только прохрипел что-то в ответ.

— Эй, а не инсульт ли у него? — подбежал к Гордееву парнишка, который подламывал ларек.

— Позовите санитаров! Человека парализовало! — закричал в окошко Румын. — И как он везде успевает?

После того как старика унесли на крест, а зной немного спал, в камере наступило затишье — обманчивое, как перед бурей. Скрипач с Румыном мирно играли в шахматы. Ганс и Мочало прекратили пререкаться и молча наблюдали за игрой. «Ну прямо тихий час в пионерском лагере!» — подумалось Гордееву.

Главное — не поддаваться на это обманчивое спокойствие, не расслабляться.

Возможные убийцы Бурцева определились. Это либо Щетка, либо Ганс, либо все-таки Мочало. А может, Румын. А может, и Таможня. Да, за всеми следить придется. Только вот как определить настоящего убийцу? Ответа на этот вопрос у Гордеева пока не было...

Пахан добродушно взирал на своих подданных и о чем-то вяло беседовал со Стилистом. Тот, очевидно, рассказывал ему очередную байку из своей жизни порномагната.

На ужин принесли неизменный тюремный рыбкин суп. Гордеев похлебал жидкое горьковатое варево, сплюнул рыбную голову. Вспомнил воинов-спартанцев и быстро дохлебал оставшееся.

Если предполагаемый убийца проглотил наживку, то скорее всего ночью, когда все уснут, ему предстоит сражение с неизвестным пока противником. А если нет? Гордеев решил, что назавтра вставит в разговор еще какие-то подробности...

Перед сном Румын не забыл намекнуть шестеркам Волчка, что их судьба еще не решена, а слушание дела лишь отложено до лучших времен.

«Очевидно, лучшие времена настанут, когда они меня удавят», — мрачно подумал Гордеев.

Духота к ночи вернулась — видимо, завтра будет гроза. Даже на верхних нарах пахло ужасно — мочой, грязными ногами и прогорклым салом. Гордеев попытался было завернуться с головой в одеяло, но стало жарко и сразу бросило в пот.

Гордеев вынырнул из-под одеяла. На потное тело налетели комары. Настоящие болотные, матерые питерские комары, с хоботками, заточенными под лосиную шкуру. Такие и сапог прокусят.

Спящий человек отличается от притворяющегося ритмом дыхания. Надо иметь очень натренированные легкие и диафрагму, чтобы ритмично, на пять счетов, вдыхать и выдыхать воздух. Гордеев овладел этой наукой, когда еще в институте увлекся восточными учениями. Учения в прок не пошли, а вот «дыхание спящего монаха» оказалось сейчас ой как кстати.

Время шло, превращалось в длинную трубу вечности, сквозь которую летел адвокат Юрий Гордеев и вдыхал на пять счетов, а потом на пять же счетов и выдыхал. Впрочем он все-таки уснул. Потому что когда в очередной раз выдохнуть на пять счетов не удалось, Гордеев очнулся и понял, что сероватый свет питерской ночи заслоняет ему чья-то тень, а горло сдавливает удавка.

Противник попался тощий. «Ганс!» — мелькнула мысль у Гордеева. Сражение на верхних нарах закончилось быстро. Не ожидавший отпора убийца скатился вниз и, видимо, что-то себе сломал, потому что ахнул, а потом выругался по-немецки.

«Точно Ганс!» — уверился Юрий.

Но это оказался Таможня.

Остальные зэки повскакивали с мест, окружили неудачливого убийцу.

— Таможня? — опешил Румын. — Ты чего это, в «грузчики» подался? А Бурцева тоже ты?

Белый тощий глист молчал в ответ. Только дышал тяжело.

Глава 19

Лена очнулась на заднем сиденье «мерседеса», по бокам от нее находились два бойца из охраны Аронова. Сам Максим сидел на переднем сиденье рядом с водителем. Куда они ехали и зачем, было совершенно непонятно, Лена даже толком не могла восстановить причину своего краткого беспамятства — она пошла танцевать с Ароновым, погас свет — и вот она едет в «мерседесе». Лихо!

Пока никто не заметил, что пленница пришла в себя, и она благоразумно решила этого не афишировать. Прикрыв глаза, принялась размышлять:

«То ли у этого карточного шулера такой метод знакомиться с понравившимися ему девушками, то ли я все-таки вызвала у него какие-то подозрения. Первый вариант сомнителен, при столь подробном досье вряд ли были бы опущены детали подобной привычки. Значит, раскусил... А я-то радовалась, что он клюнул. Это кто кого клюнул, спрашивается. И главное, как дело обставил — оперативники и глазом моргнуть не успели... Да и я, собственно говоря, хороша. Теперь мне кроме себя рассчитывать не на кого. Ну и ладно...»

Вот интересно, он просто понял, что его пасут, или откуда ветер дует вычислил? Спасет меня моя корочка со словами «Генеральная прокуратура» или погубит? Кстати, корочки с собой и нет. Поверит ли Аронов на слово, что я следователь?..»

— Просыпайся, красавица, приехали!

Машина и правда остановилась. Лену похлопали по щекам, брызнули на нее какой-то прохладной жидкостью. Пришлось «проснуться».

Серебристый «мерседес» стоял на зеленой лужайке перед солидным особняком розового кирпича.

Охранники выволокли Лену из машины, поставили на ноги и слегка подтолкнули. Она вошла в дом. Сопровождавшие ее охранники провели ее по темному коридору, вывели во внутренний дворик-атриум с бассейном, усадили в шезлонг, сунули в руку бокал с соком и соломинкой и удалились.

Лена подозрительно понюхала сок, пахло свежими апельсинами. Она сделала глоток — ничего не произошло. Перестав сомневаться, Лена с удовольствием сделала глоток.

И тут вышел Аронов, сел в шезлонг напротив Лены и уставился на нее. Молча. Она тоже молчала.

— Ты кто?

— Лена.

— И чья ты?

— Мамина. — Бирюкова понимала, что более идиотский ответ придумать было трудно, но она просто тянула время.

Аронов неожиданно расплылся в улыбке:

— Так ты от Юрки Мамина? И чего? Я же ему ничего не должен...

— Нет, вы не поняли. Я не от Мамина. Я просто ничья. Я мамина и папина.

— Хорошо, мамина-папина, а пистолет у тебя чей?

Вот чертовщина, и зачем она пошла танцевать. Наверняка он обо всем догадался во время танца. Возможно, нащупал пистолет... Но что ей оставалось делать? Отказаться от танца она не могла — сама же на знакомство напрашивалась.

Лена думала, боялась сказать лишнее, боялась сказать вовсе не то. Молчание затягивалось. Надо было снова решаться. Или пан — или пропал.

— Максим Анатольевич! Вам, кстати, привет от следователя Сергея Пендюрина. Который вел ваше дело.

Аронов был удивлен. На самом деле удивлен. Но внимательно следящая за ним Лена готова была поклясться, что удивлен он был приятно.

— Так что ж ты сразу не сказала, ласточка? Что ж ты сразу не сказала?

— А вы сразу и не спрашивали. Как спросили, так и ответила, — огрызнулась Лена. Она поняла, что самое страшное уже позади. Имя следователя Пендюрина оказалось тем самым заветным ключиком к карточному шулеру.

— А что за потребность у Сергея Михайловича во мне возникла? — поинтересовался Аронов.

— Ну это он вам сам расскажет.

— Так и я про то же. Что же сам не спросил, не позвонил, не вызвал?

Аронов явно издевался, но как-то беззлобно.

— Скажите, Максим Анатольевич, а вы только Пендюрину на вопросы отвечаете? А его сотрудникам нет?

Максим усмехнулся и догадался:

— Молодая. Выслужиться хочешь, инициативу проявляешь? Ну спрашивай старика, я сегодня добрый.

— Спрашиваю. Вы были знакомы с Бурцевым?

— Ох! Итить твою!.. Прости, ласточка! Имя это уже слышать не могу. Заколебало...

Лена тактично молчала. Наконец, когда ругательства иссякли и первая волна раздражения поутихла, Максим начал рассказывать:

— Понимаешь, ласточка, я честный шулер. Я игрок. Я катала. Меня все знают и мне прятать нечего. Питер — это мой город, и каждый тут дорого отдаст, чтобы со мной сыграть. Я на гастроли в Сочи не езжу. Я дома работаю. Но времена меняются. Я остался тем же, а вот время совсем другое стало. На другой мир мне было наплевать. С банками и бензоколонками я не связывался. Даже на казино мне было наплевать — не понимаю я этих муравейников. Игра не только денег, игра тишины и уюта требует. Мне на многое плевать было. Я делал свою игру и мне никто не мешал. Но пару лет назад все сломалось. Гастролеры приехали. Из Кёнига, Калининграда. И принялись город делить. Плохо делили. Все лакомое себе забирали. Весь картежный мир в двойное подполье ушел — и от ментов своих, питерских, и от людей чужих, пришлых. Но в подполье долго не просидишь. И недавно я крепко попал. Не в том месте и не с теми людьми играть сел. Много должен остался. Мне такой долг не отдать, старый уже стал, да и город уже не мой. И мне Бурцева, этого сучонку-фраерка заказали. Чтобы я свой долг на него перевел. Я сделал. Хотя я сразу видел, что денег у него таких тоже нет. Для себя я бы с ним не сел. Мы его за два месяца закатали. А потом мне эти «корабельщики» велели не деньгами с него брать, а осмий потребовать. Я потребовал. И все. Больше я об этой истории ни малейшего понятия не имею. Я умыл руки.

— Максим Анатольевич, а почему вы не явились позавчера на место встречи, где вам Бурцев должен был передать осмий?

— А он мне ничего и не был должен. Туда уже «корабельщики» должны были явиться. Я же говорю тебе, Леночка-ласточка, я умыл руки.

— Хорошо, но на ту встречу вообще никто не явился...

— Этого я уже знать не могу. — Аронов широко развел «умытыми руками».

213

— А какие у вас контакты с этими калининградцами?

— Никаких. Я их сам никогда не искал — они меня искали. А как Бурцева я дожал, так они и пропали. Я думал, что они дело сделали и наконец оставили в покое старого еврея.

— Вы знаете, что Бурцев убит?

Вот тут Максим Аронов испугался по-настоящему. Он побледнел.

— Как убит?! Кем?! Леночка, вы поверьте...

— Да верю я вам, Максим Анатольевич, только я думаю, что вам это небезынтересно. И вы должны сейчас нам помочь выйти на этих самых «корабельщиков». Для вашей же безопасности!

— Был бы рад! Рад был бы! Но у меня их — ни концов, ни якорей, честное слово! — И понизив голос до интимного шепота, Аронов добавил: — Только вам, Леночка, скажу, потом ото всего открещусь. Я узнавал. Так, обрывки, по старым каналам. Нет их в городе. Я думал, что они дело сделали да и свалили. Но еще слушок был, что опять власть менялась-делилась. Что на Питер новые хозяева целят. Я тогда этот слушок пропустил, но вдруг вам и пригодится.

Лена спросила, и тоже шепотом:

— А что за слушок-то?

— Слушок такой, что калининградцы с чеченами столкнулись. Только не говорил я вам этого. Видит бог!

— Ну что, живой? — улыбнулся Гордееву Мяахэ.

— Да, спасибо вам!

— Ну и слава богу! Нам бы только еще одного подобного инцидента не хватало. — Николай Петрович продолжал счастливо улыбаться, что все так благополучно обернулось. И без жертв.

Гордеев сидел за тем же самым столом, что и сутки назад, кожей ощущая холод кондиционера. Казалось бы, незаметный агрегат, но какой полезный. Этой ночью он ощутил всю его необходимость сполна. Стоит только лишиться чего-то неизбежного, но важного — и вот, пожалуйста. Комары только покусали. Восточные медитации не спасают от последствий укусов северных мелких монстров.

— Куухолайнен Тоомас, вот гнида курляндская! — выругался Мяахэ, читая дело уголовника по кличке Таможня. — Давно сидит, уже полгода как. Тихий и незаметный, ни сопли от него, ни пряников. Сел именно за контрабанду, оттуда и кличка. Первый раз попался, ни нареканий, ничего. А вот ведь как дело обернулось...

— Хорошо, Максим Анатольевич! Допустим, этого вы мне не говорили. Ну а что касается Бурцева, то показания все же придется дать. Бурцев убит в Крестах, по факту его смерти возбуждено уголовное дело. И вы единственный, кто может пролить свет на происшедшее.

— Леночка, но как же я могу давать показания против себя самого? — всплеснул руками Аронов.

Лена Бирюкова и так понимала, что наглеет и перегибает палку. Во-первых, воспользовавшись именем неизвестного ей следователя Пендюрина («Нет чтобы с предыдущим его следователем проконсультироваться, может, и не пришлось бы тогда весь этот бал-маскарад в «Матросской тишине» устраивать», — выругала Лена сама себя). Во-вторых, и правда, глупо было требовать, чтобы старый шулер давал показания о том, как он раскрутил Бурцева и вынудил того совершить кражу. Максим Аронов это ей так, в приватной беседе рассказал, к тому же она в его доме, и ее местонахождение никому неизвестно. Но отступать было некуда. Показания Аронова и правда были ценными, к тому же прорисовывались новые фигуранты — гастролеры из Калининграда, а выхода на них нет никакого. Лена решила давить не на сознательность — какая же сознательность может быть у картежника! — а на проблемы безопасности самого Максима Анатольевича.

— Вы поймите, мне от вас не нужны показания, что вы Бурцева подставили. Мне нужны показания, что подставили вас. И кто вас подставил. Максим Анатольевич, то, что Бурцев убит, — это не шутки. А он успел рассказать только про вас.

— Кому он рассказать успел? — не на шутку встревожился Аронов.

— Пока только мне, — поспешила успокоить его Лена. Но тут же сообразила, что слово «пока» к откровенности покойника неприменимо, а испуг шулера ей только на руку, и добавила: — А что он такого сказал в камере, какие имена успел назвать и по какой причине его убили — неизвестно.

— Ласточка, но это и мне неизвестно...

— Максим Анатольевич! — Лену уже стало раздражать это обращение «ласточка». — В тюрьму мы вас сажать не собираемся. К тому же претензий к вам никаких...

Тут Лена, конечно, лукавила — насчет претензий, но было понятно, что «явки с повинной» она от Фирсова-Аронова вряд ли дождется.

— Так каких же показаний вы от меня ждете? — Максим все никак не мог взять в толк, к чему клонит следователь.

— Как вас шантажировали калининградцы, — выпалила Лена на одном дыхании.

216

— Ну что ты, ласточка! Я после таких показаний недолго по свету гулять буду. Это же как смертный приговор самому себе подписать. Сама же говоришь, Бурцева убили...

— Потому и убили, что он про них ничего не стал рассказывать. Подстраховались. И как только вы дадите показания против них, вы сразу перестанете быть опасным. Они же не народные мстители. Им просто не будет смысла вас убивать, после того как вы все расскажете.

С большим трудом, но Лене все же удалось уговорить Аронова поехать с ней в город, чтобы там официальным путем зафиксировать все рассказанное ей в частном порядке.

Максим велел охране подать «мерседес» и объявил, что едет один. То ли ему не хотелось появляться в управлении на Огарева в сопровождении целой толпы, то ли он чувствовал себя в полной безопасности рядом с Леной, которая хоть и женщина, но все же представитель правоохранительных органов. Конец Лениным уговорам положил сам Максим, галантно согласившись «посодействовать карьере такой милой ласточки». Видимо, он так и продолжал считать Лену молоденьким стажером, который лезет в самое пекло поперед батьки, и допрос Аронова она наверняка учинила по собственной инициативе, чтобы добиться благодарности высокого начальства. Стареющему ловеласу не хотелось сознаваться в том, что он действительно напуган, вот он и повернул разговор так, будто делает Лене личное одолжение. Как бы то ни было, уже через четверть часа карточный шулер и младший следователь Генпрокуратуры ехали на серебристом «мерседесе» по Нижнему Приморскому шоссе по направлению к Петербургу. Аронов рассказывал о живописном месте, где он построил себе дачу. Его дом находился на самом побережье Финского залива между Комарово и Репино. У Лены названия этих населенных пунктов ассоциировались с чем-то знакомым. «То ли тут Пастернак жил, то ли Ахматова тут похоронена», но свою неосведомленность она не стремилась обнаруживать. Он, видно, действительно поверил, что Леночка-ласточка работает под начальством Сергея Пендюрина, засадившего его в первый раз, и к которому он, Аронов, испытывал настоящее уважение и странную признательность, а потому решил развлечь Лену байками из своего боевого прошлого.

— Ты тогда совсем мелкая была, наверное, в школе училась, Леночка. А меня уже весь Питер знал. Правда, он тогда не Питер звался, а Ленинград. Ты вот в преферанс играешь?

Лена даже улыбнулась неожиданному вопросу:

— В преферанс? Только с компьютером!

— Э-эх! Разве это игра! Ни живых людей, ни живых денег. В чем смысл-то?! Правда, я сейчас и сам префом редко балуюсь. Есть игры и попроще. Деньга скорее в «очко» вылетает! А преферанс он времени требует — сутки-двое, как минуты летят. Да и партнеров стоящих искать надо. Со мной игрок с понятием редко сядет, а с теми, кто без понятий, — я сам не сяду за стол. Я себя уважаю. Максим Аронов — это марка. Вот, Леночка, ты даже с компьютером, когда играешь, там подсчет потом ведется — ты видела по какому принципу?

— Да нет, внимания не обращала, — растерянно ответила Лена.

— Ну как игра называется?

— Преферанс...

218

— Тьфу! Чему вас в милиции учат!

«Ну уж точно — не в преф с компьютером играть, а таких, как ты, искать да ловить», — язвительно подумала Лена, но вслух говорить не стала.

Но Максим настаивал:

— Ну как сам расчет называется? «Сочинка», «ростов», «ленинградка»?

— «Ленинградка», кажется... — с трудом припомнила Лена.

— Вот! — Аронов со значением поднял указательный палец и погрозил: — «Ленинградка»... А почему? Потому что Питер тогда звался Ленинградом, а я жил тут, как и сейчас. Я сам никогда и никуда не ездил. Но меня все знали, все ко мне ездили. Турниры тут устраивали. Из Ростова приезжали. Из Магадана приезжали. И Урал, и Воркута, и Минск, и Киев. С летних южных курортов — Крым, Одесса, Кавказ — зимой все ко мне ехали. И у всех свои правила. А я им сказал: «Если вы ко мне приезжаете — то будете по моим правилам играть!» И они все согласились. И так появилась «ленинградка». Что такое «сочинка»? Это только балбеса курортника дурить, у которого отпускные деньги карман тянут. А «ростов»? С этим жлобским вистом, да где распасы от «восьми» без соскока и выхода! Где за недобор вистующему в «гору» вдвойне пишется! Так играть только уголовники садятся, это не для приличного человека игра... — Уголовника-рецидивиста Максима Аронова явно несло, он просто соловьем разливался, но остановиться не мог, да Лена и не собиралась его обрывать, хотя многое она уже успела почерпнуть и из его тщательно составленного досье...

— Так вот, «ленинградка» — это самая большая справедливость в «префе», запомни это, ласточка. И «ленинградку» придумал я — Максим Аронов. Потому что Аронов — это марка.

— Максим Анатольевич! А все же зачем вы фамилию поменяли? Если Аронов — это марка, — не удержалась-таки Лена, чтобы не поддеть.

Старый шулер осекся на полслове и вздохнул:

— Молодая ты, Леночка, не понимаешь! Я же в приличных домах бываю. У меня знакомства и связи. А за этой фамилией я же сидел. — Максим Анатольевич тяжело вздохнул. Видимо, ничего приятного в воспоминаниях о том, как он «за этой фамилией уже сидел», для Аронова не было. И он вернулся снова к самовосхвалению: — И пойми, ласточка, шулер — это не вор и не мошенник. Шулер — это актер. Вот, думаешь, так просто было к Бурцеву подъехать? Он лох и фраер был, это да. Но он все же игрок. А игра — это риск, это азарт. Думаешь, испугался бы он старого еврея, несколько десятков лет назад придумавшего «ленинградку». Нет не испугался бы, — вдруг взгрустнул Аронов. — Но зато бритого уголовника Фирсова он еще как испугался. Он бы мне не только осмий, он бы мне маму родную приволок, если бы та жива была...

Лене уже наскучило слушать все это бахвальство, но прервать словесный поток она была не в силах. Поэтому она решила не обращать особого внимания на болтовню своего спутника. Лена смотрела на Финский залив, вдоль которого пролегало шоссе. Было время заката, и открывающийся вид производил впечатление. «А я ни разу даже не искупалась в этом году, — с тоской подумала Лена. — Вот Гордеев хоть успел в круизе покуролесить». Тут она вспомнила, что Юрий Гордеев в данный момент отдыхает совсем на другом «курорте» и невольно хихикнула.

220

— Смеешься, ласточка? — отозвался Аронов, принявший Ленин смешок на свой счет. — А мне вот вовсе смешно тогда не было. С женщинами с тех пор играть не сажусь. Вот дурища-то оказалась. За нее я и попал. Она мне машину вместо долга поставила. А я как дурак и взял. Ну а потом началось — доверенность, продажа, нотариус, ну а машина-то паленая оказалась. Девка соскочила, а я сел. Да, вот так...

Но Лена уже не слушала продолжение истории. Ее внимание привлек белый джип, неотступно следующий за их мерседесом. Он ехал за ними как привязанный уже последние десять минут, но тут пошел на обгон. Джип поравнялся с ними, и внезапно Лена увидело дуло автомата, направленного прямо на нее из открытого окна.

— Максим, пригнитесь! — закричала она, и сама сползла с сиденья вниз, сгруппировалась, готовясь к удару, выстрелу, взрыву, прыжку, готовая к любой неожиданности.

Но стареющий карточный шулер не обладал столь стремительной реакцией. Максим Аронов не успел даже повернуть голову на крик Лены, как его прошила автоматная очередь.

Лена, не вставая с пола, вцепилась в руль и попыталась сохранить управление «мерседесом». Ей хоть и с трудом, но удалось это сделать. Не видя ни дороги, ни других автомобилей, Лена сумела затормозить движение «мерседеса» и «причалить» возле обочины.

Откинув падающий на нее труп Аронова, Лена выскочила из машины, на ходу передергивая затвор пистолета, который, разумеется, был ей возвращен еще на даче, как только им удалось прийти к консенсусу с Максимом. Казалось, что все это — и ресторан, и похищение, и дача — все это происходило несколько лет на-

221

зад. А сейчас существует только это пустынное шоссе, труп у нее на руках, и стремительно удаляющийся в противоположную от города сторону белый джип. Догонять его не было смысла. Лена опустила пистолет, достала свой сотовый и позвонила «02», сообщила о происшедшем, назвала и номер джипа, который ей все же удалось разглядеть.

Больше ничего она сделать не могла. Лена села на траву возле машины и разрыдалась...

Глава 20

— Тоомас Куухолайнен... — Лена пролистнула дело, лежащее перед ней на столе, и обратилась к заключенному: — Так, может, вы объясните, Тоомас, с какой целью вы покушались на жизнь заключенного Ольховского?

— Я нет. Я на него не покушался, — ответил ей Тоомас-Таможня с мягким прибалтийским акцентом.

Лена Бирюкова нахмурилась:

— А вот мы обладаем совсем иными сведениями. И у нас есть показания и самого потерпевшего, и ваших сокамерников.

— Им показалось, — продолжал настаивать Таможня. — Я сегодня этого Ольховского спас. Его камера судила, думали, что он переодетый милиционер. Я за него показания дал. Зачем мне его убивать было?

— И что же вы делали рядом с потерпевшим? Зачем вы на него набросились?

— Я не бросался. Я подошел к нему одеяло поправить. Я думал, что мы теперь друзьями станем с ним. Я его спас. Зачем вы говорите, что я его убивал?

— Ну надо же! Какая трогательная забота, будто это он вас спас! Заключенный Куухолайнен! Хватит мне тут шутки шутить. Вы что, голубой? «Одеяло поправить хотел»,— передразнила допрашиваемого Лена.

Густая краска медленно разлилась по бледному лицу Таможни.

— Да. Я — гей. Я его полюбил.

Лена не удержалась, фыркнула и заявила:

— Сейчас ты у меня получишь, разлучник!

Она подошла к дверям, шепнула что-то контролеру, тот кивнул, вышел и почти тут же вернулся вместе с Юрием Гордеевым. Лена обернулась к нему:

— Вот, Юра, послушай, что этот голубчик несет. Говорит, что хотел он тебя вовсе не убивать, а приласкать, видимо, удавкой. Он, оказывается, у нас гей и тебя полюбил всей душой. Только он у нас такой — специфический гей, с садомазохистскими наклонностями, раз он любимому человеку пытался на шею веревку накинуть...

Юрий прошел в комнату, сел за стол напротив Тоомаса и сказал ему, подмигнув:

— Ну что, Таможня, хотел приласкать, полюбил?.. Бывает. Я-то тебя прощаю, что тут поделаешь, но вот ты мне расскажи про Бурцева. Его ты тоже полюбил с трагическим финалом?

Тоомас Куухолайнен снова побледнел. Лицо его приобрело зеленовато-землистый оттенок, и начал дергаться кадык на худой жилистой шее.

— Я не знаю никакого Бурцева.

— Еще как знаешь! Ты его убил. И меня пытался убить, именно потому что во время судилища догадался, что я по следам Бурцева пришел. Вот ты меня и не сдал уголовникам, потому что сам хотел расправиться. Давай уж колись! Глупо тут отпираться. Ты за покуше-

223

ние на меня уже добавку приличную получишь. А так все же учтем — помощь следствию, чистосердечное признание...

— Что вы от меня хотите, — голос Тоомаса сорвался на визг. — Я честный русский «валяльщик»! Я стою на таможне. Я в ваш город приехал в отпуск к друзьям, а вы меня арестовали ни за что...

— Арестовали тебя, Куухолайнен, как раз за таможенные махинации, так что ты тут честного «валяльщика» нам не валяй. Тебя калининградские коллеги вели и сдали уже нашим с тем, что ты с «пароходчиков» наших дань собирал да зарвался маленько. А вот про друзей своих калининградских, к которым ты приехал, расскажи поподробнее. Кто тебе Бурцева заказал?!

Тоомас пытался упрямиться, но Лена вдвоем с Гордеевым приперли-таки его к стенке. Правда, толку от показаний калининградца было немного:

— Я не знаю, где их искать. Я с ними дел не вел никогда. Просто Кенигсберг — город маленький. Таможня вся на виду. А они — люди очень серьезные. Они меня знали, но, клянусь, никаких дел я с ними не вел.

— Так почему же на убийство согласился?

Таможня испуганно зашептал:

— Таким людям нельзя отказывать. Мне велели. Я бы сам живым отсюда не вышел. Но это случайность. Просто потому что я в камере с Бурцевым сидел, поэтому и велели, заставили. Я никогда мокрых дел не имел. Но отказать таким людям нельзя было.

— Как же они тебе велели, голубиной почтой, что ли?

— Мне «малява» в передаче была. Там написали, что Алек Зандер мертв.

— Какой это Зандер?

— Мы в школе вместе учились, знакомы были. Но я никаких дел с ним не вел. Честно. Просто я его знал. Он сейчас в Питере жил. Это очень серьезные люди. Они весь Петербург взять хотели. Я с Алеком в казино встретился...

Тоомаса будто прорвало, видимо, он и сам понимал, что сказавши «а», надо говорить и «б», и он говорил, говорил без остановки, сыпал подробностями, но при этом продолжал через слово уверять, что его причастность — это чистая случайность.

— Алек мне предлагал в их бизнес войти.

— Вы отказались?

Тоомас посмотрел на Лену с укоризной и напомнил:

— Таким людям не отказывают. Но я и не согласился.

— А что же вы ему ответили?

— Я сказал, что буду думать. У них шумный бизнес. У меня теплое место на таможне. Все прикормлены. Зачем было мне рисковать. Я сказал, что подумаю. Но я не хотел с ними работать.

— Ладно, с этим пусть ваш следователь разберется, вы расскажите, как вам Бурцева заказали. Вам пришло письмо?

— Да, передача и «малява» в ней. Там было написано, что Алек мертв и что я буду следующим, если не уберу Бурцева.

— И кто же вам такую весточку прислал, гражданин Куухолайнен?

— Я не знаю, — пожал плечами Тоомас.

— Как это не знаете?! — возмутилась Лена. — Вам приходит письмо с требованием убить человека, а вы даже не знаете, от кого это письмо, но идете и человека убиваете?!

— Да, — тихо сказал Тоомас, — я не мог отказать. Я бы сам не проснулся утром, если бы не сделал этого. Пусть в тюрьме, пусть в зоне, но я хотел бы жить еще. И когда вот Ольховский заявил, что Фирсова знает, я понял, что это мне звоночек. Я решил, что если я вас не убью, то вы сами ко мне ночью придете. Я просто спасал свою жизнь. Поймите меня правильно, я не хотел вас убивать.

Гордеев размышлял. Насколько ему было известно, тюремные передачи досматривались более чем тщательно, особенно при таком «хозяине дома», как Николай Петрович Мяахэ. Значит... Значит, тут был задействован кто-то из служащих. Тоомас действительно мог и не знать, от кого пришла передача с «малявой», но вот контролер, который ему весточку с воли принес, может знать человека, эту весточку отправившего. Вот за эту ниточку и стоит дергать.

— Тоомас, кто вам принес передачу?

— Я же сказал, что не знаю.

— Я не про того, кто вам ее отправил, а про того, кто вам ее непосредственно принес?

— Я не знаю. Честное слово! В таких делах лучше знать меньше.

— Но от кого-то вы ее получили? Кто-то вам ее в руки отдавал?

— Не помню. Не знаю. Для меня надзиратели все на одно лицо... Я больше ничего не знаю и говорить не могу.

— Не знаете? Или не можете говорить?

— Не знаю, — отчаянно верещал Тоомас. — Ничего не знаю.

И тут в комнату, где проводился допрос, вошел сам начальник Крестов Николай Петрович Мяахэ:

— Здравствуйте, Юрий Петрович! О, Елена Викторовна! — расцвел он в улыбке, заметив Лену. — И вам — здравствуйте! Как ваши дела продвигаются?

— Да вот, подопечный отказывается говорить, кто из ваших контролеров Тоомасу заказ на убийство передал.

Гордеев сказал это с умыслом, надеясь, что Мяахэ вступит в допрос, потому что речь шла о его подчиненном, но такой реакции он не ожидал. Николай Петрович просто побагровел. Вся его чухонская невозмутимость и доброжелательность испарились в мгновение ока. Он схватил заключенного за грудки, оторвал от стула, поднял в воздух и припечатал к стене:

— Ах ты, гнида курляндская! Ты чего нацию позоришь? Стыда и совести нет!!! Я же тебя по стенке сейчас размажу!

Он кинул бедного неудачливого таможенника-убийцу на прибитый к полу стул, повернулся к Гордееву и, все еще пылая праведным гневом, сказал:

— У вас есть еще к нему вопросы, Юрий Петрович?

— Нет-нет, — пробормотал адвокат, ошарашенный подобной вспышкой.

— Тогда вы идите ко мне в кабинет, чайку с Еленой Викторовной там попейте. А я тут сам поговорю. Это и меня касается.

Карать своих подопечных Мяахэ предпочитал собственноручно.

Чаепитие в кабинете начальника тюрьмы не затянулось. Николай Петрович расправился с допросом очень быстро. Он притащил чуть не за шкирку одного из своих подчиненных, молодого контролера, и сказал:

— При мне спрашивайте. Обо всем.

Спрашивать было понятно о чем.

— Кто передал вам письмо для Тоомаса Куухолайнена?

— Для чухонца-то?

За чухонца надзиратель немедленно получил в зубы от своего начальника. Но не испугался, а наоборот, нагло осклабился:

— Записку для чухонца мне передал другой чухонец.

— Кто такой, как его звали, как он выглядел? — официальным тоном спрашивала Лена, стараясь не обращать внимания на рукоприкладство Мяахэ. В глубине души она одобряла подобные методы по отношению к людям, нарушающим свой служебный долг.

— Откуда мне вспомнить, как он выглядел. Для меня все чухонцы на одно лицо, что тот, что этот, контролер кивнул в сторону Мяахэ.

Никакой вины своей этот молоденький мальчишка не ощущал. Таковы были правила игры и правила жизни, других он не знал. «Не пойман — не вор». А раз попался — придется отвечать. Последнее он понимал. С тепленьким местечком в Крестах придется расстаться.

А местечко было действительно тепленьким. И случай с запиской для Куухолайнена — не единственный его левый заработок. В таких людей, как его начальник — Николай Петрович Мяахэ, — ему не верилось. Служебный долг, совесть, понятия о морали и нравственности — все это было ему не знакомо. В мире, где он существовал, правили деньги. Неужели бывают такие лохи, которые верой и правдой умудряются служить и отказываются от посторонних заработков? Почему, кстати, посторонних? Подобный «навар» он как раз и считал основным. А зачем еще люди идут на работу в милицию или подобные структуры? Хорошо быть даже обыкновенным участковым, если у тебя на участке не только «хрущевки» с шелестящими от возраста старушками, но и коммерческие ларьки, заправочные станции, оптовые рынки. — При таком участке умный человек с

228

голоду не помрет. Да в любой должности есть своя выгода. А иначе зачем работать?

— Сколько вам заплатили за несанкционированную передачу?

— Да по обычному тарифу.

Вот это выражение — «обычный тариф», свидетельствующее об обыденности подобного инцидента, окончательно взбесило Николая Петровича. Он вскочил и снова замахнулся на подчиненного:

— Ах ты, сука! Ты мне ответишь!

Но мальчишка посмотрел на него насмешливо:

— Бейте, толку-то! Пришел чухонец, не сват и не брат мне. Так, никто, заплатил, передачу дал. Я взял.

— Почему же он пришел именно к вам? Посоветовали какие-нибудь знакомые?

— Да нет. Просто пришел ко мне, потому что в этот день мое дежурство было. Нарвался бы на другого — и другой бы взял...

Больше тут ловить было нечего. Оставив Николая Петровича разбираться со своим подчиненным самостоятельно, Лена с Гордеевым покинули тюрьму.

После всех пережитых приключений хотелось расслабиться, отдохнуть, понежиться в ванной. Но расслабляться было рано. Они стояли на набережной, смотрели на реку и молчали, раздумывая о дальнейших шагах. След опять рвался.

— Поехали! — решительно сказал Юрий.

— Куда?

— Постановление об освобождении оформлять.

— Кого же ты освобождать собрался, Юра? — удивилась Лена, все ее мысли вились вокруг Куухолайнена, и единственный выход, который она видела, — это выбить из него побольше информации. Хотя после методов Мяахэ само слово «выбить» звучало двусмысленно.

— Ленок, ты чего! Не забывай, у меня же подзащитная имеется — Оксана Витальевна Дублинская. И в связи с выявленными в ходе следствия обстоятельствами я могу настаивать об освобождении моей подопечной.

Поездка на Литейный, оформление всех полагающихся документов и возвращение в Кресты много времени не отняло. Освобождать жену профессора Гордеев отправился один. Лена снова рванула на Огарева — в угро, разыскивать следы калининградцев, замешанных в криминале.

И вот Оксана Дублинская на свободе.

Похудевшая, посеревшая, с опухшими от слез и бессонницы глазами, она совсем не напоминала ту вальяжную даму, которая пришла несколько дней назад в сорок седьмое отделение милиции, чтобы заявить о пропаже своего мужа.

Выйдя на улицу, Дублинская попросила Гордеева отвести ее к реке. Они стояли на набережной в том самом месте, где Юрий только-только разговаривал с Леной. Напротив, на той стороне Невы, возвышался монумент проекта Шемякина, посвященный жертвам репрессий.

Оксана держала Юрия за руку, словно боясь, что он исчезнет и она снова очнется в душной камере. Она тяжело дышала, не могла надышаться свежим речным воздухом.

— Юрий Петрович! Спасибо вам!

Гордеев начал бормотать в ответ какие-то слова, мол, не стоит благодарности, это моя работа.

— Вы знаете, тюрьма — это так ужасно. Я даже и представить не могла. Дело даже не в том, что я была избалована деньгами и комфортом. Но то, что со мной происходило там, — это даже в кошмарах не привидится.

Гордеев согласно кивнул, он и сам не далее чем нынешней ночью вышел из того же СИЗО. Воспоминания были не из самых приятных.

— Но я вас благодарю не за то, что вы меня из тюрьмы вытащили. Как я поняла, вы нашли какие-то свидетельства в пользу того, что Сергей жив, не так ли?

— Нет, к сожалению, никаких точных доказательств у следствия пока нет. Одно известно — найденный в карьере труп не принадлежал вашему супругу.

— А где же Сергей? — отчаянно вскрикнула Оксана.

— Ищут, — коротко ответил Юрий. А что тут еще скажешь?

— И какие, на ваш взгляд, перспективы?

Гордеев развел руками:

— Кто знает...

— Юрий Петрович, я хотела бы вас попросить. Понимаете, все же вы в курсе дела. Мне не хотелось бы посвящать в это еще других людей. Я бы хотела, чтобы вы помогли найти Сергея.

Юрий замялся. Он чувствовал вину перед Оксаной, к тому же прекрасно представляя, что ей пришлось пережить в Крестах, где она провела времени гораздо больше, чем он сам. Плюс к этому, он и сам не собирался прекращать поиски Дублинского... Он же обещал помочь Лене.

Оксана, видя замешательство Гордеева, истолковала его по-своему:

— Если вы сомневаетесь, Юрий Петрович, насчет моей платежеспособности, то уверяю вас, что гонорар будет соответствовать...

— Да нет-нет, Оксана Витальевна, не в этом дело, —

быстро проговорил Гордеев и подумал, когда это от гонораров отказывался, кто бы услышал, не поверил бы. — Конечно, если я смогу оказаться полезным, я сделаю все, что в моих силах, в общем, я постараюсь...

— Спасибо! Я знала, что смогу рассчитывать на вашу помощь, Юрий Петрович!

— Можно просто Юрий...

— Хорошо, тогда и вы меня просто Оксаной зовите.

Дублинская протянула Гордееву руку, будто их только-только представили друг другу.

— А теперь, Юрий, я могу вас попросить, чтобы вы меня проводили?

— Конечно-конечно. Я сейчас сбегаю, поймаю машину.

— Не надо машину, — остановила его Дублинская. — Тут до моего дома не так уж далеко. Это вы с вашими московскими мерками привыкли всю жизнь на «колесах». А по-нашему городу не грех и ноги потоптать.

— Кстати, Оксана, а вы не думали, кто мог бы воспользоваться колесами вашей машины? Ведь их следы на месте преступления были одной из главных улик против вас. Я уже не говорю о ноже и следах грунта и бензина на вашей обуви...

— Как же не думать! Только об этом я в тюрьме и думала. Об этом и о Сереженьке. О Сергее Владимировиче. Вы поймите, такая трагедия. Он как пропал, я сразу почувствовала неладное, а у меня еще заявление не хотели брать, пока трое суток не пройдет. Так вот, я и так убивалась, места себе не находила, а меня же еще в его убийстве обвинили! Какая дичайшая несправедливость!

— Так что насчет вашей машины?..

Они шли по Арсенальной набережной, мимо Финляндского вокзала, мимо Военно-медицинской академии, Оксана все не выпускала его руку и вдруг Гордеев подумал: «Господи! Хорошо-то как. На свободе». Общее сближает. Юрий чувствовал уже к Оксане Дублинской все нарастающую симпатию, пришедшую на смену чувству вины.

— Понимаете, последнее время в нашем дворе, а это, между прочим, очень старый и почтенный двор, крутились какие-то подозрительные личности.

— Подозрительные?

— Ну такие, кавказского типа, — сказала Оксана и неожиданно смутилась. — Я понимаю, что это некорректно — всех кавказцев держать на подозрении, но если так складывается... Причем моя соседка уверяла, что это были не просто кавказцы, а именно чеченцы. Согласитесь, сейчас война и настроение по отношению к ним соответствующее, особенно после всех этих взрывов и терактов на мирных территориях. Но все же двор, я повторю, у нас солидный, никто квартиры не сдает, чужих людей практически нет. А тут приходили эти кавказцы, стояли в уголке, окна рассматривали, будто поджидали кого. У нас многие соседи тогда сигнализации на машины поставили — до этого все же тихо было, и нужды никакой. Мне Сергей тоже говорил, что нужна сигнализация. Но вот как-то руки не дошли.

— То есть, вы думаете, что эти кавказцы, то есть чеченцы, и могли угнать вашу машину?

— Нет-нет, что вы! Я просто думала о том, что машина стояла без сигнализации и воспользоваться ею мог кто угодно. Ну а о находках в нашей квартире я не знаю, что и думать. Впрочем... как-то раз, когда я вернулась домой, мне показалось, что в квартире кто-то побывал.

— То есть?

— Ну, вы понимаете, просто показалось... Хозяйка всегда инстинктивно запоминает расположение вещей, запахи. А тут я пришла, и пахло чем-то незнакомым. И тряпка.

— Какая тряпка?

— Половая. Она была сбита. А я всегда ее аккуратно стелю у двери.

Оксана вздохнула, Юрий не нашелся, что ей ответить. Он знал и ее двор, и ее машину. Действительно, сигнализации на ней не было, и угнать ее мог кто угодно. Он же сам брал пробы почвы с ее шин. Но вот промелькнувшие в рассказе Оксаны чеченцы сразу встревожили адвоката. Что-то уже всплывало в деле Дублинского с кавказским акцентом.

Точно, накануне, когда рыдающая Лена ворвалась в их номер в «Октябрьской» и рассказала ему об убийстве Аронова, Гордеев, сам только-только прибывший из тюрьмы, долго ее успокаивал. Вот тогда, подробно пересказывая все, что она услышала от знаменитого картежника, Лена и произнесла: «Слушок такой был, что калининградцы здесь с чеченами столкнулись. Только не говорил я вам этого. Видит бог!»

Проводив Оксану до самой квартиры и вежливо отклонив предложение зайти на чашечку кофе, Гордеев распрощался и тут же принялся названивать Лене на мобильный, чтобы поделиться новой версией.

Лена же с Андрюшей опять копались в картотеке уголовного розыска. Все, кто имел отношение к Калининградской области, проживал там, имел какие-то связи или родственников, все эти люди требовали тщательной проверки.

Но работы оказалось через край.

С тех пор как Прибалтика стала заграницей и Калининград оказался анклавом, отрезанным от «большой земли», многие жившие там переехали именно в Петербург. Потому что близко, привычно и климат похож, то же Балтийское море.

— Андрюша, а может, перерывчик устроим? Кофейком побалуемся? — сказала Лена в курилке на лестнице, куда они вышли на минутку покурить да отдышаться от архивной пыли.

— Как прикажете, сударыня!

— Ну вот, потереби там девиц, ты молоденький, хорошенький, они тебе не откажут. А на меня они волком смотрят.

Андрюша засмущался, его еще не называли «хорошеньким», и чтобы Лена не углубилась в столь скользкую тему, он побежал исполнять поручение.

Спустя несколько минут они сидели и пили мутный растворимый кофе в каком-то закутке. Из щербатых безручных чашек с коричневатым сахаром, который черпался из использованной кофейной банки, переоборудованной под сахарницу. Андрей даже успел смотаться в ближайший коммерческий ларек и принес подтаявшую шоколадку.

— «Летний сад»,— прочитала Лена на этикетке. — Эх, а я даже в Летнем саду в этот приезд не побывала. Нигде не была, ничего не успеваю.

— А как же «Матросская тишина» — шикарный ресторан? — спросил Андрюша и фыркнул.

— Да ладно, не тебе, Андрюша, смеяться, вы там и сами не блестяще себя повели.

— Что пардон, то пардон! А в Летний сад я вас свожу запросто, когда изволите.

— Договорились. Андрей, а вот скажи, по последним оперативкам ничего для нас интересного не проходило — перестрелки, стыки криминалитета, что-то похожее на передел власти в городе? Ну в смысле криминального передела.

— Да нет, Елена... — Андрюша замялся, но по отчеству Бирюкову называть не стал. Она ему нравилась. А отчество подчеркивало факт, что Лена является для Андрюши всего лишь начальством. Причем высоким, московским начальством, а этого молоденькому питерскому оперативнику хотелось бы избежать. Хотелось ему легкого флирта, нарушения субординации, разговоров не по службе, но кроме как опускать отчество и колебаться между «вы» и «ты» — на большее Андрей не решался.

— Понимаешь, Куухолайнену сообщили, что погиб Алек Зандер. Значит, должны быть какие-либо сведения о его гибели. Пьяная драка, автомобильная авария, перестрелка. Если его нет в сводках, значит, он должен быть жив и надо его искать.

Покончив со скромным обеденным перерывом, Лена с Андрюшей вернулись к картотеке.

Оперативник приволок распечатки последних сводок за десять дней. Никакого Алека Зандера в них не значилось. Не было также и сколько-нибудь подходящего трупа. Из совсем уж неопознанных привлекателен в плане идентификации мог оказаться только труп, найденный в карьере. Тот самый, которого изначально приняли за Дублинского.

Но если за Дублинским охотились калининградцы, от которого они же хотели получить и осмий, зачем они велели устранить Бурцева, который, кстати, мог бы оказать им наибольшую помощь в этом вопросе? И кто же тогда убил этого самого Зандера? Чертовщина какая-то! Но смутная мысль билась в голове, не давая покоя... Вот-вот, казалось Лене, она угадает, и весь рисунок мозаики сойдется....

...И тут раздался звонок Гордеева:

— Ленок, есть идея, я все думал, с кем же могли поссориться калининградцы?..

— Да я и сама сейчас только об этом и думаю, — буркнула Лена.

— И что же ты решила?

— Еду сейчас в Кресты — допрашивать Тоомаса, он не все нам рассказал.

— Добро, буду тебя тут ждать!

— А ты что, оттуда не уходил?

— Ну так получилось!

— Понравился, видимо, «сизый курорт», — съязвила Лена. Но Гордеев уже дал отбой.

Андрюша смотрел на нее выжидательно.

— Вот что, Андрей! Ты сейчас продолжай поиск следов этих «кёнигов»... Или нет, черт с ними! Ты сейчас просматриваешь все сводки, и не за десять дней, а как минимум за месяц, на предмет мелких стычек и потасовок, ну и крупных — тоже. Рынки, казино, кафе и прочее. Все инциденты, где участвовали кавказцы.

— Чеченский след ищем? — улыбаясь, спросил Андрей.

— Ох, Андрюша, я бы так не шутила... — Лена не стала договаривать, она торопилась. Чмокнула Андрея в щеку и убежала.

— Давайте заново, Тоомас! Вы встречались с Алеком Зандером в казино, где еще? С кем были знакомы из его окружения? Фамилии, адреса?

— Я не знаю никого. Я знаком был только с Алеком, — упорствовал Таможня.

— Хорошо. Но он вам предлагал какое-то дело, работу? Что именно?

— Нет, мы не успели договориться конкретно.

Лена была настойчива:

— Но он должен был вам оставить какие-то свои координаты? Как вы связывались? Вы же сами не жили в Питере, приезжали изредка, где вы его должны были искать? В том казино?

— Нет.

— Ну а где?

Присутствующий при разговоре Гордеев глянул в окно и сказал безразличным тоном:

— Сейчас Мяахэ позову...

— Нет, не надо Мяахэ... — заныл Куухолайнен. — Я сам скажу.

— Так говорите!

— Кафе.

— Какое кафе?

— Оно без названия. На углу проспекта Энгельса и улицы Енотаевской.

— И что там?

— Там два бармена. Один — грузин, а другой — кореец. Вот когда работал кореец, надо было прийти и ему сказать, чтобы привет Алексу передал.

— Алексу? Не Алеку?

— Ну да. Это его дома Алексом звали, а тут — непривычно звучало, быстро на Алека переделали.

— И?

— Ну бармен ему звонил и вызывал. Но я ни разу этим не пользовался.

— А что же он вам просто свой телефон не оставил? К чему такие сложности? — недоверчиво спросила Лена.

— Вы так не и поняли. Это очень серьезные люди.

Тоомас опять завел свою унылую шарманку — про

очень серьезных людей. Больше от него никаких сведений добиться не удалось. Но появилась хоть какая, а зацепка.

Они снова стояли все на том же месте Арсенальной набережной.

Гордеев решил изложить собственную версию, о которой так и не договорил по телефону:

— Ты знаешь, я все думал о том, что тебе рассказал Фирсов.

— Не Фирсов, а Аронов, — поправила его Лена.

— Ну какая разница! Ты говорила, будто он тебе рассказал, что у калининградцев начались проблемы с чеченцами.

— Да, — делано равнодушно произнесла Лена. — Я уже попросила поднять все подходящие инциденты за последний месяц.

— Оперативно! — искренне восхитился Гордеев. — Ну что, поедем искать корейца?

— Да ну его к черту! Я сейчас Андрею позвоню — пусть его привезут в угро, там и допросим. Я подумала — он вряд ли легальный, если к нему приехать, может в несознанку уйти, притвориться, что русского не знает. Ежели дело грамотно обставить, устроить бал-маскарад, все серьезно, машины с мигалками, то он скорее сломается.

— А ты затейница, Ленок!

— Не дурнее некоторых!

— Тогда, может, в ожидании бармена пойдем пообедаем?

— Гордеев, ты сюда жрать приехал?

— А что ты предлагаешь?

— Пойдем погуляем, в Летний сад сходим.

— Между прочим, дорогая, я ради тебя отказался даже от кофею из рук прекрасной дамы.

— Это где же ты в районе Крестов прекрасную даму нашел? — насмешливо спросила Лена.

— Ты забываешь про мою клиентку — госпожу профессоршу.

— «Профессор» — слово исключительно мужского рода, — назидательно сказала Лена. — А почему же отказался?

— Может, все же пойдем перекусим в какое-нибудь уютное романтическое местечко? Я приглашаю.

Лена рассмеялась:

— Гордеев, ты ради еды способен на все! И как же ты меня приглашаешь, ежели ты у нас сел на мель еще на пароходе с девушкой Гайкой!

— Ты мне ее всю жизнь припоминать будешь, — обиделся Юрий.

В итоге они договорились прогуляться до Летнего сада, побродить там, потом перекусить в каком-нибудь кафе и оттуда уже отправиться в угро, когда позвонит Андрюша и скажет, что корейца уже привезли. Так они и сделали. Кстати, кафе тоже называлось «Летний сад».

Во-первых, кореец оказался на самом деле вьетнамцем со сложнопроизносимой фамилией Нхгау. Он действительно был «нелегалом» и действительно притворялся, что плохо понимает русский язык. Но он трусил, отчаянно трусил. Было понятно, что сломать его будет несложно, вот только неизвестно, чего он больше боялся — сотрудников Питерского уголовного розыска или своих серьезных знакомцев из Калининграда.

Оказалось, что милиционеров он боится куда больше. Узнав, какие сведения интересуют его собеседников, Нхгау так обрадовался, что даже вспомнил русский язык:

— Нет их, больше нет никого. Все убили, никого нет. Урья-урья! Все бандитов убили. Всё. Хорошо теперь.

Как-то уж очень он радовался гибели своих партнеров. Впрочем, никакие они ему не партнеры были. А наоборот, Нхгау был их вечным должником. Но история, как он попал в их кабалу, была столь длинна и излагал он ее столь запутанно, что Лена вскоре утратила к ней интерес. Удалось выяснить ей следующее: Нхгау имел дело только с Алексом, но знал и всех остальных. Он платил достаточно большую дань калининградцам, потому что был не просто барменом. Со своим напарником-грузином Нхгау являлся владельцем кафе. Помимо обычных поборов он также нес повинность связного.

— Откуда вы узнали, что все погибли?

— Все-все погибли. Умыыырли! — опять радостно закивал вьетнамец.

— Кто вам это сказал? — напряженно спросила Лена, не разделявшая радости бармена по поводу того, что «все умырли». В этом деле и так достаточно уже было смертей. Рвались все нити, которые попадали к ним с Гордеевым в руки.

— Петр сказал. Пришел, сказал: «Все умыыырли!» — делился своим счастьем вьетнамец.

— Кто такой Петр? Когда он к вам приходил?

— А друг Алекса, Петр. Он и раньше приходил. Деньги брать. Но больше не придет.

— Почему? Он тоже погиб?

— Нет, он живой, это все другие умыыырли.

— А почему он больше не придет?

— Он сам так сказал, он сказал — не надо больше денег брать.

— А зачем он к вам приходил? — допытывалась Лена. — Чтобы сказать, что все погибли?

— Нет, он телефон свой оставил. Чтобы я звонил, если спросит кто. Чтобы я никому его телефон не давал, говорил бы, что все умыыырли, а потом звонил ему. Тогда, он говорит, денег больше не надо. Только звонить.

Остальное было делом техники, определить абонента по номеру телефона и установить его адрес оказалось совсем несложно, и вот уже Лена с Гордеевым и опять в компании бойцов неслись по городу — брать Петра Марченко, единственного уцелевшего из калининградцев.

Но они опять опоздали. Петр Марченко лежал на полу в прихожей своей квартиры. Он был расстрелян в упор из автомата. Натянулась и лопнула еще одна ниточка, которая могла вывести их на похитителей Дублинского. При обыске квартиры была обнаружена нетронутая крупная сумма денег в долларах и множество — также нетронутого — оружия. Как скоро установили эксперты, из найденного в квартире Марченко АКМ стреляли по машине Аронова, когда он ехал с Леной давать показания. Видимо, Марченко следил за картежником и избавился от него как от ненужного свидетеля. А вот теперь кто-то избавился и от него.

Позже выяснилось, что исчез и белый джип, который был зарегистрирован на калининградца. «Наверняка та самая машина, которую я видела», — подумалось Лене. А вслух она сказала Гордееву:

— Боюсь, что наши подозрения оправдываются и

следует искать чеченцев. Надо посмотреть, что там Андрюша накопал.

— Обязательно посмотрим, — ответил Юрий. — Только завтра. А сейчас — домой, то бишь в гостиницу, и спать, спать, спать. Я хочу выспаться после Крестов.

Лена кивнула и промолчала. Наверное, Юрий был прав, сегодня они все равно не успеют ничего предпринять.

Глава 21

Ирина очень нервничала. Хотя Дублинский не сказал, где он и что с ним, она догадалась, что его похитили и шантажируют. Он обратился к ней, именно к ней, и теперь она должна во что бы то ни стало выполнить его просьбу. Ирина не сомневалась, что от этого зависит жизнь Сергея. Но как добыть этот чертов контейнер, не посвящая Любочку? То, что Люба тайну держать не умеет, — это вне всяких сомнений. Но как же тогда быть?

Ирине пришла в голову шальная мысль — прийти и огорошить секретаршу душераздирающей историей из загробного мира, сказать, что ей являлся призрак Сергея и требовал этот контейнер «номер 447». Мол, не будет ему покоя на том свете и тело его не будет найдено, пока этот контейнер находится в лаборатории. Неожиданно для себя Ирина расхохоталась, представив Любочку, внимающую «страшной тайне». Несмотря на нелепость придуманной истории, стоило признать, что она почти полностью соответствовала истине. Звонок Сергея и правда был словно с того света. Какое же счастье, что он все-таки жив. И какое счастье, что он позвонил именно ей.

Ирина гнала от себя мысль, что надо бы найти способ сообщить супруге Дублинского Оксане, что ее муж жив. Она малодушничала и уверяла себя, что таково желание Сергея и молчание в его интересах. Однако Ирина была искренне рада, что он позвонил именно ей. Он ей доверяет, и она обязана его доверие оправдать, чего бы это ей ни стоило. Так что же делать с Любой? Убить, напоить, связать, заставить помогать? Неожиданно Ирине в голову пришла мысль, что магнитную карточку она может просто украсть.

В «Орбите» Ирину знали, она неоднократно наведывалась сюда по делам собственной диссертации, и хоть в штате не числилась, однако Дублинский представлял ее всем коллегам как свою помощницу и будущую сотрудницу. Поэтому никто не удивился раннему визиту Ирины в центр. Никто, кроме Любочки. Уж она-то точно никак не ожидала увидеть у себя в приемной бывшую подружку. Любочка напряглась в ожидании сложного разговора — с обвинениями и претензиями, но Ирина была тиха и печальна, вежливо поздоровалась, попросила чаю, а потом неожиданно расплакалась, но тоже тихо и сдержанно.

Любочка, всплеснув руками, засуетилась, дала Ирине свой платок, налила в стакан воды, накапала в пластмассовый стаканчик «новопассит», села рядышком и, поглаживая подругу по плечам, стала утешать:

— Ну-ну, будет! Что ты, Ирочка!

— Люба, горе-то какое! Как же мы теперь?

— Да ладно, Ирочка, все еще будет, девка ты молодая, красивая!

— Ох, да как же я без него! — тихо причитала Ирина, передернув плечами. — «Все же у Любы такта, как у козла молока», — подумалось ей, но вслух она сказала совсем другое: — Любочка, на тебя вся надежда, помоги, я же без Сергея ничто и никак! Спаси!

Роль возможной спасительницы Любочке польстила, как льстило ей, впрочем, любое внимание к ее скромной персоне, вот не верилось ей в собственную незначительность, утвердиться хотелось в том, что она всем нужна и необходима, что на таких Любах, как она, мир держится.

— Ну конечно, Ира, спасем и поможем. Не дадим пропасть! Вот еще водички попей.

Ирина, глотнув темно-коричневого, густого «новопассита» и запив его водой, действительно нервничать перестала, все шло по плану. Люба дешево купилась, и теперь можно не суетиться — будет из кожи вон лезть, чтобы помочь и почувствовать себя благодетельницей. От первоначальной идеи — выкрасть у Любочки карточку — Ирина отказалась, «на дурачка не нужен нож, ему тихонько напоешь — и делай с ним что хошь», — припомнилась ей песенка лисы Алисы.

— Люба, у меня же диссертация горит! Как же я без Сергея?!

Загоревшаяся энтузиазмом Любочка тут же угасла:

— Ира, ну ты что! Как же я тебе с диссертацией помогу?! У меня же три курса. Незаконченных.

Секретарша даже обиженно надула губки — ну надо же, только появился шанс показать свое благородство во всей красе, а тут — такой облом!

Ирина опять всплакнула, но тут же взяла себя в руки, вытерла глаза Любиным платком и сказала:

— Любочка, твоя помощь просто необходима, у меня опыт не закончен. А в лабораторию я без Сергея попасть не могу. Только на тебя могу надеяться.

— А, пустяки-то какие! — Люба снова воспрянула духом, шанс на демонстрацию широты души снова оказался в ее руках. Какие именно опыты Ирина могла проводить в чужой лаборатории, ее не касалось. Люба даже не собиралась вникать. — Да конечно, Ирочка, в чем проблема. Я сейчас тебе карточку найду. Мне «эс-вэ» ее сделал на всякий случай, все же я его секретарь, но я ей ни разу и не пользовалась. Я, Ира, очень боюсь этой лаборатории. Там же осмий — а вдруг взорвется?! Не, я уж лучше рисковать не буду. А тебе не страшно?

— Люба, ну я все же ученый. Риск, конечно, есть, но это же моя работа. — Любины пустяковые страхи и заблуждения были Ирине только на руку, ей не хотелось, чтобы Люба шла вместе с ней в спецлабораторию. Не надо Любе видеть, что именно Ирина намеревается оттуда унести.

Люба снабдила Ирину не только магнитным ключом, но и спецсредствами защиты. Надо было торопиться, пока не пришли на работу другие сотрудники, которые, впрочем, не очень-то торопились на трудовые подвиги, утомившись жарким летом и пользуясь отсутствием шефа.

На посту у лаборатории дежурили вечные Эльзенгер и Кушаков. Казалось, они застыли тут навеки, шевелились только их челюсти, пережевывая и выплевывая семечную шелуху.

— Любочка, доброе утречко. Что это ты к нам пожаловала?

— Здрасте, мальчики! Да вот, пришла Ирину Павловну проводить — ей в лабораторию надо.

— А пропуск-то у нее есть? — пошутил Эльзенгер. Именно что пошутил. Гордые поимкой Бурцева (а приписали заслугу его задержания они, разумеется, себе), охранники и представить не могли, что их снова точно так же обведут вокруг пальца и похитят ценный контейнер из лаборатории прямо у них из-под носа.

— Да, конечно, — Ирина предъявила им карточку и, больше не обращая на охранников никакого внимания, прошла к дверям лаборатории.

Здесь ей приходилось бывать и раньше, правда, всего один раз, когда Дублинский устроил ей подробную экскурсию по всему центру, при этом намекая, что именно здесь Ирину ждет основная работа, после того как она закончит свою диссертацию.

Ирина открыла стеклянный шкаф, нашла нужный контейнер «447». Он был невелик — всего лишь на три грамма. Спрятать его будет несложно. Ирина облегченно вздохнула. И спрятала контейнер за резинку своей широкой летней юбки, одернула надетый сверху просторный жакет — заметить ничего невозможно. Ирина совершенно не мучалась тем, что совершает обыкновенную кражу, причем воспользовавшись чужим доверием. Слово Сергея для нее было законом. К тому же эта кража была необходима для его спасения. Главное — не попасться на глаза Зое. Но Ирине пришлось пробыть в лаборатории еще минут десять — пятнадцать — для отвода глаз. Хоть Любочка не столь понятливая, но однако может заподозрить, что никакие опыты в лаборатории за полторы минуты не делаются.

Ирина просто бродила по лаборатории, осматривала «свои будущие владения». Только бы вернулся Сергей, жизнь вернется в налаженную колею и покатится дальше. И все будет хорошо — Сергей обещал.

Наконец она вышла, кивком попрощалась с охранниками и попросила Любочку ее проводить. По дороге рассыпаясь в благодарностях и в очередной раз выдавив из себя пару слезинок, Ирина скинула Любе на руки халат и перчатки, сунула ей защитные очки и, наскоро попрощавшись, обещая звонить и не забывать, направилась к выходу. Уже в дверях она столкнулась с Зоей, поздоровалась. Та хотела ее остановить, спросить о чем-то, видимо, о Сергее. Здесь, как и в университете, никто не пребывал в заблуждении об истинной природе отношений профессора и его аспирантки. Но Ирина, не останавливаясь, выпорхнула на улицу. Зоя внимательно посмотрела ей вслед и спросила у Любы:

— А зачем она приходила?

Любочка, состроив простодушную рожицу, ответила:

— Ко мне приходила, мы же с ней с университета еще дружим. У нее больше и нет никого. Зашла просто так, посидеть-поплакаться, одна я у нее осталась.

Зоя хотела еще что-то сказать, но передумала, махнула рукой и отправилась в свой кабинет.

Стоило Ирине отойти на десять шагов от центра, как у нее зазвонил мобильный телефон, мужской голос с еле заметным кавказским акцентом сказал:

— Ирина Павловна?

— Да, кто это?

— Я звоню от Сергея Владимировича. Вам удалось выполнить его просьбу?

— Да.

— Вы должны отдать эту вещь мне.

— Хорошо, давайте встретимся вечером...

Но Ирину перебили:

— Идите прямо, сверните в первый же переулок по правой стороне, я там к вам подойду.

— Я на машине.

— Нет, вы пойдете пешком.

В телефоне послышались короткие гудки. Видимо, за Ириной следили, и ее собеседник находился где-то совсем рядом. Она послушно выполнила указание, свернула в Академический переулок, и тут же к ней подъехал совсем юный мальчишка на красном скутере. Он притормозил прямо перед ней и сказал:

— Быстро давай!

— Что — давай? — переспросила Ирина, в ней вдруг проснулась неуверенность, совершенно определенно, что по телефону с ней разговаривал другой человек.

— Не глупи, контейнер давай! Ну, быстро!

— А ты кто?

— Хватит болтать, мы вам звонили. Мы от профессора! Ну, быстро!

Ирина засунула руку под жакет, достала контейнер и передала его юноше. Не сказав более ни слова, тот умчался на своем скутере.

«Вот и все, — вздохнув, подумала Ирина. — Теперь остается только ждать и молиться».

Она вернулась во двор, где обычно без спроса парковались как сотрудники «Орбиты», так и гости фирмы, приезжающие по делам. Место, где обычно стоял серебристый «ниссан» Сергея, пустовало.

Ирина вспомнила, как они играли в «большого начальника и невозмутимую женщину-шофера».

— Найди мне водителя. Я не люблю сидеть за рулем. Хочется расслабиться, подумать, а не следить постоянно за дорогой, — сказал Дублинский однажды. — А еще перед младшими коллегами неудобно. У них-то у всех шоферня, бывшие контрактники, морда шире плеч.

Ирина поискала среди своих знакомых бывших контрактников с мордой шире плеч, но так никого и не нашла. Зато вдоволь было худосочных программистов и аспирантов-алкоголиков. Но Дублинскому они вряд ли подходили.

В один прекрасный понедельник Сергей вызвал ее в кабинет.

— Ну так что у нас там с водителем?

На работе Дублинский был для Ирины прежде всего начальником. Она привыкла выполнять все его поручения оперативно и четко. И тут — такой прокол.

— А знаешь, я лучше придумала. Я сама буду твоим шофером, — неожиданно сказала она.

Так они и ездили. Ирина в кожаном пиджаке и кепке, с ярко-алыми губами — за рулем. И Дублинский — в деловом костюме, благоухающий, светящийся гордостью — на заднем сиденье. Младшие коллеги извелись от зависти и попытались подыскать замену своим широкомордым шоферам, но это ведь контрактников было много, а Ирина-то одна.

Ирина остановилась в подворотне, закурила. Она часто так делала, пока Сергей отдавал последние указания подчиненным. Вот бы вернулось все!

Рассматривая знакомые автомобили коллег, Ирина заметила джип, непонятно как затесавшийся среди скромных автомобилей научных работников. Неожиданно из дальней подворотни вырулил знакомый красный скутер. Оглядевшись, парень, тот самый, что забрал контейнер с осмием, слез с него, оставил своего модного коня у глухой стены, открыл дверцу джипа и скрылся внутри.

Ирина замерла. Она видела его, а он ее — нет...

Ей представилась возможность выследить человека как-то связанного с исчезновением Сергея...

Ирина размышляла всего секунду. И затем решилась.

250

Только не спешить. Главное, чтобы он ее не заметил!

Джип тронулся с места и плавно вырулил в ту же подворотню, из которой незадолго до этого выехал красный скутер.

Ирина кинулась к своему автомобилю. Была у нее новенькая серебристая «десятка», которой она очень гордилась. Плавно завелся мотор, бесшумно заскользили по асфальту колеса.

Джип застрял возле светофора. Ирина пристроилась в ту же линию, что и автомобиль курьера.

Милиционер, помахивая жезлом, разгонял поток машин. Вот бы остановиться, подойти к нему и тихо сказать: «Задержите вон тот джип. В нем — человек, причастный к похищению Сергея Дублинского, ученого с мировым именем».

Ирина даже дернулась открыть окно, чтобы крикнуть. Помахать стражу порядка рукой?

Ну и что? Предположим, задерживают этого самого, который сперва был на скутере, а теперь на джипе. Что дальше? Ирину — в тюрьму, за похищение осмия, в одну камеру с Оксаной Дублинской. Вот потешатся уголовницы, вот покуражатся... А этот? Скажет, что знать ничего не знает, ведать не ведает.

Хотя, может быть, Сергея найдут, спасут, и он будет носить ей передачки... Неплохая перспектива!

Глупость какая! Ради Сергея можно и рискнуть, конечно. Но кто знает, не убьют ли его похитители в отместку за ее предательство?

Ирина решила преследовать курьера самостоятельно. О том, что этот парень — просто исполнитель поручения, не знающий о местонахождении похищенного профессора, Ирина подумала не сразу.

Наконец светофор соизволил мигнуть зеленым глазом. Джип свернул в переулок и стал медленно двигаться в сторону центра. Из окна орала музыка. Со стороны и не подумаешь, что курьер везет похищенный осмий. Так, богатый папенькин сынок выехал прокатиться по городу.

Джип свернул на Обводный канал. Понеслись мимо склады, заводы, здания непонятного назначения.

Словно запутывая след, курьер несколько раз менял направление движения. Ирина порядком удивилась, когда через два часа кружения по городу они оказались на Пороховых. Этот район Ирина знала слабо. Теперь, чтобы выбраться в центр, ей придется останавливаться и спрашивать дорогу. Но до этого еще далеко.

Около магазина, торгующего аквариумами, птичьими клетками и мелкой ползучей и плавучей домашней живностью, джип остановился. Ирина проехала чуть дальше, к остановке трамвая, и вышла, словно за сигаретами. Курьер вошел в магазин. На нем была сетчатая футболка и обтягивающие синие джинсы. Никаких пакетов, «дипломатов», даже поясной сумки он с собой не взял. Хотя, был ли при нем контейнер, она, ясное дело, знать не могла.

Через некоторое время из магазина вышел мужчина, явно кавказец, почесал поясницу, открыл дверцу джипа, быстро забрался внутрь, резко газанул, и круто повернул в сторону Ржевки. Ирина только и успела взять пачку, о сдаче думать было некогда, тут бы успеть. Она вскочила в машину, тоже повернула.

— Лихачка, чтоб ты врезалась в столб! — вслед ей крикнула сморщенная старушка, несмотря на жару укутанная в пальто и платок. Ирина не задела старушку, вообще проехала мимо нее. Просто у старушки был скверный характер.

На какой-то момент Галковская потеряла джип из виду.

К счастью, кавказская внешность водителя привлекла постового, торчавшего на посту неподалеку от Мечниковской больницы. Постовой прятал в карман пачку денег, видимо, солидную пачку, потому что когда Ирина заметила джип, постовой приветливо козырнул водителю и даже как будто бы слегка ему поклонился. Вот так надо жить в чужом городе, если прописки нет, а деньги есть.

Автомобиль набирал скорость. Ирина не отставала. Она уже вообразила себя заправской преследовательницей, которая сейчас как выследит похитителей Сергея, как наведет на их след милицию! И Дублинский будет спасен. Приедут омоновцы, журналисты и кинооператоры. Бледного, измученного, но не покорившегося Сергея выведут под руки из темного подвала (в своих фантазиях Ирина, кстати, была недалека от истины). Он даст интервью, кивнет Кротову, приехавшему поприветствовать освобожденного профессора, а потом подойдет к Ирине, обнимет ее за талию, и они умчатся на серебристом «ниссане» туда, где им никто не помешает слиться в экстазе.

К сожалению, реальность оказалась не столь радужной, как грезы разгоряченной погоней влюбленной женщины. Проезжая мимо «Цветка Жизни», Ирина заметила, что за ее «десяткой» едет еще один джип. Первый джип неожиданно свернул на грунтовую дорогу, ведущую к тихим дачным домикам. Ирина поехала следом. За ней свернул и второй джип.

Похититель осмия, убедившись в том, что Ирина преследует именно его, снова выехал из поселка на шоссе и прибавил ходу. Второй джип синхронно повторил его действия...

Ирине стало страшно. Она неожиданно поняла, что оказалась одна, на незнакомом пригородном шоссе, в компании, мягко говоря, не совсем подходящей для утренних прогулок.

Когда первый джип свернул на очередную проселочную дорогу, такую раскуроченную и неухоженную, что «десятка» просто забуксовала бы на ней и тогда... Ох, не хотелось думать, что будет тогда, Ирина решила оставить попытки угнаться за предполагаемым похитителем Сергея. Теперь ей самой надо было как-то выбираться из сложившейся ситуации.

Она продолжала ехать по полупустому шоссе. Джип преследователя не отставал, он тоже набирал скорость. Ирина решила, что ей надо во что бы то ни стало добраться до ближайшего населенного пункта, желательно крупного, с магазинами и городским транспортом. Сесть там в автобус — не будет же преследователь гнаться за автобусом? А если и будет, то что толку. Ирина затеряется среди людей. Автомобиль с надежной сигнализацией, потом она заберет его или попросит кого-нибудь помочь, того же Эльзенгера, он давно за ней пытается ухаживать, надо дать человеку такую возможность.

Какой там дальше будет населенный пункт? Всеволожск? Ирина пожалела, что в свое время отказалась кататься автостопом с одним своим сумасшедшим поклонником. Сейчас бы она, конечно, представляла, где находится.

Два автомобиля неслись по шоссе на сумасшедшей скорости. «Десятка» показывала чудеса, но и джип не отставал. Засмотревшись в зеркало заднего вида, Ирина не заметила, как съехала на встречную полосу. Мгновение — и из-за поворота вылетела огромная фура.

Вывернув руль, Ирина съехала на обочину и на полной скорости полетела под гору, в овраг, поросший крапивой и чертополохом...

Джип преследователя остановился на обочине. Из джипа вылез Джабраил. Довольно ухмыльнулся, поглядел вниз. Что-то пробормотал на своем языке, видимо, призывая Аллаха в свидетели тому, что все случилось само собой, значит, такова была воля провидения. Задумчиво достав из кармана револьвер, Джабраил взвесил его на ладони. Нет, не надо стрелять. Небеса сами расправились с наглой женщиной.

...Второй курьер ждал Джабраила в условленном месте — около заросшего тиной пруда, в лесочке, больше напоминающем помойку. Тут валялись кругом старые покрышки, пластиковые бутылки, гнилые доски с торчащими из них ржавыми гвоздями — словом, отходы жизнедеятельности ближайшего поселка и остатки от дружеских пикников выезжающих на уик-энды горожан.

— Вот, брат. Передай Гучериеву. Скажи, что мои отец и братья всегда готовы помочь ему, после того как он выручил нашу семью. Кто был в той машине?

— Женщина, — презрительно сплюнул Джабраил, — глупая женщина. Извини, что пришлось ехать так далеко. Ты правильно поступил. Поступай так всегда. Никогда не останавливай машину, когда за тобой кто-то едет. Я сейчас поеду к нашим. Передай это Алексею, — Джабраил достал из кармана несколько пачек долларов, перевязанных бумажными лентами.

Со своим братом-чеченцем он не стал расплачиваться: тот содействовал Гучериеву бескорыстно, в благодарность за помощь его семье. Дать ему сейчас денег значило бы смертельно оскорбить горца. Они распрощались, и каждый поехал в свою сторону.

По дороге Джабраил напевал что-то себе под нос, гордый тем, что задание выполнено как положено. Про Ирину он решил ничего не говорить — с ней было покончено.

Гучериев сидел в плетеном кресле в саду. Глаза его были чуть прикрыты, но он не спал. Как только шаги Джабраила зашуршали по гравиевой дорожке, чеченский командир немедленно открыл глаза и хищно посмотрел на своего верного помощника.

— Принес?

— Конечно, Ахмет! Как заказывали!

Джабраил достал из-за пазухи цилиндр с осмием. Гучериев тут же схватил его, повертел в руках, понюхал, посмотрел на свет, словно пытаясь проникнуть взглядом внутрь. Джабраил расправил плечи и ждал похвалы. Гучериев не торопился благодарить его. Подчиненный сделал то, что ему было приказано. Зачем же хвалить?

— Хорошо... — наконец вымолвил Ахмет.

Солнце блеснуло на драгоценном предмете. Глаза Гучериева вспыхнули странным светом.

— Здесь будет заложен фундамент счастья и свободы всего нашего народа, — протяжно, словно читая молитву, произнес Гучериев. — В этом маленьком куске металла — драгоценное зерно, которое приведет к победе чеченцев над захватчиками. Сначала мы отвоюем у них то, что они обманом и предательством отобрали у наших дедов и прадедов. Но мы не остановимся на этом. Когда захватчики униженно станут просить пощады, мы скажем им: а что же наши отцы, которых вы убивали? Наши деды, которые гнили в лагерях? Наши матери, выплакавшие все глаза, когда вы убивали и мучили нас, топтали сапогами нашу землю? Когда бомба покажет себя, мы сможем ставить условия. Наш народ расправит плечи и пойдет туда, куда поведет его Аллах. Мы затмим всех воителей прошлого. Великая Ичкерия, простертая от Черного до Каспийского моря, будет внушать уважение и любовь всем свободным народам, враги же должны быть уничтожены.

Он помолчал. Джабраил внимательно слушал командира. Гучериев продолжал:

— Ты, Джабраил, я, наши братья и сестры, собравшиеся здесь и ждущие своего часа на родине, — мы все стоим у истоков великой реки, кровавой реки, которая сметет на своем пути жалкие плотины, построенные нашими врагами. Их кровью будут умываться наши дети, а тем, кто примет нашу сторону, мы подарим жизнь и свое покровительство. Ты, Джабраил, будешь владеть городом, да что городом, целым десятком городов! Никто не сможет остановить тебя на улице, связать, избить, отобрать деньги и кинуть в застенок. Уже ты будешь вершить справедливый суд по воле Аллаха.

Глаза Гучериева снова затуманились. Джабраил стоял перед ним навытяжку, и грызла его мысль, что командиру надо говорить всю правду, а значит, про Ирину придется сказать. Но так прекрасен в своем праведном, мистическом гневе был командир, что чеченец просто не решался прервать его воинственного экстаза. Наконец Гучериев покинул мир грез и вернулся к реальной жизни:

— Ты передал деньги Алексею?

— Да. Ильшат ждал его в условленном месте, все прошло как задумано.

— Что женщина? Все сделала, как положено?

— Да...

— Ты задержался в пути, — как бы между прочим заметил Ахмет.

«Ничего от него не скроешь... Шайтан... » — подумал Джабраил, глядя в острые, как буравчики, глаза Гучериева.

— Да, командир, она принесла осмий и передала Алексею. Но потом она, видимо, передумала... И пустилась за ним в погоню.

— Что-о? — командир грозно сдвинул брови. — В погоню? Зачем?

— Этого я не знаю.

— Не смей произносить этого слова — «не знаю»! — закричал Гучериев. — А кто знает? Ты должен знать!

Охранники, неподвижно стоявшие в десятке шагов от кресла предводителя, встрепенулись. Если надо будет, они уберут Джабраила одним выстрелом. Но пока Гучериев не скомандовал, они будут только стоять и молчать.

— «Не знаю» — это не оправдание, слышишь? Ты можешь сказать, я не знаю, что было на уме у врага только тогда, когда ты уверен в том, что он мертв, ты видел его труп и кинул на него горсть земли!

— Я не знаю, потому что когда Ильшат подъезжал к месту встречи, он позвонил мне и просил посмотреть, что за машина едет за ним следом. Мы гнались по шоссе, Ильшат свернул, а женщина упала в овраг вместе со своей машиной.

— Свалилась в овраг?

— Да.

258

— Она мертва?

— Да, командир...

Лицо Гучериева просветлело.

— Ты хороший солдат. Ее труп надежно спрятан?

— Но я не видел ее трупа, — холодея от дурного предчувствия, пробормотал Джабраил. Врать командиру — даже ради спасения жизни — он не посмел.

— Ты? Не видел? Трупа? — медленно, с расстановкой повторил Гучериев. — И после этого ты являешься ко мне, будто с победой, ты, которому я так доверял?

— Но овраг достаточно глубок. Я ничего не делал, она сама не справилась с управлением и упала вниз. На то была воля Аллаха.

Гучериев задумался. С волей Аллаха не поспоришь.

— Я не посмел усомниться в божественном провидении, — произнес Джабраил, видя, что морщины на лбу Гучериева разглаживаются.

— Ты поступил правильно. Но — не совсем мудро, — наконец сказал Гучериев. — Здесь, на этой земле, их боги так же сильны, как и Единый Аллах.

Джабраил опустил голову, ожидая справедливой кары. Но Гучериев был мудрым полководцем. Раскаяние Джабраила было столь искренним, что его необходимо, совершенно необходимо было простить, чтобы верность его теперь не знала границ.

— Ты выполнил мое поручение. Драгоценный осмий теперь принадлежит нам, — Гучериев снова посмотрел на цилиндр, словно желая пронзить его взглядом. — Ты доказал свое право быть воином ислама. Но из тебя еще не получится настоящий командир. Рано я пообещал тебе город. Настоящий командир не только выполняет приказы, он сам, в зависимости от обстоятельств, меняет свою тактику. Но ты хорошо потрудился. Теперь тебе надо уничтожить всех посторонних людей, участвовавших в этой операции. Начнем с Алексея. Но прежде, чем ты им займешься, я хочу сам убедиться в том, что эта женщина мертва. Мы поедем туда вместе — ты и я. Я должен увидеть место, где свершилась воля Аллаха.

Гучериев с Джабраилом в неказистом «запорожце», специально припасенном для поездок, требующих не скорости, а скрытности, двигались по шоссе. Вот они проехали подлесок, где ждал Джабраила второй курьер. Добрались до оврага. Ни «скорой», ни милиции на месте происшествия не оказалось.

— Тут обрыв, машины проносятся быстро, никто не смотрит вниз, — пояснил на всякий случай Джабраил.

«Запорожец» припарковали в сотне метров от оврага. Спустились, поддерживая друг друга, хватаясь за стебли крапивы и чертыхаясь.

Автомобиль Ирины, новенькая «десятка», лежал на боку, неподалеку от веселого ручейка, прыгающего по камням на дне оврага.

В автомобиле никого не было. На сиденье и траве рядом с местом катастрофы виднелись пятна крови. Но Ирина исчезла.

Гучериев поднял глаза на Джабраила. Глаза метали молнии. Джабраилу захотелось в этот момент самому стать трупом исчезнувшей женщины, чтобы только командир не смотрел на него так.

— Где она? — медленно произнес Ахмет.

— Может быть, тело увезли в морг? — предположил Джабраил.

— А автомобиль бросили?

— Может быть, за ним приедут потом? Ее увезли в морг... — начал фантазировать Джабраил и осекся под взглядом командира.

— Тебя самого увезут в морг, — не предвещающим ничего хорошего голосом сказал Гучериев. — Если завтра у меня не будет твердой уверенности в том, что она мертва.

— Я все исполню, командир, — пролепетал Джабраил.

Гучериев рассматривал свою ладонь, покрывшуюся свежими волдырями от укусов матерой придорожной крапивы. Неожиданно ладонь сама собой сжалась в кулак — и Джабраил, сбитый с ног мощным ударом в челюсть, полетел на камни, по которым так весело журчал ручеек.

— Пока ты не уничтожишь ее, для меня тебя не существует. Ты будешь для меня хуже, чем собака. И я убью тебя, как собаку, если эта женщина останется в живых. Алексея убьешь позже. Сейчас ты отправишься в морг, в другой морг, в третий, пока не убедишься в том, что она мертва.

— Да, командир, — поднимаясь с камней, ответил Джабраил. Из носа его текла кровь. Он наклонился к ручью, чтобы умыться.

— Можешь взять свой джип, — смилостивился Гучериев. — Свобода и счастье нашего народа сейчас зависят только от тебя.

Сколько времени прошло с момента падения в овраг, Ирина не помнила. Сначала ей казалось, что она продолжает катиться под откос вместе с несчастным, искореженным автомобилем, и конца этому падению не

261

будет. Мимо пролетают банки с вареньем, кролики в перчатках, алмазы в небесах и небеса в алмазах. «Сотрясение мозга» — определила Ирина. Головой она приложилась порядочно, но больше ничего не болело.

Ирина постаралась оценить свое состояние. Тупая боль в затылке, правое бедро онемело. Отделаться раной на бедре и сотрясением мозга после такого падения невозможно. Ирина знала, что переломы ребер очень опасны: человек может совершенно не чувствовать боли, а осколок кости в один прекрасный момент протыкает легкие. И человек задыхается.

Ирина почти задохнулась от страха и подступившей к горлу тошноты. Очень хотелось пить. На самом дне оврага журчал ручеек. Кое-как выкарабкавшись через окно из разбитой «десятки», Ирина добралась до него и начала жадно загребать воду горстями. Потревоженная нога отозвалась пульсирующей болью. «Надо отсюда выбираться», — подумала Ирина. Дорога через крапиву и чертополох наверх, в горку, представлялась сейчас совершенно немыслимой. Но чуть левее от разбитой машины валялся обломок какой-то трубы, чуть изгибающийся с одной стороны. Благословив людей, швыряющих мусор куда попало, Ирина добралась до трубы — она вполне могла сойти за импровизированный костыль. А загнутым концом можно цепляться за корни и таким образом выбраться на дорогу.

«В таком виде? Мать, тебя тут же заберут, как бомжиху последнюю, и доказывай потом, что сумочку с документами ты не сперла у кого-нибудь другого».

Кремовая мини-юбка и золотистые чулки превратились в лохмотья. Жакет пострадал чуть меньше — он был от другого, более темного и плотного костюма. Майка под жакетом сохранилась в первозданной желтизне. А вот замшевые туфли следовало бы как следует почистить, или хотя бы чем-нибудь оттереть пятна крови.

Ирина порадовалась собственной запасливости: она всегда брала с собой зубную щетку и интернет-карту. Мало ли где ночь застанет? Надо всегда быть во всеоружии. Карта в такой ситуации вряд ли поможет, к черту карту. Зубная щетка — хорошая, новая, сгодится для приведения в порядок обуви. А вчера она купила новую пижаму. Шаровары в комплекте с желтой майкой сойдут за летний модный молодежный прикид.

Только модная молодежь на костылях не шкандыбает. Раненая нога постоянно напоминала о себе. Хорошо, что пижамные брюки были настолько свободными, что не соприкасались с раной.

Выбиралась из оврага Ирина долго. Рассчитывала каждый шаг, проверяла на прочность каждый камешек и каждый корень. Сейчас скатиться в овраг или хотя бы съехать на несколько шагов вниз она себе позволить не могла. Медленные и осторожные движения. Может быть, ребро не сломано, но... Шаг за шагом, медленно, но верно. «Будь очень осторожна, Ирина!» — мысленно твердила она себе. Но сказать что-либо в полный голос или даже в полшепота не решалась, вдруг действительно что-нибудь случилось с ребрами, и любое напряжение для легких может оказаться роковым. Она дышать старалась неглубоко, но ровно, через одинаковые промежутки — вдох-выдох, вдох-выдох! «Вот только об этом и думай, как правильно дышать и быть предельно осторожной!» — приказала она себе.

Ирина не заметила, как выбралась на дорогу, как побрела куда-то по обочине. Сколько она так шла, переставляя костыль, опираясь на него всем телом, переставляя здоровую ногу и подволакивая больную, не представляла даже.

Солнце жарило вовсю. Ирина продолжала продвигаться в сторону, противоположную той, откуда она приехала. Ей было уже как-то все равно. Она не думала, куда именно направляется. Главное — двигаться очень осторожно. И когда милый юноша предложил подвезти хромающую даму, например до больницы, она согласилась.

— Эко тебя! — сказал водитель, помогая забраться Ирине на сиденье, и проявил чудеса догадливости: — С мужем поссорилась?

— Я не замужем, — автоматически ответила Ирина.

— А что случилось-то?

— Авария автомобильная.

— Все умерли, осталась Таня одна? — хохотнул водитель, но Ирина его веселья не поддержала.

Ехали какими-то проселочными дорогами, миновали бесконечное количество поворотов, доехали до леса.

— Снимай сережки, часы, сумку давай, — шофер повернулся к Ирине, превращаясь из улыбчивого юноши в обыкновенного бандита. — Быстро, я спешу!

Ирина тупо сняла серьги, отдала ему. Сняла часы, отодвинула сумочку в сторону.

— Сумку сюда давай! Быстро!

Покопавшись в сумочке, водитель достал деньги, повертел в пальцах интернет-карту:

— Кредитка, что ли? Какой PIN-код, быстро!

— Это интернет-карта.

— Понятно. Забирай свою кошелку. Там двадцать рублей осталось — до больницы пойдешь через лес, там будет поле, рядом дорога, спросишь, куда тебе повернуть. К вечеру будешь!

Ирина осторожно, чтобы не повредить еще больше ногу, выбралась из автомобиля.

— Кошелку забери! — высунулся из окна грабитель и швырнул сумочку на землю.

Ирина побоялась наклоняться, опасаясь, что осколок ребра только этого и ждет и сейчас же вопьется в легкое, а она тут, в лесу, совсем одна. Как не хочется погибать, когда Сергея вот-вот освободят. Словно назло!

Подцепив сумочку костылем (запоздало Ирина сообразила, что спокойно могла оглушить водителя этой трубой, выкинуть его из автомобиля и добраться до ближайшего райцентра), она поковыляла вперед.

Очень хотелось пить и есть. Йогурт и апельсиновый сок, которые она буквально впихнула в себя перед походом в центр («Ограбление века», — ухмыльнулась она про себя), давно перестали питать тело энергией.

Ирина вышла из леса как зомби, опирающийся на осиновый кол, и побрела вдоль поля. Здесь ее подобрал мужик, ездивший на телеге к колонке за водой.

— Тебе в больницу в другую сторону! Эх ты! — сокрушенно покачал головой он. — Ну-ка садись, довезу.

Оказавшись в телеге, Ирина, у которой больше нечего было красть, прислонилась к холодной канистре с водой и впала в забытье.

Медицинский персонал в Бобруевской поселковой больнице долго спорил, откуда она такая тут взялась и что с ней стало. В округе в таких штанах девки отродясь не ходили. И труба какая-то еще. Небось радиоактивная!

При слове «радиоактивная» Ирина как будто бы начала приходить в себя.

— О, глаза открыла! — прокомментировала сиделка. — Давай-ка ей водички.

Сельский медперсонал был темный, но добродушный. В городе бы прежде всего поинтересовались платежеспособностью неожиданной пациентки, а тут — приняли и уложили ее, как будто она отродясь в Бобруевке жила.

— Ожила? Как же ты так, а? Избили тебя? Ограбили? Гопников-то на дорогах много, тож выдумала — в такой майке по дорогам ходить! — пробормотала жалостливая сиделка.

— Следователь Елена Бирюкова... Позвоните ей в уголовный розыск... Срочно... — прошептала Ирина.

— Чего? Какой следователь? Следователя тебе? Сначала мы тебе успокоительного вколем!

Но Ирина продолжала гнуть свое. Сиделка встревожилась. Если пациент с сотрясением мозга повторяет одну и ту же фразу, значит ли это, что он уже чокнулся?

— Эй, Надежда! — позвала сиделка молодую медсестру, заочно учившуюся в городе. — Тут эта, в маечке, чеканулась, поди.

— Следователя хочет? — задумчиво протянула Надежда. — Нет, не похоже, чтобы тронулась. Она просто в бреду, в жару. Ты температуру ей мерила?

— А то как же? Только привез ее Прохор — мы ей сразу градусник!

— Давно он привез ее?

— Ну часа три. А то пять. Было еще совсем светло, солнышко проглядывало.

— Поставь ей градусник еще раз. Я схожу за Павлом Владимировичем, — сказала медсестра.

Павел Владимирович Осмоловский был врачом. Одним из трех в поселковой больничке на двадцать коек. Павел Владимирович решил, что утром надо бы больную в Петербург отправить, а то, во-первых, она городская, а во-вторых, ей все хуже и хуже. Сотрясение

266

мозга, сломанное ребро и рваная рана на ноге — что-то не похоже это на следы от стычки с хулиганами.

— Похоже на то, что она в автомобиле ехала и врезалась во что-нибудь, потом автомобиль перевернулся. Вы бы отошли, я девушку еще раз осмотрю.

И врач осмотрел Ирину еще раз.

— Так и есть, — констатировал он.

— Срочно... Позвоните следователю Елене Бирюковой... Петербург... Уголовный розыск, — повторила Ирина.

— Навязчивая идея? — деловито спросила у Павла Владимировича медсестра.

— Надо с Предводителем посоветоваться.

Предводителем врачи между собой звали главврача — Зигмунда Федоровича Хухеева, маленького сморщенного старикашку, умного необычайно.

— Давайте позвоним следователю! — бодро сказал Зигмунд Федорович. — В уголовный розыск? Елене Бирюковой? В двенадцать часов ночи? С легкостью! Как зовут нашу пострадавшую?

— Ирина Галковская.

— Замечательно. Ирочка. Паспортные данные записали для отчетности?

— Да, Зигмунд Федорович!

— Чудесно. Алло! Это уголовный розыск? Мне бы Леночку Бирюкову. Ничуть не поздно. Самое время для таких разговоров.

Павел Владимирович тихонько вышел из кабинета Предводителя и плотно закрыл за собой дверь.

— Наш решил следовательшу склеить, — сообщил он медсестре Наде, курившей на заднем дворе около бачков с мусором.

— Бог ему в помощь, — кивнула Надя и затушила окурок о стену.

267

Глава 22

Спать в эту ночь Гордееву и Лене не пришлось.

Стоило только им погрузиться в прекрасный мир сновидений, как на тумбочке возле телевизора, у которого по взаимной договоренности в первый же день был отключен звук, оставлено только изображение, забренчал телефон.

— Ты во сколько просил нас разбудить? — недовольно потянулась Лена. Она чувствовала себя совершенно разбитой, словно не спала.

— Кто здесь? — пробормотал во сне Гордеев.

— Вставай, подъем, телефон! — крикнула ему Лена.

Гордеев очухался. Телефон продолжал трезвонить.

— Возьми трубку, погибель моя! — сказала ему Лена.

— А сама?

— А в глаз?

— Понял.

Гордеев стремительно выскочил из-под пледа, потом нахально стянул одеяло с взвизгнувшей Лены, обмотался им наподобие благородного римлянина и направился к телефону.

— Гордеев слушает! Да... Номер Бирюковой. Это Юрий Гордеев. Мы, гм... вместе его снимаем. Да, я в курсе дела. Вы уверены, что это именно она? Понял. Выезжаем.

— Куда это мы выезжаем? В два часа ночи? — потянулась Лена.

— Ирина Галковская непонятным образом оказалась в сельской больнице за несколько десятков километров от города. Как она туда попала — неизвестно. У нее травма черепа, сломано ребро, что-то еще, дежурный не запомнил. Она в бреду и требует встречи с тобой.

— Адрес больницы записал?

— Обижаешь! Я запомнил.

Елена и Юрий быстро собрались, не сильно заботясь о своем внешнем виде — у них было дело поважней, вышли из гостиницы и стали ловить машину. Не так-то просто ночью найти человека, готового отвезти парочку, подозрительно смахивающую на Бонни и Клайда, на край света. Однако нашелся все же экстремал с беломориной в зубах.

— Вы не наркоманы? — с надеждой спросил он.

— А что? — напрягся Юрий. Ехать ночью с водителем-наркоманом довольно далеко — не самая приятная перспектива.

— Я люблю подвозить наркоманов. С ними никогда не знаешь, чем дело закончится.

— Ты приключений хочешь? — не поняла Лена.

— Я куража хочу. Мне в этом городе скучно, мне в этом городе тесно.

— Нам тоже, — оборвал его речь Гордеев. — И поэтому мы едем за город.

— А что так срочно? — через некоторое время все же спросил любопытный водитель.

— Сестра у меня там. В аварию попала, — коротко сказал Гордеев.

— Нормально все будет с вашей сестричкой, если она до больницы доковыляла. Я бы на ее месте постарался доковылять. Правда, я бы и не оказался на ее месте. Я внимателен на дороге.

— Пока что-то незаметно, — поморщилась Лена. — Болтаешь без умолку.

— А я как Гай Юлий Цезарь, — похвалился водитель, — могу одновременно водить, курить и говорить.

Однако после замечания Лены он замолчал и только попыхивал беломориной, доставая папиросы из пачки одну за одной.

Около больницы Гордеев щедро рассчитался с водителем, который оказался знатоком своего дела и довез их до Бобруевки в общей сложности за полтора часа.

— Мне нет смысла ехать в город, все равно на работу к двенадцати, — сказал неожиданно он. — Может, меня тут где-нибудь на диванчике положат, я вас потом обратно подвезу?

— А ведь действительно, незачем тебе порожняком ехать. Я сейчас поговорю с главврачом, — кивнул Гордеев.

— На какую тебе работу? А сейчас ты что делал? — удивилась Лена.

— Сейчас я развлекался. А вообще-то я администратор в одной скучной компьютерной конторе.

Медсестра Надя встретила Лену и Гордеева на крыльце и провела их по темным коридорам к кабинету главврача.

Зигмунд Федорович при виде Лены заметно оживился и заиграл кустистыми бровями.

— Это вы и есть — Леночка? — уточнил он.

— Нет, это я, — пресек его шалости Гордеев. — Доложите оперативную обстановку.

Главврач приуныл, но обстановку доложил.

— Мы должны пойти к ней, — сказала Лена. — Неспроста все это. Может быть, она вышла на след похитителей профессора?

— Какого профессора, Синюгина? — оживился Хухеев.

— Кто это? — сдвинул брови Гордеев. В режиме бессонной ночи его мозг отказывался работать оперативно.

— Это мой приятель, мы с ним в картишки любим переброситься, — безмятежно сообщил Хухеев.

— Еще один картежник, — бросила через плечо Лена, — возьмем под наблюдение.

— Что вы, что вы, барышня! — всполошился главврач и ретировался.

Павел Владимирович снабдил гостей медицинскими халатами и провел их в закуток, который здесь гордо именовали «отдельной палатой». Кроме нее в больнице была только «общая палата», в которой обычно ютились остальные двадцать пациентов, но летом было затишье, больница пустовала, вот Ирину и определили в «отдельную палату», комфорт одиночества компенсировался тем, что в это помещение не было еще проведено электричество.

Ирина впала в забытье и не реагировала на вошедших.

— Можно как-нибудь привести ее в чувство? — спросил у врача Гордеев. — Что-нибудь вколоть, например?

— Можно. Но я не позволю вам этого делать, даже если эта женщина совершила тяжкое преступление, — твердо сказал Павел Владимирович. — Ей нужен абсолютный покой и сон, а вы растревожите ее своими вопросами и сделаете только хуже.

— Да в том-то и дело, что она не совершала никаких преступлений. Но она, возможно, единственный свидетель очень важного события.

— Возможно? То есть вы не уверены, но на всякий случай хотите причинить пострадавшей дополнительные неудобства? — переспросил врач, приобнимая посетителей за плечи и выводя их из палаты Ирины.

— Единственное, что вы можете сделать для нее, если

вам действительно поскорее хочется получить свидетельские показания, снять ей палату в платной больнице, там ее быстрее поставят на ноги. У нас такой возможности нет. Но мы готовы сделать все, что в наших силах.

— Хорошо, — кивнул Гордеев уже в коридоре. — Тогда назовите больницу, в которую, по вашему мнению, нам стоит обратиться.

— Если вы говорите, что эта женщина была единственным свидетелем какого-то преступления, мне лучше не знать, куда она отправится после. Для собственного спокойствия и чистой совести.

Под утро водителя, спавшего в рекреации на клеенчатой кушетке, растолкала Лена.

— Ты хорошо знаешь платные больницы в округе?

— Я все хорошо знаю! — тут же проснулся водитель.

— Тогда назови мне лучшую и ближайшую.

Он сел на кушетке, почесал в затылке, что-то посчитал на пальцах.

Минут через десять автомобиль уже мчался по шоссе. А через час от частной клиники «Берокка» в сторону сельской больницы направилась карета «скорой помощи», на которой Ирину Галковскую перевезли в клинику.

Лена с Гордеевым решили, что Лене стоит возвращаться в Питер, а вот Гордеев будет сопровождать Ирину, договорится с врачами и, если появится возможность, попробует выудить из нее хоть что-нибудь.

Принимал Ирину Семен Тихонович Пустовалов, он вкратце оговорил с Гордеевым сумму, в которую обойдется лечение, и попросил подождать в приемной.

Гордеев сел в удобное кожаное кресло. Полюбовался на приемный покой клиники, где каждый предмет обстановки кричал о больших деньгах и напоминал интерьеры зарубежных сериалов. Взялся почитать какой-то журнал о здоровье и материнстве, который валялся на журнальном столике. Потом переключился на брошюру о СПИДе и неожиданно для самого себя уснул.

Разбудила его медсестра:

— Вас Пустовалов к себе просит.

Гордеев постучался в кабинет лечащего врача, который взялся поставить Ирину на ноги, и вошел.

— Здравствуйте, меня зовут Юрий Петрович, это я сейчас привез пациентку.

— Да-да, автомобильная авария, сотрясение мозга, переломы. Я смотрел. Сейчас чайку попью и сделаю более тщательный осмотр. А вы пока продиктуйте сестре все данные на вашу знакомую.

— Видите ли, дело в том, что эта женщина — свидетель, возможно, единственный, похищения профессора...

— Синюгина, что ли? — поднял глаза врач.

— Да почему вы все про Синюгина спрашиваете?

— А, это довольно известный персонаж. Кроме того, у него кличка — Профессор.

— А он что, пропал? — спросил Гордеев.

— А у него как зарплата — он всегда пропадает.

— Бог с ним, с вашим Синюгиным. Дело в том, что мне не хотелось бы сообщать вам имя и фамилию вашей больной. Это же частная клиника, как я понимаю. Пусть она у вас инкогнито побудет, так и вам спокойнее, и мне.

— Хорошо.

Врач и так был спокоен и умиротворен. За лечение Ирины ему посулили приятную на вид и на ощупь сумму. Как тут не быть умиротворенным и спокойным? Пусть инкогнито, пусть космонавт, пусть хоть сам профессор Синюгин, главное, чтобы деньги вовремя платили.

— Я хотел бы поговорить с ней. Вы можете это устроить? — продолжал Гордеев.

— А вот этого не стоит делать, — неожиданно проявил твердость врач.

— Ну Семен Тихонович, вы поймите, произошло преступление...

— Я сказал нет. Нашей пациентке нужен абсолютный покой. Кроме того, она большую часть времени находится в полубессознательном состоянии. Дня через два, не раньше, мы сможем вас допустить к ней.

— Два дня? — воскликнул Гордеев. — Да за это время черт знает что может случиться.

— А если я сейчас нарушу правила и позволю вам травмировать пациентку, случится я точно знаю что. И не собираюсь этого допускать. Я врач. Я клятву Гиппократа давал!

— А я-то вам деньги давал, — пробормотал Гордеев.

Врач пожал плечами:

—Во-первых, денег вы мне еще не давали, кстати, подпишите договор, хотя бы на свое имя, если вы не хотите раскрывать имя пациентки, а во-вторых, мы договорились по деньгам именно по поводу лечения, а не по поводу мучения больной.

— Может быть, за некоторое вознаграждение вы согласитесь...

— Может быть, за некоторое вознаграждение вы согласитесь оставить меня в покое, иначе я вынужден буду позвать охрану! — взвился наконец врач.

Гордеев был вынужден покинуть клинику. Два дня так два дня. По крайней мере здесь, в этой частной, мало кому известной клинике, она будет в безопасности. Оставалось за эти два дня разобраться с убийством Бурцева и с заказчиком осмия. «Скорее всего, это было одно и то же лицо», — думал Гордеев по дороге...

Павел Владимирович Осмоловский дежурил в эту ночь и как раз завершил обход, он решил наведаться в клизменную, чтобы с медсестрой Клавочкой отдохнуть — то есть выпить спирта, потому как иного отдыха во время дежурства он себе не позволял. Но даже такой невинный вид досуга был ему сегодня не доступен — в больницу вошли трое. Джабраил взял с собой еще двух воинов ислама, скорее для солидности, чем для поддержки: он был уверен, что один справится с этими докторишками.

— Вы к кому? — настороженно поинтересовался Павел Владимирович. Пациентов чеченской национальности у него не было.

— Мы к женщине! — ответил Джабраил.

После того как Гучериев довольно ощутимо съездил ему по физиономии, Джабраил потерял покой. Они вернулись на место дислокации, где ему было выдано оружие и двое помощников. Оседлав джип, чеченцы отправились на поиски Ирины. Они не знали, как ее зовут, кто она, но Джабраил был уверен — женщина далеко не ушла. Они кружили по району, прилегающему к тому оврагу, куда свалилась «десятка» Ирины, около двух часов, расспрашивая прохожих, пока на заправке они не столкнулись с парнем, пытавшимся продать им сережки и дамские часы.

— Откуда? — спросил Джабраил. — Ясно, что ворованные, но все же интересно как-то.

— Что тебе интересно? Берешь? Давай деньги! Быстро!

— Ты со мной так не разговаривай, — рассудительно заметил Джабраил, — ты со мной по-другому разговаривай.

— А чего медлить-то? Берешь, нет?

Джабраил решил пойти ва-банк.

— Я знаю, чьи это. Это моей женщины серьги. Где она?

— Какой твоей женщины? Да такая женщина с тобой в одну машину не сядет! — разозлился собеседник.

— Сядет. И ляжет, — нагло соврал Джабраил, небрежно запуская руку за пазуху. Братья приблизились к нему и повторили в точности этот жест. — Где ее автомобиль? Где она сама?

— Да не было никакого автомобиля, — не на шутку перепугался парень. — Она топала по шоссе с костылем, я ее подвезти решил.

— Куда?

— Ну она ехала, а потом передумала, — неуверенно сказал водитель, ему стало несколько не по себе ото всех этих вопросов.

— Где она? — повторил Джабраил.

— Да я в лес ее завез, вон там, за Выхухолью.

— Выхухоль — это что?

— Да речка. Там поворот сразу будет и лесок. Я ее туда отвез, деньги забрал, серьги забрал. Ну я же не знал, мужик, что это твоя женщина. Думал — шляется тут. Хромала она сильно. И какая-то странная была.

— На нее враги напали. Ты бросил ее одну в лесу?

— Я ей сказал, чтобы в больницу шла. Там больница рядом, — залебезил дорожный грабитель. — Она дойдет, там близко было. Ну сам понимаешь — не мог

276

я у нее не забрать серьги. Хочешь — забирай, отдашь ей потом. И часы забирай.

Водитель начал вытаскивать из кармана награбленное.

Джабраил сунул означенные предметы за пазуху, поближе к сердцу и револьверу.

— Я тебя найду. Я запомнил номер твоей машины. Если с моей женщиной что-то случилось — я убью тебя как собаку.

— Да что с ней случится? — пробормотал бедолага. Бумажник он решил чеченцу не показывать — и так прогорел!

Джабраил и его люди отправились по следу Ирины. Решили начать с больницы, а если она там не обнаружится — обойти все окрестные дома. Щеку воина ислама жег несправедливый удар командира. О таком не забывают.

— Мне сказал один человек, что моя женщина здесь, — заявил Джабраил, глядя в глаза Павлу Владимировичу. — Ты знаешь, где она?

— Тут много женщин, — врач решил сыграть в сурового, но туповатого эскулапа. — Какая из них твоя? Как твою зовут?

Джабраил задумался. Не может же он не знать имени своей женщины!

— У нас много пациенток. Приемные часы начинаются после обеда. Подождите на скамеечке, пациенты выйдут погулять, и ваша женщина вас узнает.

— Моя не выйдет. Ей плохо очень.

Павел Владимирович струхнул. Он теперь не сомневался, за кем именно приехали чеченцы, но виду не подал.

— Вы знаете, беременных у нас нет! — деланой глупой улыбкой маскируя страх, произнес он.

— Она не беременна. Она на машине каталась и упала. Ее в больницу отвезли.

— Знаете, у нас тут есть неподалеку еще одна больница, — пробормотал Павел Владимирович, — за Выхухолью, в ту сторону...

— Он ее в эту сторону отвез. Где она?

— Кто? Вы хоть имя назовите, мы у сестры сейчас спросим.

— Сестра! — повелительным тоном крикнул Джабраил. Никакая сестра к нему, понятно, не подбежала. Здесь были другие сестры и другие законы.

— Мы зовем ее Гюльнара, — наконец сказал Джабраил, вспомнив имя своей любимой жены. — Она собирается принять ислам. Но документами пользуется старыми. Когда мы сошлись, она велела забыть ее нечистое имя, и я забыл. Она очень хотела.

— Гюльнара. Очень красивое имя, — осторожно заметил Павел Владимирович, — но у нас нет пациентки с таким именем. Правда, Надюша? — окликнул он пробегавшую мимо медсестру. — Гюльнара к нам в последние дни не поступала?

— Нет, не поступала, — отмахнулась та и побежала дальше.

— Она вчера должна была поступить. Покажи список больных.

— Вы же все равно не знаете, как зовут вашу жену, — попробовал увильнуть Павел Владимирович. Но Джабраил достал из-за пазухи револьвер и показал перепуганному врачу.

Они попятились к столу, за которым день и ночь должна сидеть дежурная медсестра. Но Клава вероломно покинула пост и пошла в клизменную — разводить спирт. Джабраил стал изучать журнал приема больных.

278

Павел Владимирович стоял рядом, наклонившись к нему, барабанил по столу тонкими нервными пальцами, соображая, как бы отвадить незваных гостей. Ради покоя и спасения пациентов он готов был на многое, жизнью, конечно, жертвовать не хотелось, но если придется...

Ему так и виделись заголовки всех центральных газет: «Врач в одиночку противостоял троим вооруженным бандитам». Только вот уверенности в том, что после его гибели в больнице воцарится покой и чеченцы уберутся в тот ларец, из которого выпрыгнули, у него не было.

В журнале приема больных значилось всего три фамилии.

— Ирина Галковская, — указал пальцем один из чеченцев, — Ирина, профессор...

Джабраил ущипнул себя за ляжку! Как это Махмед, тупоголовый Махмед оказался сообразительнее его! Ну конечно же! Ирина — так звали женщину, которой профессор поручил похитить осмий.

— Это она, — сказал Джабраил. — Где моя женщина?

— Она выписалась. Мы перевязали ей ногу, и утром ее уже не было.

— Куда она выписалась?

— Я не знаю. Это было не во время моего дежурства.

— Понятно. Спасибо, — сказал Джабраил, сообразив, что от этого толку не добьешься.

Бойцы недовольно пошли за ним.

— Ты ему поверил? — спросил Махмед, когда они вышли на крыльцо.

— Нет! — прошипел Джабраил. — Я думаю!

Павел Владимирович вытер со лба пот и пошел в клизменную.

Клава нацедила ему спирта.

Джабраил же, убедившись в том, что путь открыт, прямиком пошел к кабинету главврача.

Зигмунд Федорович сидел за столом, разглядывая последний журнал по психиатрии — он на досуге интересовался этой областью медицины, как вдруг в кабинет вошли трое чеченцев.

— Где Ирина Галковская? — спросил Джабраил, приближаясь к нему.

Двое других закрыли дверь и загородили проход.

— Кто вам позволил? — высоким голосом спросил Хухеев.

— Я задаю вопросы, — жестко сказал Джабраил.

— О ком вы говорите? — снова спросил Хухеев, шаря в ящике стола в поисках скальпеля.

— Руки на стол. Вот так. Теперь сядем, поговорим как мужчины.

Джабраил пододвинул себе стул, сел. Достал револьвер.

Хухеев струхнул не на шутку.

— Что вы хотите знать?

— Вчера к вам пришла женщина, которая пострадала в автомобильной катастрофе.

— Ее привезли, — уточнил Хухеев.

— Кто?

— Наш, местный. Подобрал ее в лесу и привез. На телеге.

— И где она теперь?

— Она была не в себе. Просила позвать следователя.

— Следователя? — напрягся Джабраил. — И что?

— Я не хотел... Но мои подчиненные настояли.

— Знаю я этих подчиненных, — вспомнил Джабраил о стойком Павле Владимировиче. — Настоящий мужчина. Достойный противник. Мог бы быть хорошим воином. Не то что ты.

— Они настояли, — продолжал Хухеев, угодливо улыбаясь, — чтобы я вызвал следователя.

— И вы вызвали?

— Да. Я был вынужден. Вы же видели его. Он бы не отступился. И я позвонил, вызвал следователей. Их было двое — мужчина и женщина. Они приехали, все осмотрели, опросили персонал. Ирина была без сознания. Наутро приехала машина «скорой помощи» и ее увезли в город.

— Куда именно? — напрягся Джабраил.

— Я не знаю. Увезли на машине «скорой помощи». В какую-то больницу. У нее же было сотрясение мозга, ребро сломано и поранена нога. Мы не могли здесь оказать помощь. Возможно, ее уже нет в живых, — услужливо добавил Зигмунд Федорович.

— А как же ваш врачебный долг?

— Мы делали все, что могли.

— И вы даже не поинтересовались, куда ее везут?

— Все произошло так быстро.

— Хорошо, старик. Ты сказал. А теперь буду говорить я. Нас здесь не было. Мы пришли, поговорили с твоим подчиненным и ушли. Мы ничего не знаем. Ты выведешь нас через черный ход.

— Хорошо. Я сейчас, — засуетился Хухеев. — Только откройте дверь.

— Ты не понял. Совсем никому нельзя говорить, — сказал Джабраил. Он подошел к столу и уставился на Хухеева.

— Я уже забыл! — пискнул тот.

281

— Если нам помешают, я вернусь. Но я буду не один. И тогда тебе не помогут ни твои воины, ни твои связи.

Запуганный главврач сделал все, что ему было приказано. Он вывел чеченцев через черный ход и даже помахал им вслед рукой. А сам вернулся к своему журналу. Очень любопытный феномен — борцы за идею, не так ли?

Джабраил и его люди тем временем уже неслись к ставке Гучериева.

— Вы не ходите со мной, — сказал он своим спутникам. — Вы не виноваты. Пусть меня коснется гнев командира.

Гучериев выслушал доклад своего воина со спокойствием.

— На все воля Аллаха, — неожиданно философски заметил он. — Женщина ударилась головой. Она была без сознания. Если менты ее не раскололи сразу, значит, у нас есть еще время. Я верю, что мы успеем выполнить намеченное. Когда ты привез осмий, я понял, что теперь все будет так, как задумано сначала. Профессор доделает бомбу. И оружие, способное отомстить врагам, будет в наших руках. А если они найдут нас, если приедут сюда — мы будем отстреливаться до последнего патрона. Мы заставим их поверить в то, что нас невозможно поставить на колени!

— Да, командир! — кивнул Джабраил.

— Но ты все же съезди в город и пройдись по больницам. Ты знаешь ее имя, а они очень много значения придают имени. А теперь — сядь со мной. Посмотри вокруг. Скоро бомба будет готова, и мы уедем отсюда. Но мы вернемся. И когда мы вернемся, таких, как этот смелый врач, который не побоялся троих лучших воинов ислама, надо будет сделать нашими друзьями.

Жаль, что он всего лишь доктор. Мне было бы интересно с ним поговорить.

— Прикажешь привезти его сюда?

— Нет, зачем, мне хватит профессора. Кстати, его сегодня кормили?

— Я пойду узнаю.

Джабраил удалился, а Гучериев полузакрыл глаза и задумался о том, как именно они будут превращать в своих друзей самых смелых мужчин этого города. Хорошо, что таких не очень много. Хотя жаль этих людей. Они вырождаются.

Одна из «сестер» принесла Гучериеву фрукты.

— Послушай, мы ведь не вырождаемся? — спросил ее командир.

«Сестра» отрицательно покачала головой, и Гучериев увлек ее в дом, закрывая за собой все двери. Вырождаться нельзя! Надо возрождаться во имя героических побед будущего времени и Великой Ичкерии, что раскинется от Черного до Каспийского моря.

Глава 23

Лаборатория, предоставленная Дублинскому Гучериевым, могла бы заставить трепетать от восторга и зависти любого постоянного читателя журнала «Юный химик»: подвал с бетонными стенами, сухой и чистый, освещение — идеальное, на столике — ноутбук, электронные весы в количестве трех штук (причем что удивительно — все показывают абсолютно одинаковый результат!), колбы в стенных нишах и зачем-то — самогонный аппарат в углу. То ли раньше в этом помещении располагалась лаборатория иного сорта, то ли, в понимании чеченцев, русскому ученому без этого аппарата никак не управиться. Также присутствовала пара сепараторов — один, правда, бездействующий. Охлаждающая установка, работающая на жидком азоте. И огромная спиртовка, при помощи которой можно было хоть плов варить. Были тут предметы и вовсе диковинные — скорее подходящие для гаража, нежели для научной лаборатории. Были и огромные щипцы, напоминающие скорее «ухват» для мартеновской печи. Был и небольшой муфель для обжига мелкой керамики. Дублинскому стало казаться, что ему предписывается роль какого-то средневекового алхимика.

«Жаль, что дело происходит не в каком-нибудь дешевом романе, — с сожалением думал Дублинский, — я бы уж непременно изготовил какой-нибудь невидимый порошок, или сапоги-скороходы, или что-нибудь подобное, что помогло бы мне скрыться и удрать от чеченцев. Писатели же не понимают. Для них слово «химия» равнозначно слову «магия». Впрочем, не только для них. «Сестры» вот тоже уверены, что я — колдун».

Играя пару дней назад сам с собой в игру «Найдите в лаборатории посторонний предмет», Сергей Владимирович обнаружил в одной из стенных ниш около пятидесяти детских ночных горшков.

«Сестрами» называли себя жены убитых или плененных полевых командиров, их тетки, мамки, няньки, племянницы и кузины. Здесь, в ставке Гучериева, их было около тридцати. Тихие женщины в длинной черной одежде, с закрытыми темной тканью лицами, они наводили на Дублинского куда больший ужас, чем головорезы с шальными глазами и автоматами наперевес. За этими женщинами чувствовалась сила — дремучая, древняя, как сама земля, как сила плодородия, заставляющая обгорелый пень покрыться к весне молодыми зелеными побегами. «Сестры» будут рожать и рожать новых солдат шариата. Они будут появляться на свет уже полностью готовыми к бою — бородатые, в зеленых повязках, с автоматами, накуренные гашишем.

Как-то раз, еще там, в прошлой жизни, где кофе по утрам, ослепительно-белая английская рубашка и восторженные студентки в аудитории, и глупый доцент Кротов, вечно интригующий и вечно проигрывающий, где холодные осенние ветра и паводок на Неве, работа до позднего вечера и любовь до изнеможения короткими белыми ночами, украдкой, в светлой, элегантно захламленной квартире Ирины, Дублинскому довелось поиграть в войну. «Война» — это такая компьютерная игрушка. Армия Дублинского таяла на глазах, а у противника каждую неделю появлялись все новые и новые отряды, готовые захватить его города и убить его военачальников. Захватили, конечно, и убили. Потом Ирина вернулась из супермаркета и компьютерная игра была забыта, казалось, насовсем. Ан нет — вот теперь снова вспомнилась.

Дополнительная дверь из лаборатории выводила в овраг, где была выкопана огромная яма, предназначенная стать полигоном для взрывных испытаний. Немалая глубина этой ямы позволяла надеяться, что испытания не вызовут особых подозрений у окрестных жителей. Потому что первое и главное, что нужно было сделать профессору, — это взрывчатку, созданием которой он не баловался со школьных годов, когда устроил пожар в кабинете химии.

Он тогда пробрался в школу поздним вечером, взял из лабораторного шкафа самую большую колбу, засыпал в нее ингредиенты в строго выверенной пропорции (согласно рецепту, вычитанному в научном журнале на немецком языке) и поставил все это на спиртовку. Взрыв был, да еще какой, фейерверк, салют, залп «Авроры». Огнеупорную колбу разорвало на мелкие осколки, полученное вещество плюнуло на занавески, и все загорелось. Тут же сработала пожарная сигнализация. Завороженный Дублинский смотрел на дело своих рук с открытым ртом, у него даже не было мысли сбежать с места преступления. А вслед за пожарными явилась и хозяйка кабинета.

«Химоза» Ольга Яковлевна сначала порыдала, поорала, пыталась даже поколотить юного испытателя. Но потом вдруг успокоилась, принялась расспрашивать, что именно он пытался создать-скомбинировать, какую реакцию хотел воплотить в жизнь. И уже на следующем уроке, когда последствия пожара были ликвидированы, Сергей на глазах у всего класса повторил свой опыт, только теперь с учетом соблюдения всех правил техники безопасности, и ингредиенты были те же, только дозы их отличались в сотни раз от взятых первоначально, но пропорции были соблюдены верные. «Быть тебе химиком, Сережа!» — сказала ему Ольга Яковлевна, позабывшая, казалось, уже ущерб, нанесенный ее владениям.

«Быть тебе химиком! — вспомнилось сейчас Дублинскому. — Быть или не быть?!» Соблазн первого дня, когда его отвели в лабораторию и предоставили ему все препараты и химикалии, которые он затребовал для изготовления бомбы, соблазн взорвать все это «чеченское логово», к чертовой матери, устроить тут пожар и фейерверк, дабы привлечь внимание, Дублинский сумел в себе подавить. Во-первых, это был бы подвиг Александра Матросова, потому что устроить взрыв можно было, только жертвуя самим собой. Во-вторых, следили за ним очень тщательно. Испытания в овраге проводились хоть и под его наблюдением, но без его — профессорского — непосредственного участия. Ни о какой свободе передвижения или свободе действия речь не шла. Единственное, что мог бы сделать Дублинский, — взорвать сам себя в бетонном бункере лаборатории. Но этот поступок и вовсе смысла не имел, кроме него и двух охранников никто бы не пострадал.

Взрывчатка, созданная в мелких масштабах, оправдывала расчеты, теперь оставалось делать «крупную модель». Осмий был привезен. Отступать некуда.

Дублинский работал уже третий день, с краткими перерывами на сон. Гучериев торопил его. Кофе, растворимый, скверный, отуплял, перед глазами плыли круги всех цветов радуги. «Зачем чеченцам гашиш? Поработайте с мое — и увидите иные миры»,— с ненавистью и ожесточением думал Сергей Владимирович.

Задумываясь над последними расчетами, он по привычке подпер подбородок ладонью. Вместо идеально гладкой, как колено преуспевающей фотомодели, щеки ладонь царапнула щетина недельной давности.

Когда он последний раз брился? Когда принимал душ? Когда умащивал щеки кремом после бритья, обрызгивал лосьоном свежевыбритое лицо? Чистил до зеркального блеска ботинки, горделиво вскинув голову, завязывал фирменным узлом бордовый галстук? Сколько ненужных телодвижений производил он — и зачем? Ради чего? Без всего этого, оказывается, тоже можно существовать. Сухая лепешка и холодный растворимый кофе в глиняной кружке. Раньше так много было лишнего. А теперь Сергей Владимирович Дублинский отпустит бороду, как у Гучериева, научится не умываться и не чистить зубы, потом забудет родной язык и через пять лет будет пасти овец где-нибудь высоко в горах, встречать рассвет, завернувшись в шкуру, и с недоумением вспоминать свои странные сны о кожаном кресле, широком столе красного дерева, угодливо улыбающейся секретарше, подносящей кофе его немецким коллегам.

Чеченцы его не отпустят. Может быть, не убьют в благодарность за сотрудничество, но не отпустят. Продадут в рабство или, если у командира будет хорошее настроение, женят на трех самых уродливых «сестрах» и оставят здесь, но не отпустят обратно.

— Ну что, профессор, готова твоя игрушка? — дружески ткнул Дублинского прикладом молодой чеченец.

— Сейчас. Подождите еще немного и будет готово.

— Командир не любит ждать. Ты когда обещал? Ты сегодня обещал. Сегодня настало. Наши ждут.

Люди Гучериева собрались на поляне за домом. Лица у всех были решительные, бороды топорщились по-боевому. «Сестры» столпились поодаль и тихо пели что-то заунывное и тревожное. Мужчины разводили костер.

Дублинский поежился. Костер напомнил ему о первой встрече с бандой и о том, что однажды его уже хотели сжечь. Не собираются ли они это сделать теперь? А что, бомба готова, использованный материал подлежит утилизации во славу Аллаха.

Бомба — название одно. Чемоданчик с проводками и лампочками. Люди Гучериева подозрительно поглядывали на него.

— Это бомба? — подозрительно спросил один из чеченцев. — Ты, профессор, головой за нее отвечаешь.

Дублинский покорно шел за своим конвоиром. Ему не хотелось вступать в бессмысленные дискуссии.

— Молодец, Сахаров, — одобрил работу Гучери-ев. — Вот так и надо работать. А теперь — отойди.

Двое боевиков, подчиняясь кивку командира, отвели Дублинского в сторону и встали по бокам, всем своим видом показывая, что на этот раз сбежать профессору не удастся.

Но он уже и не думал бежать, а если бы и вздумал — не смог бы. Сейчас, после трех напряженных, бессонных суток, за ним мог бы уследить и ребенок. Но детей в ставке Гучериева не было. Видимо, чеченцы и в самом деле, из экономии времени, появляются на свет уже в камуфляже и с автоматами.

Гучериев вышел на середину поляны. Перед ним поставили чемоданчик с приборами.

Он что-то крикнул нараспев и указал рукой в сторону леса, где, вероятно, по его подсчетам был восток. Все, кто был на поляне, повалились на колени и в едином порыве прижались лбами к земле. Только охранники Дублинского не участвовали в представлении.

Минут через пять люди так же слаженно поднялись и отступили к краям поляны. К бомбе приблизились самые доверенные, самые бывалые воины шариата.

Гучериев снова что-то вскрикнул, и «сестры» запели.

На этот раз они пели быстрее, ритмичнее и громче. Одна из «сестер», видимо, самая главная, а может быть, самая голосистая, резким голосом вскрикивала «Алла!» — и остальные повторяли за ней, тише и нежнее.

Избранные воины окружили чемоданчик. Гучериев достал из кармана перочинный нож, раскрыл его, попробовал, острый ли, остался доволен и с размаху черкнул по ладони. Ладонь окрасилась красным. Нож пошел по кругу. Каждый, кто был допущен до этой церемонии, провел окровавленной ладонью по гладкому боку чемоданчика и выкрикнул боевое заклинание. Каждый кричал свое. Затем к избранным воинам присоединились и остальные. Им не было позволено побрататься с бомбой — бомба была братом лишь приближенных к Гучериеву. Зато костер, уже основательно разгоревшийся, был братом для всех чеченцев.

Молодой воин вскинул автомат и выпустил вверх победную очередь.

Все это напоминало какое-то плохое голливудское кино.

Только в кино обязательно появляется герой и кого надо — спасает, а кого надо — убивает. Дублинский огляделся. Героя нигде не было видно. Зато, пока он крутил головой, молодые воины ислама затеяли вокруг костра ритуальные пляски.

В голове на подсознательном уровне прорезался неподражаемый голос диктора Дроздова:

«Весной самцы этого редкого вида собираются в стаи и начинают подманивать самок своими плясками. Оперение у самцов яркое, голос громкий. А это — самки. Они все в темном, и не такие шумные. Уже сейчас они присматриваются к танцующим и выбирают партнера, способного произвести самое крепкое потомство».

Дублинский тряхнул головой. Голос Дроздова пропал. Зато стали слышны шум деревьев и треск костра. Танцующие замерли и затихли, глядя на огонь.

А потом они почтительно, по одному — впереди Гучериев с доверенными людьми, следом — простые воины, за ними — «сестры» — стали подходить к бомбе и кланяться ей, как почтенному старцу.

— Ты, профессор, тоже, — дотронулся до него один из охранников. — Идем с нами.

«Какая вопиющая несправедливость, — думал Дублинский, склоняя голову перед творением рук своих. — Они воздают почести неживому предмету, который этого не поймет и не оценит, а его творца, то есть меня, держат на голодном пайке и растворимом кофе. Впрочем, костер, кажется, разложили не для меня. И убивать пока не собираются. Устали».

Вечером одна из «сестер» принесла Дублинскому ужин.

— Вы действительно так уважаете бомбу, что кланяетесь ей и молите за нее Аллаха?

— Мы заклинаем бомбу, как заклинаем любое наше оружие. Вы не заклинаете оружие, и оно часто предает вас и достается нашим мужчинам. Оружие наших мужчин никогда не станет служить вашим. Оно скорее убъет захватчика.

Женщина произнесла эту фразу, старательно выговаривая каждую букву, как будто повторяла вслед за магнитофоном курс русского языка.

Дублинский ел торопливо и не особо задумываясь о том, что ему принесли, а женщина стояла у стены и смотрела на него.

— Вы странные, — сказала она чуть менее внятно, будто уже от себя. — Тебе сказали — убьют твоих жен, и ты покорился. Муж моей сестры отправил ее к врагам на джипе с взрывчаткой. Чтобы ваши не пришли и не убили его и его людей.

— А что стало с сестрой? — спросил Дублинский.

— Она у Аллаха, — был ответ.

Женщина забрала миску, ложку и ушла, закрыв за собой дверь.

А Дублинский забылся сном. Во сне ему привиделись мусульманские мученики за веру, которым Аллах, не разобравшись, дает по сорок девственниц в наложницы.

Глава 24

Солнце ломилось в окно, пробиваясь даже сквозь плотные шторы. Юрий проснулся в отличном настроении. Он потянулся, довольно крякнул и протянул руку к соседней подушке. Но там было пусто. Гордеев открыл глаза, сел на кровати, оглядел комнату и убедился, что Лены нет. В этот момент он услышал журчание воды в душе и ее голосок:

— Вставайте, граф! Вас ждут великие дела.

— И какие же великие дела ожидают нас сегодня? — лениво спросил Юрий, с довольным видом растянувшийся поперек широченной кровати и закуривающий первую на сегодняшний день сигарету.

— Кстати, Юра, какое сегодня число? — вопросом на вопрос ответила ему Лена.

— Кажется, девятнадцатое, а что?

— А когда Пустовалов разрешил встречу с Галковской?

— О черт! — Юрий вскочил с кровати, уронил сигарету, но не обратил на это никакого внимания, он судорожно начал натягивать штаны, одновременно с этим набирая телефонный номер больницы.

— Алло! «Берокка»? Я могу поговорить с Пустоваловым?.. Хорошо, подожду... Семен Тихонович? Это вас Гордеев беспокоит, да-да, Юрий Петрович. Я насчет пациентки, которую к вам привезли пару дней назад...

— Очень хорошо, что вы позвонили, Юрий Петрович, вы же своих координат не оставили, а больная очнулась. Позавтракала даже сегодня. Яичко съела всмятку. С большим аппетитом, кстати. У нас тут кухня хорошая, своя. Не пищеблок городской. Требовала, чтобы я позвонил какому-то следователю Бирюковой, но я сказал, что все уже в курсе, что вы сами подъедете...

— Да-да, мы уже выезжаем.

Пока Гордеев говорил по телефону, Лена тоже оделась и смотрела на него выжидательно.

— Поехали! Она очнулась...

И Лена позвонила в транспортный отдел ГУВД, чтобы за ней срочно выслали машину.

Пришедшая через полчаса в их номер горничная обнаружила тлеющее пятно прямо посредине роскошного ковра. Юрий кинул сигарету и забыл о ней моментально.

Ирина Галковская действительно очнулась и уже позавтракала. Настроение ее было замечательным. Она листала какой-то дамский журнал, разглядывала там модели в свадебных платьях и уже начала мечтать, как Сергей, когда его освободят, узнает, что ей пришлось пережить ради его спасения, и непременно разведется с Оксаной. Будет у нее платье. Вот такое! Она даже ткнула пальцем в обложку и произнесла эту фразу вслух. Тут в дверь постучали.

На пороге стояла Лена:

— Здравствуйте, Ирина!

— Добрый день!

— Как вы себя чувствуете?

— Спасибо, немного лучше...

— Вы, кстати, обратили внимание, что вы находитесь совсем в другой больнице — не в той, в которую добрались после аварии? Что же с вами произошло?

То, что палата совсем другая, чистая, уютная и просторная — много света и много воздуха, Ирина видела. Но как-то не вдавалась в подробности своего чудесного перемещения. Однако после слов Лены она слегка встревожилась. А не отправили ли ее в тюремную больницу? Она же преступница, она выкрала осмий!

«Нет, тюремная больница вряд ли оказалась бы такой комфортабельной», — утешила себя Ирина, но решила быть настороже. Разумеется, следователю надо рассказать, что Дублинский жив («Жив-жив!» — пропела она про себя), но вот как бы облагородить собственную роль в сложившейся ситуации. «Эх, дура! Вместо того, чтобы свадебные рекламки разглядывать, подготовилась бы хоть к допросу, сама же просила врачей вызвать следователя».

Лена, видя, что Ирина молчит, снова спросила:

— Что же с вами произошло? Вы же просили мне позвонить, значит, хотели что-то сообщить? Рассказывайте, я не кусаюсь!

Ирина все никак не могла сообразить, какой же линии поведения стоит придерживаться, наконец вспомнила фразу, неоднократно слышанную по телевизору:

— Я хотела бы давать показания только в присутствии адвоката.

— Ах, адвоката! — улыбнулась Лена. — Значит, вы хотите давать показания, а я-то думала, что мы просто побеседуем. Хорошо, сейчас будет вам адвокат.

Лена подошла к двери палаты, выглянула и поманила пальцем Гордеева.

— Вот, Ирина, если вы так беспокоитесь, могу задавать вам свои вопросы в присутствии Юрия Петровича Гордеева, адвоката.

Ирина посмотрела на Гордеева с подозрением, но деваться было некуда. От ее показаний зависит жизнь Сергея.

— Дело в том... — начала она. — Дело в том, что Сергей Дублинский жив!

Ирина ожидала от собеседников какого-то всплеска, реакции на столь сенсационное сообщение, но они молчали, приготовившись слушать ее дальше.

— Он звонил мне.

— Когда? — быстро спросила Лена.

— Три дня назад, накануне того, как я попала в аварию.

— Почему же вы не сообщили мне об этом?

— Он просил никому не сообщать о звонке. От этого зависела его жизнь.

— И что же от вас хотел Дублинский? Или он просто звонил, чтобы сказать, что жив-здоров?

Ирина замялась, вспомнила, что она не просто украла осмий, а передала его Сереженькиным похитителям. Чеченцам. И сейчас осмий в их руках. И может быть, они уже успели что-то с ним сделать... Но скрывать что-то от Лены уже было совершенно бессмысленно.

— А! Ладно, будь что будет! Дело в том, что Сергей Владимирович звонил мне с просьбой похитить осмий из его собственного центра. Я понимаю, конечно, что это уголовно наказуемое преступление, что я совершила кражу. Я готова нести ответственность, но, может, смягчающим обстоятельством послужит то, что я похитила препарат с ведома руководителя «Орбиты»? Самого Дублинского... Более того, по его указанию.

Известие о краже осмия произвело гораздо большее

впечатление на Лену с Гордеевым, чем тот факт, что Дублинский жив («Как минимум, был жив трое суток назад», — поправил себя Гордеев, но вслух этого говорить не стал). То, что профессор был не убит, а, скорее всего, похищен — они и сами уже поняли. Но вот осмий!

Значит, попытка Бурцева была не единственной. И вряд ли заказчиками в этот раз выступали калининградцы. Значит, конкурирующая организация. И, вероятнее всего, как раз те, кто калининградцев и убил...

Лена пришла к тем же выводам и выпалила:

— Кому вы отдали осмий?

— Вы знаете, их целая банда.

— Вы кого-то видели, запомнили?

— Мне кажется, что это были кавказцы.

— Чеченцы?! — почти прокричала Лена.

Тут же в палату заглянула медсестра:

— Нельзя ли потише? Вы беспокоите больную, мне придется сократить ваш визит.

— Извините, — сказала Лена.

— Пожалуйста, без таких эмоций! — продолжала занудствовать сестра.

— Хорошо-хорошо, — ответил ей Юрий и почти насильно вытолкнул ее за дверь. Мягко, но настойчиво.

— Продолжайте, Ирина! — кивнула Лена Галковской. — Так кто были эти люди?

— Давайте, я вам расскажу с самого начала все, что я знаю.

«Ну вот, сейчас начнет про свой небесной страсти роман с удивительным-дивным-мудрым человеком, — раздраженно подумала Лена. — Вот что у таких называется — с самого начала».

Но Лена ошиблась. Ирина рассказывала все коротко и по сути.

— Ночью мне позвонил Дублинский. И сказал, что

я должна пойти в «Орбиту» и выкрасть осмий. Он не очень свободно разговаривал, я даже не удивлюсь, если узнаю, что он под дулом пистолета разговаривал. Что его вынудили на этот звонок. Он строго-настрого запретил кому-либо сообщать. И что мне оставалось делать? Я пошла и выкрала его.

— Так просто? У вас была карточка?

Галковская задумалась — вмешивать в это дело Любочку ей не хотелось. Секретарша уж точно ни в чем не была виновата, проще немного приврать.

— Да, карточка у меня была. Я же там работала над диссертацией.

— И дальше? Кому вы отдали контейнер?

— Я вышла из «Орбиты», и у меня сразу зазвонил телефон, мне велели идти медленно, свернуть направо и сказали, что ко мне подойдут. Ко мне подъехал молодой человек. Почти мальчишка на красном скутере, забрал контейнер и уехал.

— Вы его запомнили? Как он выглядел?

— Подождите, я потом вернулась к своей машине и тут увидела, как этот молодой человек пересаживается со скутера в машину. В джип. Он меня не заметил, ну я и поехала за ним.

Ирина в подробностях, но не отвлекаясь, рассказывала всю историю своих приключений. Гордеев почти не слушал ее — «потом он вышел из машины, в нее сел другой водитель, а потом уже не я преследовала, а меня». Юрий думал о том, что они потеряли целых три дня. Если бы Ирина рассказала им о случившемся сразу, то был бы шанс поймать преступников по горячим следам, по описаниям людей, которые увезли контейнер, джипа наконец... А теперь? Они могли уже уехать куда угодно. «Ну почему же эти бабы так хотят поиграть в шпионские игры? Даже не в шпионские, а в погоню за бандитами и приключениями. У нее был сотовый, она могла бы позвонить, сообщить Лене, засекли бы оба эти джипа, устроили «перехват», взяли бы их даже не тепленькими, а горячими — вместе с осмием, вытрясли бы из них местонахождение профессора, а теперь, спустя три дня, что делать-то?! Живой ли еще Дублинский, может, его использовали да и выкинули на помойку за ненадобностью?

— Вот что, Ирина, — прервал Гордеев душераздирающую историю Галковской. — Как вы себя сейчас чувствуете?

— Хорошо, а что? — Ирина сжалась под его взглядом. Ну все, ее сейчас отправят в тюрьму. Тоже мне адвокат, она тут разболталась как дурочка.

— Вы в состоянии сейчас поехать с нами?

— Куда? В отделение или сразу в Кресты? — обреченно спросила Ирина.

— По местам боевой славы, — усмехнулся Юрий. — Никто вас в тюрьму сажать не собирается. Вы что, не знаете, что ли, что у нас тюрьмы переполнены? Собирайтесь. Я пойду с врачами договариваться. Кстати, имейте в виду, что это частная клиника, мы вас просто не могли в том сельском лазарете оставить. И ваше пребывание здесь придется оплатить.

— Да-да, конечно, — сказала Ирина с облегчением. Что за мелочи — оплатить счет в больнице! В тюрьму ее не везут, Сергей жив, они сейчас поедут его разыскивать. Жизнь налаживается.

Они стояли над обрывом, где перевернулась машина Ирины. Галковскую начало мелко колотить, только сейчас она начала понимать, что это не кино снималось, что это место могло стать ее могилой.

298

— Хорошо, а вы запомнили тот участок дороги, где машина развернулась и поехала за вами?

— Да, я постараюсь показать.

Ирина, Лена и Гордеев снова залезли в служебную «Волгу», на которой решили поездить по округе.

Гордеев развернул на коленях карту Ленинградской области.

— Давайте смотреть! Вот по этому шоссе вы за ними ехали, а потом?

Ирина как завзятая автомобилистка взяла у него карту и быстро сориентировалась сама:

— Вот тут я ехала, потом они свернули — и я за ними. А вот тут он развернулся...

— Ирина, а вы эту местность хорошо знаете?

— Да первый раз в жизни сюда попала, что вы! — воскликнула Ирина и добавила тихонько: — Надеюсь, что и последний.

Юрий обратился к пожилому водителю:

— Отец, вот, посмотри, если ехать по этой проселочной дороге, что там дальше может быть?

— Дачи там. Только не живет никто.

— Заброшенные, что ли? Обнищали-разъехались?

— Наоборот. Там коттеджный поселок строили. Бо-о-гатый, — важно потянул водитель. — Не дома — дворцы. Ну а потом, как кризис случился, все и заморозили. Какие-то дома достроили, какие-то не успели. А что достраивать, ежели на них все равно покупателя не найдешь!

— Вот давайте туда и съездим, — решительно сказал Гордеев.

Дачный поселок и правда выглядел нежилым. Достроенными и пригодными для жилья оказались только два коттеджа. Их Гордеев с Леной и стали осматривать.

Один из домов просто пахну́л на них пустотой — достроен-то достроен, вот только совершенно очевидно, что никто и никогда тут не жил. Зато второй показался более перспективным. Ворота нараспашку. Пять комнат первого этажа с мебелью, коврами и занавесками, огромная благоустроенная кухня, проведенное электричество, газ и водопровод. По каким-то неуловимым признакам чувствовалось, что обитатели покинули дом совсем недавно. Гордеев обошел запущенный большой сад, что-то насторожило — в самом углу, возле леса, граничащего с участком, была выкопана яма, неширокая, но впечатляющая свой глубиной, как колодец, только без воды, подозрительной казалась обожженная трава по краям этого «колодца».

— Лена, надо вызывать экспертов, — сказал Юрий. — Похоже на какой-то испытательный полигон. Чувствую, что мы попали по адресу. Больше ехать некуда.

Эксперты явились с группой ОМОНа только через три часа. За это время Лена с Гордеевым дважды попили кофе из запасов хозяев дома, в спешке покинувших свое жилье. В пользу этой самой спешки свидетельствовал легкий бардак во всех помещениях. Будто кто-то метался по комнатам и решал, что стоит брать с собой, а что нет. И трижды они успели прослушать историю Ирины, которая то плакала, то смеялась, то взахлеб рассказывала — все время одно и то же. После того как они побывали возле места аварии, на Галковскую напало какое-то истерическое состояние. То она храбрилась, описывая свои приключения, то вдруг впадала в панику, понимая, что могла распрощаться с жизнью.

И все требовала от Лены с Юрием подтверждения, что Дублинский жив. Лена Бирюкова утешала Галковскую, как могла, но под конец третьего часа и ей это надоело.

— Ирина, возьмите себя в руки. Раньше надо было думать, а не играть в героиню боевика. Скажите спасибо, что сами живы остались.

— Спасибо, — неизвестно кому сказала Ирина и тихо заплакала.

Гордеев чуть не взвыл. Но тут очень кстати подъехал эксперт-криминалист. Юрий выскочил из дома, повел его к найденному «колодцу», по пути рассказывая о своих подозрениях.

Эксперт его догадки подтвердил. Яма действительно была вырыта для того, чтобы проводить взрывные испытания. А в непосредственной близости от «колодца» была обнаружена еще одна любопытная находка. Внимание одного из экспертов привлек свежий холмик перепаханной земли. Прибывший с экспертами сапер начал копать.

Как оказалось, под холмиком находилась братская могила для трех человек. Трупы были извлечены и уложены на траву. Ирина, которая наблюдала за работой специалистов из дома, увидев трупы, всплеснула руками. Из окна ей показалось, что одно из тел принадлежит Дублинскому, но другой эксперт, медик, сказал, что она ошиблась. Однако этого переживания хватило, чтобы добить Галковскую окончательно. Она потеряла сознание, к немалому удовольствию Гордеева, которого ее щебетание уже порядком утомило.

«Ну надо же! Три дня мы ждали, когда она заговорит, а теперь невозможно заставить ее помолчать», — думалось ему во время всех ее откровений.

Подошедший судмедэксперт сказал, что вызвал труповозку за найденными телами. Эксперт-криминалист добавил, что в доме обнаружена химическая лаборатория. Словом, понял Гордеев, работы им тут хватит.

Капитан, прибывший с группой ОМОНа, отозвал Юрия в сторону:

— Вам известно, какого рода взрывные испытания могли проводиться на этой территории?

— Не имею ни малейшего представления. Могу только сказать, что есть основания полагать — к этим взрывам причастен похищенный профессор Сергей Дублинский.

— Это руководитель «Орбиты»?— капитан был неплохо осведомлен.

— Именно он, — вздохнул Гордеев. — Кстати, из его центра несколько дней назад был похищен контейнер, содержащий три грамма осмия.

Капитан сделался очень серьезен:

— Я должен доложить о случившемся начальству. На даче мы поставим охрану, если вы хотите, мои люди могут довезти вас до города.

— Да, спасибо, но нам женщину надо отправить в больницу. И машина есть.

Вернув Ирину Галковскую на попечение Пустовалова в «Берокку» (доктор был недоволен, очень недоволен: «Вам надо вынести выговор за жестокое обращение с больной! И зачем же я позволил ей поехать с вами, работа всех этих дней — насмарку, вы ее снова в то же состояние вернули»), Лена с Гордеевым решили возвратиться в гостиницу.

Едва войдя в номер, Лена услышала междугородний телефонный звонок.

тут в воздухе что-то переменилось. Казалось, что ...рло. Юрий каким-то звериным чутьем ощутил, ...оисходит что-то страшное. Лена вцепилась в его ...так и не отпустившую чемодан, и странным не...щим взглядом смотрела куда-то ему за спину. ...рий медленно обернулся и обомлел.

...улицы в здание аэропорта входили вооруженные ...атые люди в камуфляже. Они теснили пассажи... провожающих, сгоняя их в зал, где находились ...с Лена с Гордеевым, такая же цепочка людей за...ла в здание и со стороны летного поля. Охранник ...порта пытался подойти к одному из них, что-то ...ать, но тут же получил автоматную очередь в жи...Толпа ахнула и заметалась. Да, это уже были не ...льные люди — пассажиры и их родственники-зна...ые, это была толпа, состоящая из людей, объятых ...икой. Какой-то мужчина бросился бежать, проби...ь к свободным дверям, возле которых не было бое...ов, но реакцией на его побег стала такая же корот...очередь, направленная ему в спину. Кто-то завиз... — и тоже получил свою порцию свинца.

...Потом раздался громкий голос с кавказским акцен...

— Всем стоять, без паники! Медленно, очень мед...о проходите в средний зал.

...И тут же над головами людей простучала автомат...очередь. На этот раз никто не упал. Стреляли так — ...острастки и для того, чтобы убедить еще не увере...их в серьезности их намерений.

...юди по одному, действительно очень медленно, ...нулись в сторону среднего зала. В это время бое... расправлялись с особо ретивыми охранниками ...порта.

— Лена? Это Меркулов тебя беспокоит. Почему мобильный у тебя отключен?

— Здравствуйте, Константин Дмитриевич! Мы просто за городом полдня были, трубка разрядилась. Я вас слушаю.

— Доложи-ка обстановку. Что там и как?

Лена тяжело вздохнула:

— Найден дом, где, по всей вероятности, до сегодняшнего дня располагалась чеченская группировка. Из центра «Орбита» похищен осмий. Профессор скорее всего жив, но похищен.

— Да, Лена, я знаю. Мне уже был звоночек. Так вот что, слушай меня внимательно. Не перебивай и не обижайся. Это дело для тебя закончено.

— Как это?! — вскричала Лена. — Мы же только-только на что-то действительно значимое вышли.

— Вот именно! Значимое. В общем, это дело к себе забирает ФСБ, а ты сегодня же возвращаешься в Москву.

— Но, Константин Дмитриевич!..

— Никаких «но»! Это приказ, — сказал Меркулов и отключился.

Глава 25

Московский проспект, как известно, переходит в Пулковское шоссе. Такси мчало их по единственной приличной городской трассе. А как же, это ведь дорога государственного значения. Именно на нее сгоняют всю питерскую милицию для встречи и охраны правительственных кортежей. Но сегодня город не ждал никаких «дорогих гостей», и такси неслось стремительно, не задерживаясь в пробках. Не мешал скорости и начавшийся мелкий дождь, уныло барабанящий о крышу машины.

Гордеев провожал Лену в Пулково, на скоростной дневной поезд она опоздала, а начальство — в лице Меркулова — настаивало на ее молниеносном прибытии в столицу.

— Что я, телеграмма, что ли, чтобы молнией? — бурчала Лена. Она всегда была недовольна, если ее отстраняли от дела. Тоже мне, подумаешь, ФСБ, а где же они раньше были. С самого же начала было известно, что в деле задействован Дублинский. Или, может, суть дела в том, что Ирина призналась в краже осмия? Правда, в этом деле Лена не могла похвастаться какими-то сногсшибательными успехами. Практически всех свидетелей, на которых ей удавалось выйти, убивали, рвались все нити, не оставалось никаких следов. И вот наконец-то ей удалось обнаружить действительно что-то важное, а ее отстраняют. Лена была недовольна и собой, и сложившейся ситуацией. Она ехала в такси, уткнувшись носом в стекло, и всем своим видом показывала, что она не в настроении и к разговорам не склонна.

Юрий Гордеев, который поехал провожать Лену, прекрасно понимал ее состояние. В прошлом и он был сотрудником Генпрокуратуры и тоже попадал в подобные ситуации, когда тебя срывают со всех дел, грузят чем-то «чрезвычайной важности», ты землю носом роешь, но как только находишь что-либо существенное, то дело сразу передается ФСБ, а тебя, как щенка, по носу щелкают. Подобное отношение было одной из тех веских причин, по которым Юрий ушел из следователей на вольные адвокатские хлеба. Ему хотелось как-то утешить Лену, избавить ее от мрачных мыслей.

— Ну что ты, старушка, за[...] пара-тройка деньков — и я тож[...] объятия, — пробовал пошутить [...]

Но Лена молчала, ей было н[...] Гордеев продолжал:

— Вот у меня отпуск закончи[...] Не поворачиваясь к нему, Ле[...]

— У тебя же тут клиентка, Ок[...] что, ее бросишь?

— Придется, — вздохнул Юри[...] профессора искать? Это вообще не[...] но, не стал ей говорить об этом, у н[...] тов нервы расшатаны...

Такси лихо подкатило к стоянк[...] водитель вышел, открыл багажник, [...] достал Ленин чемодан. Лена хотела распл[...] систом, но Юра мягким жестом отвел ее[...] тил сам.

Когда они вошли в фойе, как раз объ[...] регистрации на рейс до Москвы. Бил[...] в гостинице, и Лена поторопилась к[...] ции. Юра нес за ней чемодан.

Перед стойкой стояла небольша[...] век пять. Лена с Юрием молчали — го[...] ше не о чем. Совместное их дело пр[...] но. Их роман длился уже несколько[...] всплесками, подкрепленными проф[...] тересами. И вот снова все так резк[...] лось...

Когда работник аэропорта мах[...] проходила, она взяла из рук Гордеев[...]

— Ну что, давай прощаться? — [...] для финального поцелуя.

...Их оттесняли, сгоняли в средний зал, подгоняли прикладами автоматов. Сорхед, тот самый, из компании, которая нашла обгоревший труп в лесу, не понимал, что происходит. Он же торопится на самолет, в чем причина задержки? Состояние, в котором он пребывал, и так было близко к «полету». Эйфория. Сегодня его великий день. Звездный час. Он получил стипендию в Калифорнийском университете. Поступил туда в аспирантуру и даже получил стипендию. Вся эта круговерть случилась с ним в последние три дня. Ему пришло письмо с положительным ответом. А он уже и позабыл, что посылал запрос с указанием своих результатов тестирования. И началось какое-то безумство — оформление документов, получение визы, покупка билета. И вот сегодня он уже должен был улетать.

На занятые деньги Сорхед устроил своим друзьям роскошную «отвальную». Полкило свежих «грибочков» и целый стакан афганской анаши. Друзья явились провожать его в Пулково. Камушка сосредоточенно и вдохновенно пела:

И если есть в кармане пачка сигарет,
И билет на самолет с серебристым крылом...

Лаки хохотал беспрерывно, иногда пуская ртом пузыри, как младенец. Один Крис был молчалив и серьезен.

Сорхед только собрался сказать прочувствованную речь, чтобы проститься с друзьями, как вдруг появились какие-то бородатые кавказцы, начали стрелять, орать что-то непонятное и гнать их пинками и прикладами куда-то.

Может, теперь таковы правила регистрации? Сорхед и вся компания послушно двинулись вместе с толпой в средний зал. И тут Крис взял его за руку и горячо зашептал:

— Слушай, братан! А место-то мы перепутали. Это же Пулково-1. А в Штаты отсюда не летают. Нам другой аэродром нужен.

Услышав слово «аэродром», Камушка затянула другую песню:

> По аэродрому, по аэродрому
> Лайнер пробежал, как по судьбе.

И тут же получила прикладом в спину.

— За что, дядя? — воскликнула она.

— Иди-иди, не разговаривай!

Чеченца, толкнувшего Камушку, окликнул другой:

— Что там у тебя?

— Да вот, девка, песни поет!

— А давай ее к нам. Нам певуньи нужны.

Камушку подхватили под руки и поволокли куда-то в другую сторону, отрывая ее от друзей...

Боевики собрали людей в зале, который не имел выходов на площадь или на летное поле. Так было проще их контролировать. Несколько жалких рядов кресел было недостаточно для того, чтобы усадить всех. Чеченцы отобрали двух мужчин, покрепче на вид, и велели таскать им ряды кресел из других залов, все это, разумеется, под прицелом автоматов. Трое боевиков обходили всех людей, требовали отдать мобильные телефоны, из рук женщин вырывали сумочки, высыпали их содержимое прямо на пол. Мужчин заставляли выворачивать карманы. Весь несданный багаж было велено оставить у дальней стенки и не приближаться к нему под страхом смерти.

Когда обыск окончился и все заложники были усажены в кресла, в зал вошли чеченские женщины — «сестры».

Они были в черных одеждах, с закрытыми лицами, их тела опоясывали «пояса шахидов». Они встали возле стен по периметру зала, удерживая приблизительно равную дистанцию.

Гордеев с Леной оказались в передних рядах. Они стояли возле самой стойки регистрации, когда это началось. А теперь место симпатичной девушки — сотрудницы «Аэрофлота» — занял бородатый кавказец в камуфляже и с автоматом наперевес.

Девушка была насильно выволочена и усажена в кресло рядом с Гордеевым, с другой стороны к нему жалась Лена. Он попытался успокоить их:

— Ничего, девочки, главное, без паники!

Его слова тут же нашли отклик в речи боевика, занявшего место регистраторши. Видимо, этой стойке суждено было стать импровизационной трибуной.

— Слушайте меня, люди! Ваша задача — сохранять спокойствие. Мы не собираемся вас убивать, если вы будете себя правильно вести и не мешать нам. Правильно себя вести — это слушаться нас и сохранять спокойствие. Любая истерика будет пресекаться.

Кавказец поднял автомат и направил его на толпу. Толпа ахнула единым вздохом, некоторые повалились с кресел на пол. Но боевик не собирался стрелять, по крайней мере сейчас. Он просто показал людям, каким именно методом будут пресекаться истерики. Потом он продолжил:

— Вы у нас в заложниках. Сколько это продлится — неизвестно. Нам надо изложить свои требования властям и дождаться их ответа. Позже с вами будет говорить командир.

Девушка, сидящая рядом с Гордеевым, тихо заплакала. Юрий обнял ее:

— Ну-ну, спокойнее... Надо держать себя в руках. Вас как зовут?

— Оля... — ответила она, не переставая плакать. — Я всего второй день работаю. Я хотела стюардессой стать. Мне сказали, что я месяц на регистрации должна отработать, а потом меня в экипаж возьмут. У меня муж летчик.

Оля выбалтывала свое напряжение, уцепившись за вежливое участие Гордеева, она стремилась найти хоть какую-то поддержку и защиту. И тот, конечно, постарался успокоить девушку:

— Оленька, ну что вы! Если вы хотите быть стюардессой, у вас должны быть крепкие нервы. Это же самое главное! Мало ли бывает нештатных ситуаций, вы должны себя держать в руках и уметь успокаивать других. Вот так-то! К тому же у вас муж — летчик. Стыдно плакать, соберитесь! Я вам обещаю, что все будет хорошо.

Юрий потрепал девушку по плечу и протянул ей платок, чтобы она вытерла слезы. Затем он повернулся к Лене:

— Ты как?

— Ничего, пока дышу — надеюсь, — сказала Лена, но голос ее звучал невесело.

Гордеев посмотрел прямо в глаза чеченцу, стоящему у стойки, и, как школьник на занятиях, поднял руку:

— Можно вопрос?

— Здесь никто вопросов не задает, здесь все просто слушаются, — проворчал боевик, но, противореча сам себе, добавил: — Спрашивай! Только сидя! Без разрешения никто не встает и не шевелится.

— Понятно, — сказал Гордеев. — А можно узнать, если это затянется надолго, будут ли нас кормить? Или хотя бы принесут нам воды? Будет ли установлена очередь в туалет и как нас туда будут сопровождать? Можно ли курить и прочее?

— Глупые ты вопросы задаешь, — мрачно сказал чеченец. — Ты сейчас должен сидеть и молиться своему Богу, чтобы живым остаться, а ты жрать хочешь, курить и прочее. В туалет просишься.

— Вы же сказали, что не собираетесь нас убивать, — дерзко ответил ему Гордеев и сам подивился своей дерзости, откуда что берется. Но раз он начал разговор, то отступать глупо.

— Это мы сейчас не собираемся. Дальше все от ваших властей зависит. Если что, ты будешь первым, — так же мрачно пообещал террорист, ткнув кривым указательным пальцем в сторону Гордеева. Народ вокруг ахнул и даже чуть посторонился от него, как от прокаженного.

Однако бандит призадумался, затем поманил рукой пару других боевиков и начал с ними что-то обсуждать, после чего объявил:

— В течение первого часа в туалет отпускаются только женщины и дети, в сопровождении наших «сестер». Через час будем пускать мужчин — также в сопровождении «сестер». Не думайте, что это просто женщины, они вооружены, всякое сопротивление бесполезно. Лучше никому из вас и не пытаться. Курить нельзя! Анвар, иди еще раз всех обыщи — забери все спички и зажигалки.

Молоденький, еще безбородый боевик Анвар, более похожий на турка, нежели на чеченца, начал обходить ряды кресел с заложниками. Все безропотно отдавали ему зажигалки. Потом он вернулся к стойке и выложил на нее трофеи. Чеченец-оратор осмотрел их и, выбрав несколько золотых и позолоченных безделушек (преимущественно дамских), сунул себе в карман.

Многие из попавших в заложники действительно начали молиться. В зале стоял какой-то ровный монотонный гул, как в церкви за полминуты до начала службы.

Обкуренная компания, провожающая Сорхеда, находилась в задних рядах. Они толком так и не поняли, что же тут происходит, к тому же куда-то исчезла Камушка, их нетитулованный генерал. Без нее принимать какие-либо решения было непривычно. Крис мрачнел с каждой минутой. Потом его голову озарила загадка:

— Мы в кино попали!

— Какое кино?! — взвыл Сорхед. — Я на самолет опаздываю.

— А все рейсы отложены.

Лаки наконец-то перестал ржать, как идиот, огляделся и спросил:

— А где же камеры? Почему никаких камер я не вижу, если кино снимают?

— А это репетиция. Снимать позже начнут.

— А-а-а, ну тогда ладно, — утешился Лаки и захрапел.

К ним подошел Анвар, толкнул Лаки автоматом:

— Огонь давай, спички давай, зажигалку давай!

Лаки проснулся, и опять его пробило на смех:

— О! Я понимайт! Аэродром, аэродром! Да забирай, пожалуйста! Все равно последний косяк уже на улице скурили.

Он вывернул карманы, отдал боевику спички и снова захрапел, откинувшись на спинку оранжевого пластикового кресла.

Сорхед все больше нервничал, он уже начал грызть ногти, и без того безбожно обкусанные. Крис пнул его ногой:

— Прекрати! Смотреть противно!

Сорхед послушался товарища, как всегда привык слушаться всех, кто пытался им командовать. Однако его мучила какая-то мысль, изводила своей невысказанностью. Точно! Сегодня же его великий день. Он же готовился сказать тронную речь. Сорхед вскочил на сиденье кресла и закричал:

— Господа! Благородные доны и доньи! Пришел момент, когда я не могу молчать...

Безо всяких предупреждений стоящий ближе всего к Сорхеду чеченец срезал его косой очередью из автомата. Крис моментально присел, спрятав голову между ног — сказывалась пара лет службы в специальных войсках. Сорхед повалился прямо на него. Лаки, сидящий рядом, хрюкнул, но не соизволил проснуться.

Крис выполз из-под тела Сорхеда и произнес:

— Хреновое какое-то кино!

Он начал трясти своего приятеля, хлопать его по щекам и приговаривать:

— Ну, Сашок, ты чего! Очнись! Хорош, блин, притворяться! Сейчас в глаз дам!

Крис так растерялся, что впервые за все время их знакомства вспомнил, что Сорхеда зовут Сашей и впервые так его назвал.

Но Саша не подавал никаких признаков жизни. Его хлипкое тщедушное тельце было прострелено насквозь, он умер моментально, так и не договорив своей речи и не разобравшись, что же с ними происходит. Стеклян-

313

ными немигающими глазами он уставился на Криса. Словно кукла.

— Спи спокойно, дорогой товарищ! — философски-спокойно сказал Крис и закрыл Сорхеду глаза. — Мы за тебя отомстим.

Он прислонил Сорхеда к сиденью и замер в ожидании своей роли в этом «хреновом кино»...

Сидящий неподалеку от них Андрей Башкатов прекрасно понимал, что тут вовсе не кино снимается. Его очень раздражала обкуренная компания по соседству, и он был даже удовлетворен, когда один из них получил свои «сорок граммов свинца».

Андрей был абсолютно спокоен. Внешне он всегда выглядел безукоризненно. Образец холодности и здравомыслия. Один из безликих представителей новой генерации «белых воротничков». Безупречный костюм, ботинки и манеры. Спокойствие и отчужденность. Но внутри он просто кипел от ярости. Какое право имеют эти бородатые грязные горцы удерживать его. Его — Андрея Башкатова! Какого черта! Из-за их глупостей, местечковых проблем и кавказских амбиций он опаздывает на такие важные переговоры. Черт! Он же упустит клиента, тому наплевать на всякие уважительные причины. Андрей подведет свой банк. Не получит очередной галочки в своем блестящем послужном листе. Какое пятно на карьере. Ему не отмыться — он опоздает на переговоры!

Надо что-то предпринимать! Выбираться отсюда! Эти черножопые сволочи отобрали у него даже мобильник, он не может позвонить, извиниться, перенести встречу. Какой клиент будет его ждать, словно парень девушку на первом свидании?

Но что возможно предпринять в такой ситуации, Андрей представлял себе плохо.

Может быть, стоит договориться с кем-нибудь из боевиков, он готов заплатить очень дорого, чтобы его выпустили отсюда. Очень дорого! Его карьера стоит больших денег.

Но что толку, если его выпустят? Ему нужен самолет. Самолет до Москвы — немедленно! Но одна мысль, что придется спокойно и вежливо разговаривать с этими кавказскими ублюдками, от которых воняет казармой и дерьмом, приводила его в бешенство.

Андрей пытался укротить раздиравшую его ярость и найти оптимальное решение поставленной задачи. Он и правда был очень хорошим менеджером. «Не бывает нерешаемых задач, бывают неординарные пути решений» — это его кредо.

— Юра, мне удалось сохранить телефон, — шепнула Лена Гордееву, — я попробую позвонить.

Гордеев напрягся. Его все не отпускало утреннее раздражение на «геройствующих женщин». Сначала Ирина его рассказами о своих подвигах развлекала, теперь вот Лена рвется в бой. Понятно, что Лена Бирюкова — это не Оленька, которая сидит и тихо плачет. Выучка у нее не та, чтобы слезу пускать, когда есть возможность действовать. Однако как бы она дров не наломала.

Гордеев повернулся к Лене, посмотрел чуть ли не умоляюще:

— Лена, я очень прошу, пожалуйста, только будь осторожна! Предельно осторожна!

Лена улыбнулась ему:

— Конечно, Юра, мне же тебя еще надо из всего этого дерьма вытаскивать. Я сейчас попрошусь в туалет, может, оттуда получится позвонить.

— Ленок, я прошу, если там у тебя появится возможность сбежать — беги. От твоего побега пользы больше, чем от звонка. Ты на свободе сможешь объяснить спецслужбам ситуацию — обрисовать месторасположение, что-то посоветовать.

Лена уже не слушала его. Она подняла руку, и чеченец, направив на нее автомат, разрешил:

— Можешь говорить!

— Мне нужно в туалет. Можно выйти? — сказала прямо как примерная школьница младших классов. Лена чуть не фыркнула — она ничуточки не боялась. В ситуациях, когда опасность дышала ей в лицо, страх куда-то девался. Прилив адреналина только обострял ум и реакцию.

— Иди, — согласился боевик, отвел автомат и кивнул одной из «сестер»: — Проводи эту!

Лена встала и в сопровождении чеченки вышла из зала. Гордеев с тревогой смотрел ей вслед.

Андрей Башкатов думал. Ему нужны были хоть какие-то козыри. Что-то, что поможет ему расположить чеченцев к себе, что выделит его из этой толпы. Андрей поморщился. От собранных в зале заложников пахло еще похуже, чем от боевиков, это был такой сладковатый, трусливый запах страха. Запашок. «Какие же тут собрались свиньи!» — брезгливо подумал Андрей. Ему

316

был нужен какой-то повод, чтобы заговорить с боевиками. Просто так с ходу никто денег не предлагает. Нужна хоть какая-то зацепка. «Думайте, Андрей Александрович, думайте! — приказал он себе. — У вас мало времени». Андрей Башкатов всегда был с собой на «вы» и по имени-отчеству. Главное, относиться уважительно к себе, тогда легче добиться чего-то и от других.

Лена шла по коридорам аэропорта, так же как и Андрей Башкатов мучительно пытаясь выдумать повод заговорить. Лена шла впереди — чеченка следовала за ней. Внезапно Лена остановилась и обернулась. «Сестра» направила на нее пистолет и тоже остановилась.

— Скажите, а вам не страшно? — спросила у нее Лена. Конечно, ничего более идиотского для первого вопроса придумать невозможно, но Лене сейчас было не до остроумных сложносочиненных фраз.

Чеченка молчала, не опуская оружия, смотрела на Лену тяжело, сквозь прорези черного покрывала.

— Вы же понимаете, чем это может закончиться? Это же не первая подобная акция! Погибнете и вы и мы. Условия, которые вы собираетесь выставить, они невыполнимы.

Чеченка ткнула Лену в грудь пистолетом и жестом показала, чтобы она следовала дальше. «Она немая», — догадалась Бирюкова.

Они снова шли коридорами, впереди был поворот. Лена ускорила шаги, завернула туда и, молниеносно обернувшись, поставила чеченке подножку, та упала, выронив оружие. Лена схватила ее за горло и, нажав известные ей точки, вырубила. Оглянувшись, она увидела небольшую дверь в подсобное помещение аэропорта. Лена открыла дверцу и затащила туда обмякшую «сестру». Это была комнатка уборщицы, тут хранились ведра, тряпки и швабры. Лена достала свой мобильный телефон и набрала номер Меркулова.

— Константин Дмитриевич! Это Бирюкова.

— Лена, ты где? Уже в Москве?

— Нет, слушайте, мне трудно говорить, мало времени. Мы с Гордеевым в Пулково, аэропорт захватили террористы. Чеченцы, да, как «Норд-Ост», народу порядка трехсот человек. Всех держат в среднем зале. Я обезвредила одну из «сестер».

— Лена! Не смей! — голос Меркулова срывался. — Не смей ничего предпринимать и Юрию передай. Сидите там тихо. Стройте из себя добропорядочных граждан. Не смей!

— Константин Дмитриевич, сообщите питерским службам то, что я вам сообщила. Я отключаюсь.

Лена действительно отключила свой мобильный, мало ли, кто-нибудь перезвонит, да тот же Меркулов, и выдаст себя Лена этим нечаянным звонком с головой. А у нее были иные планы.

Лена быстро раздела чеченку, нацепила на себя ее тряпки и покрывала, перевязалась «поясом шахида», сделала из половой тряпки кляп и затолкала его чеченке в рот. Выбрала несколько тряпок по принципу их прочности и связала «сестре» руки и ноги. Закидала ее оставшейся ветошью, чтобы не заметил никто, заглянувший сюда случайно. Осторожно выскользнула из подсобки, плотно заложив между дверью и косяком сложенную газету. Если кто будет проверять помещения небрежно, то решит, что эта маленькая комнатка просто заперта. И нет там ничего интересного.

318

...Гордеев уже начинал беспокоиться о Лене. Она задерживалась. Хотя, может быть, это и к лучшему, может быть, эта задержка обозначает то, что Лене удалось бежать, следуя его совету. Однако в таком случае чеченка, сопровождавшая Бирюкову, давно бы уже подняла шум. А может быть, Лена ликвидировала террористку?

Группа людей, двигавшихся через зал в сторону летного поля, привлекла внимание Юрия. Среди чеченцев в камуфляже выделялся человек явно славянской внешности и в цивильном костюме. Его лицо смутно показалось знакомо Гордееву.

Так кажутся знакомыми телевизионные дикторы или звезды ток-шоу, которых видишь случайно в толпе. Они выглядят совсем иначе, чем на телеэкранах и фотографиях — мельче, бледнее, проще, но все же ты ощущаешь что-то неуловимо знакомое.

«Батюшки! Да это же профессор Дублинский!» — ахнул про себя Гордеев.

Да, это был профессор Петербургского университета Сергей Владимирович Дублинский, тот самый человек, которого адвокат Юрий Гордеев должен был разыскать, будучи связанным договором с его супругой — Оксаной Витальевной.

«Черт подери! Самое главное, конечно, заключается в том, что Дублинский все еще жив», — пытался собраться Гордеев.

Дублинский вел себя спокойно, за руки его никто не держал, автоматом в спину не подталкивал. Казалось, что он заодно с бандитами.

«Этого быть не может! — решил Гордеев. — Тут что-то не так. Но то, что он в компании с чеченцами, говорит о многом. Они заставили его сделать бомбу!»

...Гучериев подошел к регистрационной стойке, возле которой сидел Гордеев, и стал держать речь:

— Говорил бы я со своими людьми, я бы сказал, обращаясь: «Братья и сестры!» Но вы мне никто! Я могу убить вас немедленно — у меня есть оружие для этого. Это не автоматы, которые убивают вас по одному, это гораздо сильнее... Но я не буду этого делать! Вы мои заложники — я буду вами дорожить! Если ваша власть не наделает глупостей, вы будете жить. Но если наши требования не будут выполнены — священный огонь джихада сотрет этот аэропорт с лица земли, а вместе с ним и нас всех.

К Гордееву подошла одна из «сестер», ткнула в него пистолетом. Юрий оторопел. Однако чеченка поправила покрывало, прячущее ее лицо, и Гордееев увидел, что под ним прячется... Лена.

Она поманила его рукой, он встал и пошел за ней. Гучериев между тем продолжал:

— Если не будут выполнены наши требования, власти увидят, на что мы способны. Смерть, быстрая смерть сейчас и медленная — на протяжении нескольких поколений, — вот что они получат. Страшное оружие, которое есть у нас и которое мы приведем в действие, приведет в ужас Россию. И не только Россию, но и все страны.

Он поманил одного из чеченцев, который стоял рядом с Дублинским, держа в руках небольшой чемодан.

— Вот, — сказал Гучериев, указывая на чемодан, — здесь содержится смерть для вашего города. Сейчас мы потребуем пригласить сюда съемочные группы российского и иностранного телевидения, чтобы профессор, который разделяет наши идеи и создал это смертоносное оружие, подтвердил, что это не просто слова. Мы взорвем бомбу и вознесемся на небеса... Аллах акбар!

Чеченцы трижды повторили за своим вождем эту формулу, потрясая над головами автоматами. Люди в зале оцепенели от страха. Где-то заплакал ребенок, где-то завизжала женщина...

Лена выводила Гордеева из зала под дулом пистолета. На них никто не смотрел — все, затаив дыхание, слушали Гучериева. Юрий осторожно оглядывался, ему казалось, что на них никто не обращает внимания. Но он ошибался.

Андрей Башкатов случайно заметил, как высокий светловолосый мужчина, который только что так бесстрашно говорил с чеченцем, теперь перемолвился парой слов с одной из женщин в черной одежде. О чем они могли говорить?.. Андрей вдруг до боли под ребрами позавидовал этому бесстрашному блондину — вот ему удалось выделиться из толпы, обратить на себя внимание. Впрочем, какие это даст результаты, не знает никто. Вот боевики только что расстреляли какого-то сумасшедшего или пьяного парня, который вдруг вскочил на кресло и стал выкрикивать какой-то бред. Нет, блондин ведет себя умнее, он о чем-то тихо переговаривается с чеченкой.

Вдруг она чуть приоткрыла черный платок, прикрывающий лицо. Буквально на долю секунды. Но этого оказалось достаточно, чтобы Андрей убедился, что это никакая не чеченка. Вполне русская внешность. Более того, она была похожа на спутницу блондина, которая только что сидела рядом с ним...

Вот оно! Вот его счастливый шанс! Вот повод, который позволит и ему, Андрею Башкатову, выделиться из толпы, сделать попытку спастись. Это многого стоит.

Только вот как использовать этот шанс, чтобы получить максимум дивидендов? Он не придумал ничего лучше, как подозвать проходящего боевика.

— Э-э... Послушайте, можно вас на секунду?

Боевик без всякого интереса повернул к нему голову. Башкатов увидел стеклянные, ничего не выражающие глаза бандита, и ему стало страшно.

— Что хотел? — спросил боевик.

— Там... Понимаете, там вместо вашей... женщины, другая женщина, — как можно тише произнес Башкатов.

— Что? — нахмурился боевик.

— Ну там была ваша женщина, а теперь вместо нее — другая. Переодетая.

— Глупости не говори... — только и произнес боевик.

— Это правда... А ваша, может быть, где-то сидит. Или убита!

— Что-о?! — При слове «убита» глаза боевика начали дико вращаться. Он схватил Башкатова за грудки, приподнял и бросил на пол. — Что ты сказал?

Впрочем, ответить Башкатову так и не удалось, так как он получил носком тяжелого ботинка в челюсть. Ощутив во рту острые края выбитых зубов и соленый вкус крови, он счел за благо промолчать.

Боевик посмотрел на кровавые пузыри на полу, покачал головой и пошел своей дорогой. Андрей Башкатов с трудом поднялся, сел на свое место, где и просидел до самого конца...

Гордеев под конвоем Лены вышел в коридор аэропорта, который перешел в другой коридор, поуже, а потом и вовсе закончился лестницей.

322

— Как это тебе удалось? — спросил Гордеев, убедившись, что поблизости никого нет.

— Ловкость рук, Юра, — проговорила Лена сквозь черный платок.

— А тебе идет, между прочим, — сказал Гордеев. — Черный — твой цвет.

— Спасибо, друг. Ну что будем делать? Я, кстати, поговорила с Меркуловым.

— Ого! И что он сказал?

— Чтобы мы ничего не предпринимали, естественно, — пожала плечами Лена.

— А что ты ожидала услышать? Впрочем, я сам на месте Меркулова сказал бы то же самое... Ну да ладно, мы теперь находимся тут, что предпримем?

— Можно попытаться выбраться отсюда, — предложила Лена.

— Можно... Но не лучше ли остаться и попытаться сделать что-нибудь, чтобы нейтрализовать кого-то из чеченцев?

Лена покачала головой:

— Они устроят большую стрельбу, погибнут невинные люди.

— Конечно, я бы попробовал нейтрализовать не чеченцев, а самого Дублинского, — задумчиво проговорил Гордеев. — Главарь бандитов сказал, что он разделяет их идеи. Как ты думаешь, это правда?

— Сомневаюсь. Скорее всего, это было сказано для того, чтобы придать авторитет своим словам. Впрочем, неизвестно, возможно, Дублинского так обработали, что он теперь разделяет любые идеи, которые ему будут предложены...

— Да. Но главное не это. Главное, что он действительно сделал взрывное устройство. И сдается мне, устройство это может вполне оказаться ядерным.

— На это явным образом намекал главарь.

— Так что будем делать?

— Вряд ли мы что-то сможем сделать. Смотри на вещи реально, Юра.

На лестнице раздались шаги. Сверху шел боевик с автоматом. Спрятаться Лена с Гордеевым не успели, и боевик, увидев их, нахмурился. Подошел поближе и обратился к Лене с несколькими фразами на чеченском языке.

Гордеев кинул на нее быстрый взгляд. Лена резким движением бросила пистолет в лицо чеченцу. Тот от неожиданности поднял руку, пытаясь защититься, но тут Гордеев нанес ему несколько ударов в челюсть и солнечное сплетение, отчего чеченец сделал шаг назад и сполз по стене.

— Браво! — одобрительно сказала Лена. — Ты, Гордеев, форму не теряешь.

— Это ты хорошо сообразила — бросить ему в лицо пистолет, — ответил Гордеев, связывая руки чеченцу, вставляя ему в рот кляп и оттаскивая в темный угол. — Хорошо, что не применила по прямому назначению. Выстрелы бы услышали боевики, и тогда нам каюк.

— Ладно, бери автомат и пошли. Кстати, возьми его финку, пригодится...

— Может, переодеться в его шмотки? — предложил Гордеев. — Будет у нас с тобой сладкая парочка — чеченец и чеченка.

— С твоей шевелюрой тебя все равно никто за чеченца не примет, Гордеев. Так что пойдем так.

— А куда? У тебя есть какой-то план?

— Нет...

— Я думаю, сначала нужно узнать, где будет храниться бомба, в зале или в какой-то отдельной комнате. А для этого нам нужно выбрать наблюдательный пункт.

Они поднялись этажом выше и пошли по коридорам, осторожно выглядывая из-за углов. Вдруг откуда-то спереди раздался выстрел, и прямо у уха Гордеева прожужжала пуля. Он резко лег на пол и пополз за угол. Лена, к счастью, не успела из-за него выйти.

В коридоре появились два чеченца, которые выкрикивали:

— Стой! Будем стрелять!

— А вы и так стреляете... — бурчал под нос Гордеев, скрываясь за углом.

— Бежим! — Лена схватила его за руку и они побежали по коридору. Сзади загрохотали тяжелые армейские ботинки, в которые были обуты чеченцы.

— Нам от них не уйти, — говорил Гордеев на бегу, — рано или поздно мы окажемся в тупике. Нужно где-нибудь спрятаться.

Они забежали в одну из комнат и заложили дверь стулом. Спустя минуту в дверь забарабанили, а потом снаружи донеслись удары, от которых посыпалась штукатурка.

— Они все же заметили, куда мы забежали! — с досадой проговорила Лена. — Что будем делать? Отстреливаться?

— Нет... Лучше обойтись без стрельбы.

Гордеев окинул взглядом комнату в поисках какого-нибудь выхода. В комнате даже не было окна. Кроме вентиляционной решетки.

— Гляди! — Гордеев подбежал к стене и снял вентиляционную решетку. За ней была труба, плавным изгибом уводящая за поворот. — Давай быстро сюда. Другого выхода нет!

Долго упрашивать Лену не пришлось, она мигом встала на подвернувшуюся тумбочку и влезла в трубу. Следом за ней последовал и Гордеев. Решетку закрыть не удалось.

Через минуту, когда они уже свернули за поворот трубы, сзади явственно послышалась чеченская речь. Затем резко стихла. Чеченцы, видимо, не найдя их в комнате, решили, что обознались. Гордеев благодарил судьбу за то, что они не догадались заглянуть в вентиляционную трубу...

Лена и Гордеев ползли по пыльной трубе, стараясь производить как можно меньше шума. Но вот впереди послышались голоса. Вдруг Лена остановилась. Гордеев не понимал, в чем дело, и спросить не мог, поскольку подошвы туфель Лены почти упирались ему в лицо, и вопрос бы пришлось выкрикивать.

— ...Требования выполнены не будут. — Гордеев слышал голос, который показался ему знакомым. Ну конечно, это был голос главаря чеченцев. — Поэтому нам придется привести в действие взрывное устройство. Будьте готовы к этому, профессор.

— Мы так не договаривались. — В голосе профессора звучали довольно истерические нотки. — Я сделал вам бомбу, что вы еще хотите? Я не собираюсь вместе с вами умирать. Отпустите меня!

Главарь рассмеялся:

— Вы разве не отдаете себе отчет в том, что теперь вы наш соучастник? И вне зависимости от того, будут вас судить или нет, ненависть народа вам обеспечена. Ведь это именно вы сделали бомбу, которая унесет сотни, а то и тысячи жизней. Кроме того, вы только что вместе со мной выступили перед камерами и подтвердили, что бомба настоящая. Вы выступили вместе со мной, чеченским полевым командиром Ахметом Гучериевым! Поэтому теперь мы с вами заодно. И умирать будем вместе.

— Но я не собираюсь умирать! Я сделал все, что вы хотели!

— Нет, — жестко ответил чеченец, — если надо будет, вы умрете вместе с нами.

— Вы забываете, что я могу отказаться привести в действие взрывной механизм! А ваши люди не справятся.

— Не волнуйтесь, справятся. Мои люди не такие дураки, как вам может показаться. А если надо, я сам взорву бомбу!

— Вы же получили все, что хотели... Отпустите меня! — Голос профессора звучал умоляюще.

— Нет, вы нам еще можете понадобиться. Сейчас нам предоставят самолет, и мы вместе вылетим в Пакистан.

На этих словах Гордеев услышал впереди странный треск. Подошвы туфель Лены как-то странно дернулись, труба изогнулась и рухнула! Гордеев остался в отрезке трубы, который уходил в стену, а Лена уже была на полу комнаты, в которой находились Гучериев, Дублинский и еще один боевик.

Гордеев передернул затвор автомата и приготовился стрелять, но очередь прошла трубу в миллиметре от его носа. Он пополз назад, оказавшись в соседней комнате, выбил ногой вентиляционную решетку и соскочил на пол...

И тут же кинулся к двери. Можно было попытаться, ворвавшись в комнату, освободить Лену. Конечно, это было нереально, рискованно, означало почти верную гибель, но ничего другого Гордееву не оставалось.

Дверь оказалась запертой. Гордеев пнул ее раз, другой и убедился, что у нее не только надежные замки, но и в том, что сделана она из стали, которую просто так не выбьешь.

Что делать? Снова воспользоваться вентиляционной трубой? Исключено. Его снимут очередью, как воробья из рогатки. Выломать дверь, как уже говорилось, не удастся. А других выходов не было. Подумав, Гордеев решил все же попытаться воспользоваться вентиляционной трубой.

Лена... Ее одежда не оставляла сомнений в том, у кого именно она ее позаимствовала. Кроме того, у лестницы так и лежал связанный боевик... Все это означало только одно — Лену немедленно расстреляют. И он должен этому воспрепятствовать!

Гордеев вновь влез в трубу и через минуту был в соседней комнате. Но она была уже пуста. За время, пока он размышлял, как поступить, Гучериев, Дублинский и боевики, прихватив с собой Лену, куда-то ушли.

Адвокат выскочил из комнаты. В коридоре стояла тишина. Бросаться за ними было в высшей степени глупо — если справиться с тремя-четырьмя еще оставалась какая-то надежда, то в зале его ждала неминуемая смерть. Что делать?

Гордеев вернулся в комнату. Здесь стояли шкафы, Гордеев заглянул в один из них. На плечиках висела форма пилотов гражданской авиации. Адвокат смотрел на нее, и у него в голове рождался план. Что там Гучериев говорил про полет в Пакистан?

Переодеться было делом нескольких минут. Гордеев посмотрел на себя в зеркало и остался доволен. Теперь оставалось найти способ пробраться в самолет, который был предназначен для террористов.

...В самолет Ил-86, предоставленный властями боевикам Ахмета Гучериева, по трапу вошел высокий светловолосый пилот. Его тут же обыскали и провели в пилотскую кабину. Он шел мимо испуганных людей, которых боевики силой загнали в самолет... Когда он проходил мимо Ахмета Гучериева, который вместе с Дублинским устроился рядом с кабиной, тот последовал за пилотом.

— Лететь будем не в Пакистан.

— А куда? — удивился пилот.

— Полетим к Москве.

— Вы думаете, это так легко? Нужен воздушный коридор, нужно разрешение...

— Ничего не нужно, — покачал головой Гучериев. — Полетим к Москве.

— Зачем? — поинтересовался пилот.

— Это тебя не касается, — грубо ответил Гучериев. — Поведешь самолет куда скажу, понял?

Вдруг в дверь постучали и послышался голос Джабраила:

— Ахмет, там пилоты пришли...

На лице Гучериева отразилось недоумение:

— А ты тогда кто?

И тут же почувствовал у своего горла холодную сталь ножа.

— Как тебе удалось?.. Откуда нож? — прохрипел Гучериев, стараясь делать как можно меньше движений, чтобы острое лезвие не порезало шею.

— Из фуражки, — усмехнулся Гордеев (это был именно он).

Гучериев произнес короткое гортанное ругательство.

— Не двигайся, — сказал Гордеев, — мне терять

нечего. — Прикажи отпустить девушку, которая вывалилась из вентиляционной трубы.

— Не забывай, что мне тоже терять нечего, — спокойно возразил Ахмет. — Но ладно, будь по твоему. Джабраил! Приведи сюда девку, которая из трубы свалилась!

— Пусть сюда принесут бомбу, — добавил Гордеев, — иначе вообще не полетим. А спецназ может начать штурм в любую секунду.

— ...Чемодан неси! — добавил Гучериев. И добавил что-то по-чеченски.

Через минуту и Лена, и чемодан с бомбой оказались в пилотской кабине.

— Осторожно! — сказал Гучериев — Может взорваться.

— Ахмет, — спокойно сказал Гордеев, — ты ведь не собираешься взрывать бомбу и умирать вместе со всеми?

— Нет, конечно, — рассмеялся Гучериев. — Поэтому дай-ка я обезврежу устройство, а потом мы пригласим настоящих пилотов и полетим в Пакистан.

— А зачем ты собирался лететь в Москву? — спросил Гордеев.

— Очень просто. Чтобы сбросить над столицей эту бомбу.

— Но теперь-то это у тебя не получится, — сказал Гордеев, пряча чемодан под кресло.

— Как знаешь, — пожал плечами Гучериев. — Только имей в виду, устройство делалось в кустарных условиях, так что может бабахнуть в любой момент. Если, конечно, его не обезвредить. К тому же, если взлетим, давление поднимется и вероятность взрыва возрастет.

330

— Мы сейчас отдадим чемодан спецназу, — сказал Гордеев.

— Не выйдет, — улыбнулся Гучериев, — мои люди не пропустят. Чемодан — гарантия их безопасности.

— Но если бомба взорвется в полете...

— Они об этом не знают. Так что давай-ка я обезврежу устройство, и мы спокойно полетим в Пакистан. А там спокойно расстанемся.

— Нет, Ахмет, тебе меня не обмануть. Чемодан останется у меня.

В глазах Гучериева заиграли бешеные огоньки. Внезапным и стремительным движением он выбил нож из рук Гордеева и повалил его на пол. Затем схватил чемодан и подобрал финку.

— Ну вот, теперь диспозиция изменилась, — проговорил он, щелкая замками, — я тебя обманул. Я умру за свой народ! Вместе со своими людьми, вместе с заложниками. И вместе с тобой! Аллах акбар!

И, прежде чем Гордеев успел вымолвить хоть слово, Ахмет открыл чемодан, вставил ключ в скважину и резко повернул его. Раздался хлопок, кабину заволокло черным дымом. Последнее, что услышал Гордеев, перед тем как потерять сознание, были гортанные чеченские ругательства...

Через неделю Юрий Гордеев и Лена Бирюкова садились в поезд «Санкт-Петербург — Москва».

— Пришлось тебе все же поездом воспользоваться, — сказал Гордеев, который еще не оправился от отравления продуктами горения и шока, последовавшего в результате взрыва в кабине пилотов.

— Ничего, — смеясь, ответила Лена, — зато безопасно. После того как взорвалось пиротехническое устройство профессора Дублинского, у меня совсем нет никакой охоты летать самолетами.

— Все-таки молодец профессор. В таких условиях не только сохранить выдержку, но и найти способ обмануть бандитов — это надо уметь.

— Да, — кивнула Лена. — Говорят, его хотят представить к званию Героя России.

— А мы с тобой, как всегда, пролетели, — грустно улыбнулся Гордеев. — Как фанера над Парижем.

— Ничего, — успокоила его Лена, — надеюсь, у нас еще будет возможность отличиться...

Литературно-художественное издание

Серия
«ГОСПОДИН АДВОКАТ»

Фридрих Евсеевич Незнанский

ОПОЗДАТЬ НА КАЗНЬ

Редактор *В. Е. Вучетич*
Художественный редактор *О.Н. Адаскина*
Компьютерный дизайн: *И.А. Герцев*
Компьютерная верстка *М. С. Ананко*
Корректор *Е. Н. Петрова*

Общероссийский классификатор продукции
ОК-005-93, том 2; 953000 — книги, брошюры

Гигиеническое заключение
№ 77.99.02.953.Д.008286.12.02 от 09.12.2002 г.

ООО «Издательство АСТ»
667000, Республика Тыва, г. Кызыл, ул. Кочетова, д. 28
Наши электронные адреса:
WWW.AST.RU E-mail: astpub@aha.ru

ООО «Агентство «КРПА «Олимп»
121151, Москва, а/я 92.
E-mail:
Страницу издательства «Олимп»
см. на сайте «www.neznansky.ru»

При участии ООО «Харвест». Лицензия ЛВ № 32
от 27.08.02. РБ, 220013, Минск, ул. Кульман,
д. 1, корп. 3, эт. 4, к. 42.

Открытое акционерное общество
«Полиграфкомбинат им. Я. Коласа».
220600, Минск, ул. Красная, 23.

Незнанский Ф. Е.

Н44   Опоздать на казнь: Роман / Ф. Е. Незнанский.— М.: ООО
ООО «Издательство АСТ»: «Агентство «КРПА «Олимп», 2003.—
332[4] с.— (Господин адвокат).

ISBN 5-17-020205-9 (ООО «Издательство АСТ»)
ISBN 5-7390-1268-6 (ООО «Агентство «КРПА «Олимп»)

Не в первый раз помогает адвокат Юрий Гордеев, сам в прошлом следователь, молодой сотруднице Генеральной прокуратуры Елене Бирюковой в расследовании не очень значительного, на взгляд профессионалов,
преступления. Но впервые на карту поставлены их жизни, потому что они
столкнулись с фанатической жестокостью и безжалостностью террористов.

УДК 821.161.1-312.4
ББК 84(2Рос=Рус)6-44